15

Fic
SC
Spanish

N° 77.066-3

WITHDRAWN

M. N° 77.216-K

CUENTOS MEXICANOS

© POLI DELANO

© EDITORIAL ANDRES BELLO
Av. Ricardo Lyon 946, Santiago de Chile

Registro de Propiedad Intelectual
Inscripción N° 97.762, año 1996
Santiago - Chile

Se terminó de imprimir esta primera edición
de 10.000 ejemplares en el mes de septiembre de 1996

IMPRESORES: Antártica S.A.

IMPRESO EN CHILE/PRINTED IN CHILE

ISBN 956-13-1436-3

CUENTOS MEXICANOS

POLI DELANO
Compilador

EDITORIAL ANDRES BELLO
Barcelona • Buenos Aires • México D.F. • Santiago de Chile

PROLOGO

Me resisto a ponerle a este libro el título de "antología". ¿Quién soy yo para *antologar,* para correr el riesgo de errar en la selección de lo mejor? Ni versado teórico en el género cuento, ni especialista en letras mexicanas. En cambio, sí es verdad que soy cuentista y también es cierto que me declaro un chileno fanático de México. Como cuentista, mi interés por este género me impulsa a leer todo cuento que se atraviese en mi camino. Como fanático de México, bueno, en realidad debiera clasificarme como chileno-mexicano, binacional y "bilingüe". La cantidad de inviernos y veranos que he vivido en ese país constituye un factor de mucho peso en mi vida.

La primera etapa fue de los cuatro a los diez años. Por tener un padre escritor, conocí de niño, como "tíos", a José Revueltas, Andrés Henestrosa, Efraín Huerta, Alí Chumacero, Juan de la Cabada y –un poco más de lejos– Octavio Paz. A Juan Rulfo y Carlos Fuentes los vine a conocer en Chile, en aquellos encuentros literarios que se realizaron en la década de los sesenta impulsados por el entusiasmo de Gonzalo Rojas o Luis Sánchez Latorre.

La segunda etapa, de 1974 a 1984. Once años escribiendo, leyendo y conociendo a los escritores. Llegan los nuevos, José Agustín, Eraclio Zepeda, Avilés Fabila. Podría contar mis primeros encuentros con más de la mitad de los cuentistas que aparecen en esta selección. No lo haré, porque sería otro libro, más que un prólogo. Pero guardaré la idea. Tampoco voy a caer en la tentación de calificar a estos espadachines de la pluma. La calificación está en sus textos.

De manera que "antología", no. Enrique Anderson Imbert dijo sabiamente: "desconfía de las antologías". Yo, también sabiamente, sigo su consejo. Por otra parte, se recalca siempre que en las antologías, como en los manicomios, "no están todos los que son, ni son todos los que están". En la presente selección obviamente no están todos los que son. Tengo una cantidad de buenos cuentos como para ir pensando en un segundo tomo (otra idea que guardo). Pero creo fervientemente que sí son todos los que están. El lector será buen juez.

Se dice hoy que el cuento es un género de interés menor. Me pregunto qué podrían responder Chejov, Maupassant, Lu Sin, Hemingway o Cortázar. Tal vez la respuesta no la encontremos en sus ideas, sino en la lectura misma de sus cuentos. Los editores rechazan originales y sugieren la novela, debido a que el cuento "no vende". Sin embargo, en Europa, en EE.UU., en nuestra propia América Latina proliferan las antologías de toda índole. Que cuentos policiacos de América Latina, que cuentos de amor de América Latina, que cuentos de mujeres latinoamericanas. ¿Vende o no?

Mi contacto con el cuento mexicano no fue sólo producto de mi interés y mi lectura. Se debió también a la existencia de los talleres literarios, que en México han llegado a institucionalizarse. Durante años fui coordinador del taller de narrativa de Cuernavaca, auspiciado por el Instituto Nacional de Bellas Artes. Ahí tuve alumnos que son hoy cuentistas aceptados y notables: ganan premios, publican y dirigen también nuevos talleres. Algunos autores seleccionados en este libro pasaron por estas salas de trabajo.

Pero es preciso fijar un punto de partida. ¿Dónde nos situamos? Por supuesto que pensamos en Rulfo y "Diles que no me maten", en Arreola y "El guardagujas", en Juan de la Cabada y "Paseo de mentiras", en Carlos Fuentes y "La muñeca reina", en Edmundo Valadés y "La muerte tiene permiso", en José Revueltas, Sergio Galindo, Elena Garro. Nos situamos a partir de ellos. Los dejamos fuera porque ya están muy dentro. Vienen los otros, los que alcanzando altos grados de excelencia se conocen menos debido a la formidable desorganización literaria y editorial que caracteriza a nuestro continente. Me parece monstruosamente absurdo entrar en una librería y constatar que no hay textos de José Emilio Pacheco, Salvador Elizondo, María

Luisa Puga. Nunca me cansaré de despotricar contra el sinsentido de que en Chile no se conozca nada de la actual narrativa boliviana, por ejemplo, o paraguaya, o de Perú. Vargas Llosa, Fuentes y Carpentier nos llegaron desde España. ¿Y los otros? Empecemos y sigamos adelante con las antologías. Pero no nos quedemos ahí. Espero que los lectores de esta selección mañana estén ansiosos por leer más obras de Elena Poniatowska, Jesús Gardea, Ramírez Heredia. Y esperamos todos que las editoriales reciban con sensibilidad el eco de ese clamor. Partimos, pues, un poquito más adelante. Más o menos desde 1930 como año de nacimiento, para llegar hasta 1961, donde se halla el más joven de esta muestra. Sesenta y cinco años de siglo, y si consideramos que por lo general no se publica un libro antes de los veinte, tenemos alrededor de cuarenta y cinco años de cuento. Vamos bien.

México es un país centralizado y cuenta con una gigantesca capital que sobrepasa los veinte millones de almas. Pero es a la vez un territorio de gran diversidad geográfica. Los ámbitos norteños donde nacieron y crecieron Jesús Gardea o Salvador Castañeda recuerdan muy poco al Acapulco de José Agustín, a la Huasteca de Ignacio Betancourt o al sureste (caribeño) de Aguilar Camín y (selvático) de Eraclio Zepeda. Sin embargo, aquello que podríamos llamar "lo mexicano" pasa por los cuatro puntos cardinales, se filtra y navega por Golfo y Pacífico, atraviesa desiertos, llanuras, montes y selvas, vuela rasando arenas, lagos, grandes ríos. Esa presencia la tenemos en nuestro conjunto de cuentos, aunque no podemos negar que el ámbito predominante es metropolitano, el de la gran ciudad.

En general hemos elegido cuentos más bien breves, no por desconfianza del cuento largo, sino con el objeto de abarcar a un mayor número de autores. También hemos optado por dar preferencia a los cuentos menos publicados de cada escritor. Es por eso que, si bien consultamos varias antologías, terminamos por inclinarnos a indagar en sus obras individuales. Espero que después de la lectura de este libro, las obras de los treinta y cuatro narradores que estamos presentando encuentren un camino más afable entre nuestras editoriales.

HECTOR AGUILAR CAMIN
(1946)

Nació en Chetumal, en el hoy turístico estado de Quinta-
na Roo, sureste del país, lindante con el mar Caribe.
Periodista de oficio, dirige en la actualidad el importante
semanario *Nexos*. Como narrador, ha publicado un libro
de relatos, *Con el filtro azul* y dos novelas que lo situa-
ron en un lugar muy alto de la nueva literatura mexicana y también de la taquilla: *Morir en el Golfo* y *La guerra
de Gallo*.

Los prados solos

Para Alvaro Ruiz Abreu

Cuando paso por las tardes y miro casi me atrevo a pensar
que no ha cambiado, que son las mismas bancas color de
tezontle con agujeros en el centro para que se desagüen, por si
llueve. Los mismos cedros altos de la avenida, el camino de
baldosas con pasto en las ranuras. La iglesia que abrieron en la
esquina multiplicó el tráfico en estos años y ahora nadie va,
nadie se para. O se paran las sirvientas que fajan en las noches,
las ancianas de negro que deambulan respirando el fresco de
las cinco. Hace años también estaban, pero nosotros jugábamos
fútbol en esos prados y unas judías calientes se asomaban a
vernos sin sospechar, supongo, lo que ahora sabrán de seguro.

Me gusta mirar cuando regreso: las bardas y las casas, la
gente que camina, la boca del estacionamiento subterráneo que
le da servicio al cine en el fondo de esa privada que conozco.
El estacionamiento tiene salida también al otro lado, sobre la
avenida de sauces llorones que están secos como nunca en este

tiempo. Claro que pienso también en el Jorobas, que lo cuidaba hace los años que dije. Ni la iglesia ni el cine (hay varios cines) se habían inaugurado y la cosa era distinta; es como si la palabra inauguración hubiera empezado a gobernar la turbia facha de hotel o aeropuerto que la zona despide ahora, digo, por los coches y las vidrieras y la clase de gente sin torcer que cruza a todas horas.

El estacionamiento tendrá todavía los dos pisos y el tubo de bomberos cerca de la entrada; estará también todavía la escalera de varilla corrugada, metida en la pared para subir. Supongo que cuando el cine no funcionaba, hace los años que dije, el único chiste de esas cosas era que nosotros nos deslizáramos por el tubo hacia la parte de abajo del estacionamiento para chingar al Jorobas. Lo supusimos siempre observándonos agazapado en la oscuridad del nivel inferior, listo para saltar sobre alguno en venganza de que le gritáramos indio o le mentáramos la madre. Quizá facilitaba nuestro odio por él el hecho de que nunca nos pelara, de que viviera en esa zona negra de ecos y rampas como si nada pudiera turbarlo ni desviar sus propósitos. Nunca agarraba a nadie. Vale decir: agarraba nada más a Rutilio.

No tuvimos que acostumbrarnos a que Rutilio bajara por el tubo como todos, y el Jorobas lo agarrara, dejándolo subir una hora después compungido, por la boca del túnel: teníamos la costumbre desde antes. De eso o de que el policía que nos persiguió por los vidrios aquellos de la sinagoga hubiera decidido perseguir en la desbandada justamente al de los pantalones caídos, a Rutilio. La captura de Rutilio en el fondo del túnel no hacía otra cosa que respetar un destino, un orden obvio hecho de dos hermanas feas y un departamento de planta baja y una absurda gritería que su tía le lanzaba todas las noches para que regresara a cenar. Pero no era ese ordenamiento lo que buscábamos, sino su ruptura: sentir que provocábamos algo, que dejábamos una huella, que algo cambiaba de veras si lo tocábamos.

La gritería de que hablé la escuchábamos todos a eso de las siete, sentados a la vuelta de la privada en los escalones de la tienda de dulces (unos doscientos metros, quiero decir, más el ruido de la avenida). Hasta allá sonaba la tía de Rutilio gritándole que viniera a cenar, recitándole el menú. Matías la imitaba; era tan sangriento que la gente se retorcía de risa al pasar por ahí y escucharlo.

Ahora me cuesta trabajo imaginar a Matías o aceptar que eran suyas cosas como el gato que mojamos con gasolina y echamos prendido por la boca del túnel para joder al Jorobas. O Ramona que se bañaba por la noche y nos dejaba verla porque Matías se lo ordenaba. No sé si invento las idas a las azoteas y los brillos de agua en la piel cobriza de Ramona, el bulto de espuma entre sus piernas, las carcajadas de Matías mientras la veía y señalaba la deformidad de su estómago. Hay como un olvido persistente que cubre algunos detalles de esos años. Será que esos detalles carecen de sentido o que las palabras en total no alcanzan para recobrarlos, igual que la palabra mujer no alcanza para decir a Ramona ni a la mamá de Matías ni a las judías que nos miraban jugar en los prados.

Recuerdo bien, a pesar de todo, que cuando el Argentino llegó a la privada lo primero que hicimos fue llevarlo a ver a Ramona. Su llegada, por lo demás, no mejoró nuestras exhibiciones futbolísticas en los prados; tampoco tiene importancia especial sino porque en esos días el Jorobas agarró por segunda vez a Rutilio. Fue a partir de entonces que unimos del todo la acechanza del Jorobas en la oscuridad con nuestro juego en el tubo y la desaparición eventual de Rutilio en el fondo. Lo unimos como otros antes habían unido el cielo encapotado con la lluvia y el humo en columnas con la quemazón. Pero bajar por el túnel siguió siendo a pesar de la lógica, fruncir el culo mientras te deslizabas, medio gritar abajo la mentada que Matías impusiera y subir como loco por la escalerita de varilla sintiendo que te llegaban al tobillo. Así era.

Lo demás (digo, aparte del tubo) eran las horas gestadas en los prados y en el parque cercano (frente a otra iglesia que tenía forma de parábola) o en las regiones deshabitadas, vagas, que unos rieles de tren mejoraban a espaldas de nuestros edificios. Cuando se iba la luz y venía esa luz otra, color de ceniza en la que nadie podía distinguir la pelota, regresábamos a los escalones de la tienda y aspirábamos a cruzar sin ser llamados los siguientes minutos. Era como arrogarse un derecho para vivir más y mejor de lo permitido. En vacaciones los límites parecían retroceder, dilatarse. Por la noche levantabas las sábanas para meterte en la cama y antes de voltear a la almohada mirabas un rato el techo y sentías llenarse todo con una euforia que corría hasta el día siguiente, en el que no habría nada obligado que hacer, o sea, sólo levantarse temprano, ir por el Argentino y por Eduardo Noriega (si no estaba de viaje con sus padres), por Matías, y empezar otra vez. Como la mamá de Matías nos prohibía avanzar más allá de la cocina, lo esperábamos a que saliera con las sirvientas y todo estaba en esa cocina como acabado de limpiar. Las muchachas vestían unos uniformes que la mamá de Matías les compraba y que les formaban muy bien las caderas y los brazos.

También recuerdo muy bien de esas mañanas a la mamá de Matías. Aparecía tras la puerta cubriéndose el pecho con una bata rosada, transparente. Recuerdo sus piernas, su acento español, el día en que me invitaron a nadar al Deportivo y ella salió con su trajecito de baño y el pelo suelto y se echó al agua y chapoteó fastidiándose sola con el agua que salpicaba al bracear. A la hora de la comida sus ojos fueron más azules bajo el cerco de las pestañas mojadas. Esa tarde en el baño imaginé que llegaba con la falda levantada, metiéndose la mano entre los muslos abiertos para embonar con los míos.

Matías acababa por salir en algún momento y como lo recogíamos siempre al último, nos íbamos todos de ahí a los prados con la familia de enfermos que vivía enfrente (cinco hermanos que ahora son cuatro) y los cosíamos a patadas o ellos cosían al Argentino que la tallaba de más. Las güerejas asomaban a vernos pero como le iban a los enfermos, después de jugar nosotros no nos acercábamos sino que nos íbamos caminando unas cinco cuadras hasta el parque a tomar agua helada de la fuente o a apedrear la sinagoga. La iglesia de la parábola quedaba también frente al parque y Matías se orinaba en sus paredes. Mirábamos los camiones dar la curva en la glorieta esperando que se volcaran. Era inútil, al cabo de dos días, de tres, regresábamos de nuevo al túnel del estacionamiento, como si con todo lo demás nos hubiéramos estado haciendo pendejos, tratando de ignorar que el túnel nos llamaba y que escuchábamos su llamado aunque estuviéramos jodiendo a los enfermos o rondando la iglesia.

No había nada (o quizá sólo la mamá de Matías) como la sensación de caer por el tubo y saber mientras uno repetía la mentada que estaba en el límite, que un metro, una sombra, un brazo más allá quedaban las cosas que nunca nos sucederían: el Jorobas acechando a Rutilio. Las matinés infalibles habían ayudado a poner en claro algunas características del Jorobas. Una renquera, primero: dos manos huesudas, después; luego una joroba de desenterrador de cadáveres (de donde le vino el apodo) y una cicatriz de todo el rostro. Rutilio se había negado siempre a describirlo y por eso, porque nunca nos dijo cómo era (me pregunto si hubiera podido), al bajar por el tubo eran siempre unas manos venosas, arrugadas, y una renquera de mayordomo las que te acechaban desde la rayita, dispuestas a saltar en cualquier momento sobre Rutilio o quizás sobre ti.

En realidad el Jorobas sólo agarró tres veces a Rutilio. Hay que aclararlo porque su tía nos copó a todos el día de la tercera y nos arrimó unos cuantos madrazos y otros gritos. El departamento de planta baja donde ellos vivían estaba rodeado por un garaje inmenso lleno de palos y ladrillos, que nadie usaba, y estaba lleno de un olor a polvo irrespirable. De modo que cuando la tía preguntó lo que hacíamos en el estacionamiento del cine y el pendejo del Argentino dijo que jugar (porque ahí la pelota no se iba a la calle) la tía dijo que limpiáramos el garaje del que hablo y dejáramos de joder. Supongo que esas vacaciones empezaron a joderse a su vez en ese sitio; la limpieza obligada del garaje fue como un anticipo del mes de febrero en el que empezaron de pronto las clases, un anticipo del tedio y las ganas de romperse la cabeza para no regresar a las tareas y la mierda. Quedaron libres entonces nada más los días rapidísimos que empezaban a las cinco y media del viernes y terminaban el domingo con un baño a fuerzas por la noche y un aburrido programa de televisión. Uno de aquellos días veloces, los enfermos de los prados no salieron a jugar más: el enfermo chico pescó una meningitis y murió. Las güerejas salieron tristemente a decirlo. Nosotros nos fuimos a esconder al parque y a la iglesia, envueltos en un asombro que no puede platicarse. De regreso vimos a la mamá de los enfermos bajando de un coche (el apodo data de entonces) con unos velos negros y unos pasos temblones.

Ahora parece normal que el Jorobas y el estacionamiento se hubieran convertido en el único espacio desafiable, la única resistencia digna de ser sometida. A Matías (obviamente a él) se le ocurrió nada más eso: darle una zarandeada al pinche indio, sacarle un ojo, meterle una estaca en el culo, escarmentarlo para siempre. Bajar a romperle la madre al Jorobas.

Quizá estuvimos de acuerdo, quizá sólo fue Matías el que alzó su cólera por encima de nosotros, porque pasaron tres semanas sin que la idea regresara. Pero un sábado, una mañana más que fría en que las cosas parecían haberse encogido sobre sí, Rutilio se presentó en mi casa (es curioso que Rutilio) y dijo que todo estaba listo. Aunque tardamos casi una hora en re-unirnos (contando al Nuevo que se había mudado dos semanas atrás), Matías nos hizo esperar un rato (fue el último en salir, como siempre) y Rutilio tuvo que repetirle a él solo lo que ya nos había dicho hasta el cansancio: que tenía todo listo para la operación contra el Jorobas. Lo seguimos hasta el garaje que rodeaba su departamento para confirmar la existencia del pequeño arsenal del que nos hablaba: palos, clavos, ladrillos.

Nadie lo esperaba, así que nos mantuvimos al margen para que hablara Matías. Matías revisó con meticulosidad el armamento durante unos quince minutos (aunque no había gran cosa que ver) y al final dijo que estaba a toda madre y que Rutilio se había portado a la altura y que lo felicitaba porque el próximo sábado le daríamos su chinga al Jorobas. Me pareció evidente, de pronto, que el sábado próximo estaba destinado a no llegar nunca y que Rutilio era como esos perros idiotas y agradecidos que traen inútilmente la pelota lanzada lejos una vez y otra para distraerlos. Eduardo Noriega, en efecto, se sonreía, y el Argentino bostezaba de un modo aparatoso e incluso había empezado a retirarse rumbo a su cama de nuevo. Matías le daba palmaditas a Rutilio, como al perro, felicitándolo.

Se me ocurrió decirle entonces a Matías que era un perfecto culero. Matías vino muy despacito hasta donde yo estaba y me dijo que repitiera lo que había dicho. Johnny Weismüller le repitió que era un perfecto culero: el plan contra el Jorobas era suyo, ahí estaban las piedras y las estacas necesarias. ¿Por qué se rajaba? Se había puesto rojo español y se mordía los labios. Era tan obvio que se estaba rajando, que Eduardo Noriega bajó la mirada. El Nuevo se puso en cuclillas. El Argentino iba a empezar a cumplir el papel de conciliador pero Matías lo hizo a un lado diciéndome que estaba bien, que íbamos a darle su chinga al Jorobas ese día, pero que después él, precisamente él, iba a romperme la madre. Miré a Rutilio y pensé que de algún modo teníamos ahora un terreno común, que nunca imaginamos, y que nos esperaba más allá de la rampa oscura del estacionamiento, más allá de los prados o los enfermos, y de Matías. El plan de ataque que elaboró Matías fue como sigue: agarraríamos los palos y las piedras y bajo su dirección entraríamos al estacionamiento a darle en la madre al Jorobas. Uno por uno cruzaríamos del garaje donde estábamos al boquete del túnel y él nos dirigiría a partir de ahí. Así lo hicimos. Las instrucciones al detenernos en el fondo de la rampa fueron que Rutilio guiara el ataque. Rutilio, dijo Matías, conocía mejor el terreno. No debió recordarlo, por primera vez se hizo claro que lo que estuviera adelante del tubo había sido hasta entonces para nosotros una oscuridad viscosa con el Jorobas en medio esperándonos, una verdad ajena conocida nada más de Rutilio. Mientras bajamos el resto de la rampa, Matías fue picándome el culo con su estaca para provocarme. Rutilio caminó adelante con su palo y su ropa ligera y los ojos saltones y la tensión amaestrada de sus manos, engarrotado y libre, como obligándonos a entender que sus razones para bajar no podían ser las nuestras, que sus capturas anteriores nos separaban de él como la palabra "enfermos" nos había separado de los enfermos de los prados o la entrada a la escuela de la escuela o el cura Justiniano de mí, cuando quiso besarme en la boca.

Conforme la rampa se fue acabando y tomamos la curva larga del último tramo, la oscuridad retrocedió y empezamos a entender que no había trampas abajo, ni senderos intrincados, ni humo rastrero de castillos, nada que nos aquietara, sino rampas que subían en amplios despliegues y se enroscaban arriba. Los espacios eran grandes y helados y había el mismo olor al polvo barrenado del garaje que nos había hecho limpiar la tía de Rutilio. Las instrucciones del sobrino fueron que formáramos grupos de dos para localizar al Jorobas: quienes lo encontraran, dijo, gritarían y correrían hasta unirse con los demás, en ningún caso lo enfrentarían solos, buscarían a los demás para atacarlo juntos. Logramos rápidamente el reparto.

Por una de las grandes rampas que desembocaban a la avenida de los sauces nos fuimos el Argentino (jodiendo con que todo le parecía una evidente macana) y yo, muy en el papel, agazapado. Por el otro lado, abajo, husmeando el fondo del segundo piso, asomaba la cabeza de Matías, erguida y segura junto a la del Nuevo: iban hacia una de las rampas del fondo. Por ahí subirían hasta el punto donde Rutilio dijo que nos encontraríamos: la bomba de agua que debía estar en el centro del nivel superior. Rutilio y Eduardo Noriega tomaron el rumbo opuesto al de Matías, hacia la cuarta rampa que estaba al fondo de la nuestra. De ellos no había indicios, apenas la sospecha inexplicable de que eran los más seguros en ese momento. La salida más próxima a nosotros era la que daba a la avenida de los sauces, al final de la rampa por la que íbamos el Argentino y yo. El declive ascendente nos obligaba a caminar echados para adelante y la curva impedía una visión despejada. Conforme subíamos, la oscuridad se estrechaba. Abajo, ya subiendo por la rampa que les tocaba, era posible distinguir todavía algún manchón blanco de Matías y al Nuevo, pero hacia arriba apenas podíamos distinguir unos tres metros. El Argentino había empezado a ponerse nervioso y el palo que usaba al principio como bastón había empezado a volverse macana.

Bordeamos el final de la curva, casi en el nivel superior (la salida había quedado atrás) y llegamos al plano. En ese momento oímos los gritos de Rutilio. Cediendo al alivio de lo obvio, pensé que lo habían agarrado, pero sus gritos continuaron y se fueron volviendo, sin que supiéramos bien cómo, órdenes, instrucciones para Eduardo Noriega. Junto con sus gritos escuché el otro ruido: sopló un ventarrón polvoriento y luego se oyó la carrera, el poder de una manada en la oscuridad y el grito horrible por el rumbo de la rampa del fondo, donde estaban el Nuevo y Matías. Algo plateado cruzó frente a nosotros, pudo ser enfrente o lejos, pero en todo caso cruzó unido al jadeo de una bestia, al ir y venir caótico de una carrera que retumbaba en el piso como si saliera de nosotros. No sé lo que pasó, de dónde salieron tantos detalles que me veo obligado a contar ahora. He vuelto alguna vez al estacionamiento, sin querer, en el coche de algún amigo que me invitaba al cine, y nunca he podido encontrar todas las rampas que recuerdo, ni los muchos niveles, ni la oscuridad, ni la bomba del centro de que hablaba Rutilio. Y sin embargo sé que todo pasó, que no he agregado nada, que cada referencia a la configuración de ese escenario el día de que hablo es el relato fiel del mismo día, la justa descripción de lo sucedido.

Nosotros escuchamos aterrados esa carrera y bajamos por la rampa hacia el nivel inmediato inferior donde estaba la salida, pero también parecía bloqueado ese camino por el resoplar gigantesco y por un fulgor plateado que cambiaba de sitio, inscrito en una mole húmeda. Resbalamos y caímos dos veces antes de vislumbrar la salida y en ese lugar nos sorprendió el último alarido, el resquebrajamiento de tantos huesos o árboles o casas, que hendió como un saco de plomo un vacío agónico, infinito, ciego. Arrastrándonos y levantándonos, cruzamos el piso inferior hacia el hoyo de luz de la salida que veíamos al final de la rampa por la que habíamos entrado y las lenguas del aire polvoso interrumpieron nuestra carrera, la helaron. Pero corrimos sin pensar, sin entender que nos levantábamos y que el brillo plateado merodeaba nuestros pasos, nuestras nucas. Alcancé el umbral primero que el Argentino y vi la privada, las sábanas en las ventanas de los edificios, el sol aguado, mínimo sobre los departamentos más altos, y la luz que nimbaba el día.

El Nuevo ya había salido, antes que nadie, y el Argentino salió atrás de mí. Luego, por el pasaje del cine que unía la avenida de los sauces y nuestra privada, vimos venir corriendo a Rutilio y a Eduardo Noriega. Yo temblaba, contenía unas ganas infinitas de correr todavía, pasar calles y calles, años, muertes, obstáculos. Miré a todos tratando de extender ese miedo, de aliviarme con alguna compañía, pero el Argentino estaba vomitando en una esquina y Eduardo Noriega tragaba aire y combatía la asfixia apretándose la garganta. Sólo Rutilio devolvió mi silencio con una mirada opaca y fría, como la mañana. Fue en sus ojos, en ningún otro lado, donde miré que Matías no había salido, que no iba a salir. El Nuevo murmuró unas frases deshilvanadas que terminaron en policía, pero los demás nos quedamos así, callados, sin provocarnos.

No sé si pasamos mucho tiempo observándonos en silencio o si fue un lapso breve que ahora se distiende como un hueco elástico en la memoria, sólo recuerdo con precisión los labios lívidos, apretados, de Matías, que se fueron haciendo claros en el fondo del túnel antes que ninguno otro de sus rasgos cuando salió. No quería ver sino eso, medir por sus labios si había llegado el momento de que nos rompiéramos la madre. Al verlo aparecer pensé que sí, que había llegado y tuve miedo otra vez. Pero fue inútil, apenas asomó se echó las manos a la cara para detener los sollozos y en cuanto nos acercamos corrió meneando ridículamente las caderas, hacia la calle de su edificio.

–Déjenlo –escuchamos, *atrás*, la voz de Rutilio.

Lo alcancé en el primer piso de su edificio. Se había agachado a llorar en el rellano. Me rechazó con un golpe diciendo que éramos unos hijos de puta. Fue el primer rechazo, el menos duro. El segundo vino cuando apareció su mamá, las piernas llenas y suaves envueltas en su bata rosada. Matías se incrustó en ella para no verme más, para no ver tampoco los cachetes trémulos de rabia de su madre, ni escuchar las palabras que ella dijo y yo traté de olvidar en las horas siguientes. Por la tarde nos sentamos en los escalones de la dulcería, sin hablar. Dije que mi hermana iba a una fiesta y me fui a las seis, pero en la fiesta sólo estuve media hora porque el resto lo pasé caminando por esas calles solas de las Lomas, viendo sirvientas y casas y a la mamá de Matías con su rabia en el rostro.

No hizo falta que sucedieran las cosas de esa noche. Las había imaginado con la misma precisión: los tirones en la oreja, los empujones de mamá pastoreándome por la avenida hacia el edificio de Matías. En la sala prohibida estuvieron todos, los otros y sus papás, compungidos. La rabia había desaparecido de la cara de la mamá de Matías y ahora tenía los pómulos como encerados, lacrimosos. Nos dijo que quería saber la verdad, las razones, lo que nosotros pudiéramos decirle. Porque Matías tenía fiebre y estaba malo desde la mañana. Nunca fue tan hermosa como ese día que la desarmaba. Nadie le dijo nada. Al día siguiente llegaron los detectives que mandó a buscar, subieron al edificio de Matías y luego fueron al túnel del estacionamiento. Vinieron a preguntarnos después, subieron de nuevo. Luego entraron al túnel por última vez, luego se fueron. Rutilio los espió todo el tiempo con un odio risueño derramando sobre nosotros una dispersa actitud de cómplices, dulcemente clandestina, brutal.

No hay mucho más que contar. Entre la junta nocturna en la casa de Matías y la mañana en que llegó el camión de mudanzas para llevarse sus muebles, pasaron dos semanas en las que Matías no se dejó ver. Cuando vino el taxi para llevarse a Matías y a sus papás, nos juntamos en la puerta para despedirlo, por la tarde. No quiso saludarnos. Se metió como un marqués en su carroza, al borde del llanto. Al cruzarme con Rutilio que observaba desde la esquina, comprendí que las dos últimas semanas habían sido regidas por sus nuevas miradas, esas miradas que entonces empecé a apreciar. Algo les robaba la consistencia sin dejarlas cuajar, algo que yo empecé a mirar después, varios años después en el espejo: lo mismo, supongo, que ahora dejo flotar cuando regreso sobre los prados desiertos en la avenida y el umbral del estacionamiento ya inaugurado, que escupe coches en el fondo de la privada.

Hay una última imagen: el papá de Matías espantándonos en la puerta del taxi en que ellos se iban. Entiendo que nadie supo nunca, después, cosas precisas del Jorobas. Nadie más que Rutilio y Matías, la mamá de Matías quizá, que decidió la mudanza, su linda mamá que aún conservo viva en la memoria y que sigue visitándome en el baño.

JOSE AGUSTIN
(1944)

Nació en el estado de Guerrero, nada menos que en el rugiente balneario de Acapulco. Cabeza (con Gustavo Sainz) de la llamada Generación de la Onda, es escritor ciento por ciento y –salvo algunas incursiones docentes en universidades norteamericanas– se ha negado sistemáticamente a ejercer cargos que lo alejen de la escritura. Por eso la lista de sus obras es larga. Entre ellas, destacamos las novelas *De perfil, Se está haciendo tarde (final en laguna), El rey se acerca a su templo, Ciudades desiertas,* que tuvo una venta meteórica a comienzos de los 80, y *Dos horas de sol,* donde escudriña todos los recovecos de su conflictiva ciudad natal.

Yautepec

Años antes, Lucio y su mujer (digámosle Aurora) deciden pasar unos días en un pueblo del Estado de Morelos. Victoria, una amiga, les ha prestado una casa, es vieja, no vayas a creer que es la gran maravilla, no te vas a parar de pestañas al verla, las paredes son de adobe, ves, y hay que sacar agua del pozo, pero creo que ya tiene luz eléctrica y el pueblo, eso sí, es algo lindo, habías de ver los alrededores tú, hay un río precioso, te va a encantar. Gracias, suena bien, dice Aurora al recibir las llaves de la casa.

Suben en el auto, entusiasmados porque al fin podrán tomar unas vacaciones fuera del esperpento esmogangoso que se ha vuelto la ciudad de Mexicalpán de los Recos, Detritus Defecal. Creo que dijo Victoria que en la casa orita está tu hermano Julián con un amigo que se llama Salvador, dijeron que iban a pasar unos días en esos rumbachos. ¡Que se vayan que se vayan!, exclama Lucio, deseándolo en verdad, pues no tiene el menor deseo de encontrar conocidos allí, ¡y menos al azotadísimo de su hermano! Pero si son rebuenas gentes, intercede

23

Aurora. Buenas gentes mis arrugados cojones, precisa Lucio. Aurora no hace caso a los exabruptos de su marido, quien generalmente no es afín a ningún tipo de violencia verbal, pero ahora pienso que en los ojos de Lucio hay una expresión que muy pocas veces ha advertido: destellos que revelan tensiones monumentales, inabordables, fuerza demoniaca. Lucio deveras das miedo cuando te pones así, involuntariamente acostumbra decir Aurora en esos rarísimos casos. Cállate la boca y no estés chingando. Eso era exactamente lo que yo estaba diciendo.

Aurora empieza a contar, para no prestar atención a la velocidad vertiginosa con que Lucio maneja, las historias de fantasmas de la casa de su amiga Victoria (¡qué nombre!).

Histerias fantasmales en la casa de la amiga Victoria. Dice Victoria (dice la Sigámosle Diciendo Aurora) que en su familia, como en las viejas-viejas historias ad hoc, en una época ocurrieron crímenes, y que por eso ahora la casa es patrullada por varios fantasmas. Fantasmas, mis cuasirredondas bolas. Lucio no manejes tan rápido, por favor, nos vamos a matar. Sé manejar, no jodas. Bueno, parece que uno de los tíos abuelos de Victoria de las Tunas, que se llamaba Tachito, odiaba a su madre, porque la señora en cuestión de minutos se quedó viuda cuando era muy joven y profundamente enamorada de la vida en rosa, tralay lalay. Su viudez la amargó por completo, tú sabes. Su familia le dijo que se metiera de monja, cual debía de ser, pero ella se apasionó con un galán y entonces sí le gustó mucho... ¿El galán? No, *coger*. Fue el escándalo del pueblo porque la ñora llegó a tener más amantes que fajas y corsés; estaba enferma Lucio, agarraba ondas malísimas. Dice Victoria que a su tíabuela primero le dio por ponerse todo tipo de disfraces, exclusivamente para coger; le gustaba vestirse de amazona, ¿tú crees? Yo creo, replicó Lucio, pero no creo que se haya rebanado una teta ¿verdad? Claro que no. Luego le dio por vestirse de Carlota Corday en su fase cuchilladora, y más tarde le gustaron los trajes de militar, se agenciaba de esos uniformes estilo Chema Morelos y Pavón Real, con sable, faja y toalla La Josefina en la cabeza, y ése fue el escalón previo de la Etapa Sádica. Esa pinche Victoria ha estado leyendo libros del Marqués de Stekel... Lucio, vas a ciento cuarenta, no exageres... Bueno/

Oyeme, si vuelves a decir bueno te rebano una tetiux. Bueno...
¡Pinche Aurora! Como tenía dinero y seguramente era una belleza, o al menos estaba que se caía de buena, no le faltaban los
huehuenches patarrajados que le daban lo que quería, ¿no?, y
qué crees... Esta Devoradora Dhombres acostumbraba despertar
a su hijo Tachito, el tío abuelo victorioso, para que el entonces
niño viera cómo ella latigueaba a sus pobres amatrostes, y luego
obligaba al pequeñín Tachete a que la viera en el acto carnal
también llamado coito. O paliacate. Sí, como quieras. Tachito,
imagínatelo, entonces tenía seis años, era delgaducho y amarico-
nado, amaba a su mamá hasta la masturbación, pero como el
amor es odio no te quepa duda después la detestó, aunque dice
Victoria que más bien detestaba a los tipos que se tiroteaban a
su sagrada jefecita, y que, claro, personificaban en realidad la
misma debilidad y sumisión que el buen Tacho padecía. ¡Lucio,
por Dios, no rebases en curva! Usted aguántese como las buenas. Como las buenas suicidas, querrás decir, palabra que ora sí
me espanté. ¿Y luego? Pues un buen día a la Devoradora le
entró la onda de flagelar a su hijo, ¿tú crees?, porque éste ya
estaba más crecidillo y además calzaba grande... Pues fíjate que
Tachito no pudo decir que no, como buen masocas edipuspús,
y por supuesto después de los latigazos y las patadas en la
panza y en culo sea la parte, el jovencito acabó copulando con
su pinche madre/ ¡Pinche Aurora, no te mediste con ese copulando! Lucio, ¿no te parece una chingadera que una madre haga
eso? Me parece que eres una vieja lépera. El niño, más bien, el
muchacho, no pudo resistir el Terrible Impacto de transgredir el
natural tabú llamado incesto, salió de la cámara o recámara y se
chupó cuatro botellas de anís del mono. Prestas. Del Mono
Prestas. Ya entonces, debidamente estupidizado por el alcohol,
que como has de saber *es muy malo*, regresó a buscar a su
señora madre, tomó uno de los fierros o implementos que
sirven para atizar el fuego de la chimenea y ¡moles! se lo estrelló
en la choya de su mamis, quien, con el cráneo abierto como flor
de hnitlacoche, alcanzó a decir ¡más más! No, noscierto, le dijo,
severamente: vas a ver cabrón Tacho de Carnitas, todas las
noches voy a venir a jalarte las patas... Carajo, esa Victoria
debería leer algunas historias de terror que cuando menos alcan-

cen el gallardo nivel místico de E.T.A. Hoffmann o de Gustav Meyrink y no se queden en vulgares refritos del jefe Poe Poe. ¿Quieres que te siga contando o no? Síguele, al fin que siempre me deleita ser testigo de la estupidez humana. Oye, qué te pasa, comiste gallo o qué. Tú síguele. Sígole, pero maneja más despacio, vamos a quedar embarrados en la carretera. Aurora, confía en tu charro y llegarás a vieja. Lucio, ¿todavía me necesitarás y me alimentarás cuando tenga sesenta y cuatro años? ¡No mames! Bueno, para seguir haciéndote el cuento largo, que por lo demás es lo único largo que se te puede hacer, a Tacho le gustó eso de rajar cabezas y se volvió el terror del pueblo, y no sé a cuántos se echó, hasta que un primo suyo, abochornado por tal sarta de malvadeces o malvaviscosidades, un buen día nomás tres tiros le dio al tío abuelo de la Victoriadora de Hombres. Fíjate que la gente del pueblo oyó los balazos y como ya estaba hasta la coronilla de esa familia la multitud fue a la casa y lincharon al primo vengador. ¡Ah!, dijo Lucio, y desde entonces se dice que las ánimas rulfianas y en penuria de la Devoradora, del Tachuelo y del primo Vengador circulan por la casa, ¿no es así? Exactamente, Lucio, ¡qué sagaz eres! ¡Qué inteligente! ¡Que penetración! Calma Aurora, no te me subleves. Fíjate que Victoria me contó esto ayer en la noche, cuando me dio las llaves de la casa, y me dijo que si se te aparecía el fantasma de la Devoradora no fueras a someterte a sus encantos, porque resultaría *fatal*. ¿Y si a ti se te aparece el ánima de Tachito, qué? Victoria me explicó que debo darle un poco de lechita, porque Tacho estuvo privado de amor maternal.

...Lucio ha vuelto a rebasar en curva (yo tengo un tobogán) y apenas logra meter su datsun en la cuneta porque un enorme camión de Aurrerá viene en sentido contrario y casi llega a estrellarse contra ellos. Aurora grita, histérica, pero Lucio, aún en la cuneta, acelera aún más para salir de la curva. ¡Ay Lucio, qué cerquita la vimos! Pero salimos, Aurorita, es que tenemos buen karma. Buen karma mis ovarios, especifica Aurora, aún muy pálida.

Llegan al pueblo (¿por qué no Yautepec?) a las doce del día, cuando el sol está más fuerte que nunca y hace que los filos de las hojas de los árboles aparezcan completamente blancos, vibrando intensamente. En casa de Victoria, en efecto, encuentran a Julián y Salvador. Lucio se indigna al ver que su hermano se instaló en la recámara principal. Oyeme gran cabrón, te sacas tus chivas de aquí y te largas a otra recámara, porque aquí nos vamos a quedar Aurora y yo. No me grites, advierte Julián, quien no parece de buen humor (pero en escasas ocasiones parece de buen humor). ¡Pues si no quieres que te grite!, grita Lucio, saca tus porquerías de aquí, pero ya! ¿Qué te parece?, vocifera Lucio a Aurora, ¡este cabroncornio llega con un huevón y se apropia de la mejor recámara, qué falta de respeto! *¿Esta* es la mejor recámara? ¡Cómo estarán las otras!, comenta Aurora, ¡sí, que se larguen!, añade luego, muy satisfecha porque puede tratar mal, abiertamente, a su cuñado. Miren, interviene Salvador, muy serio; si quieren Julián y yo nos vamos de la casa, para acabar pronto. Eso estaría perfecto, carajo, ya la han engordado mucho en esta ratonera, y además a nosotros nos prestaron la casa, ¡pírense a este ritmo!, indica Lucio chasqueando los dedos. Te vas a arrepentir de esto, gruñe Julián con los ojos apagados. Te vas a arrepentir tú si me sigues amenazando; de niño me podías pegar pero ahora te rompo el hocico. Vámonos Julián, no le hagas caso, pide Salvador el conciliatorio deteniendo a Julián, quien ya estaba a punto de lanzarse contra su hermano.

Mientras Julián y Salvador hacen sus maletas, recogen sus enseres y enrollan sus sacos para dormir, Aurora y Lucio revisan la casa. Oyeme, esta maldita Victoria no nos dijo que la casa está pudriéndose de vieja, aquí ni los fantasmas podrían vivir. ¿Y ya viste la estufa?, señala Aurora, es de *carbón*. Está bien, nomás no me digas patrón. ¿Hay luz eléctrica, tú? Pues yo no he visto ningún foco ni ningún apagador. Revisan una vez más y comprueban que en toda la casa no hay electricidad. Y todo está húmedo y lleno de tierra, ¿tú puedes creer que Victoria me decía que esta casa era un palacio? Habrá sido un protopalacio, anterior al Paleolítico, comenta Lucio; un utopalacio, continúa, indulgente; Ob-úgrico, un Ur-palacio... Todo está muy oscuro, pues casi no hay ventanas, y las que hay son muy pequeñas. Y la indignación de ambos no conoce límites al ver que los baños por supuesto consisten en unos cajones maltrechos, sin agua corriente, con tablas agujeradas: en los hoyos redondos del retrete se vislumbra la viscosidad de una fosa rudimentaria. ¡Qué horror! Aquí mero es donde seguramente duermen los fantasmas familiares, considera Lucio. La casa es muy grande, de un piso, con su riguroso patio teménico y con una fuente central, seca, sucia, agrietada. Todo es muy viejo, los muebles crujen lastimosamente. Fíjate que la malvada Victoria me dijo que sí había luz eléctrica: se ve que no se para por aquí desde hace siglos. Vamos a hablarle por teléfono para mentarle la madre. ¿En qué teléfono, Lucio? Yo creo que ni siquiera los conocen en el pueblo, ya no digamos aquí... Bueno, qué hacemos, ¿te quieres quedar en esta casa? Pues cuando menos hoy sí, ¿no? Qué flojera salir a buscar hotel, además ya hasta corrimos a tu hermano. Mira, vamos a pasar la noche en esta alacranera y mañana nos vamos a Cuernavaca, al Casino de la Selva, es preferible ver al fantasma del viejo Malcomio, chance hasta nos invita un mezcalito.

Julián y Salvador se han ido ya, sin indicarles dónde están las lámparas. ¡Qué groseros! Aurora y Lucio las buscan, para que no los sorprenda el crepúsculo sin tener con qué alumbrarse, e incluso para antes de que se haga de noche, pues sólo en la estancia hay ventanas, y en algunos cuartos la oscuridad es casi total a esas horas de la tarde, mutatis mutandis, porque ya es la tarde, y es hora de comer.

Antes de subir en el datsun advierten que, en una de las casas vecinas –que están divididas por tecorrales con milpas tristonas– hay un hombre que los mira. Cuando están a punto de arrancar éste se les acerca, haciendo señas. ¿Qué querrá este enano?, musita Lucio, impaciente. Ay Dios, está vaciadísimo, parece Eduardo Mejía. El hombre es bajito de estatura y viste un traje viejo, que le queda corto. Una canosa barba de candado enmarca la ausencia de incisivos en su boca. Llega a ellos, jadeando. ¿Ustedes son familiares de la señora Victoria? ¿Por qué?, contrapregunta Lucio, seco. Permítanme presentarme, soy el doctor Salvador Elisetas, siquiatra retirado. El hombre se inclina y espera un poco para que ellos le digan sus nombres pero como no lo hacen continúa: yo vivo allí enfrente. La señora Victoria me ha encargado que cuide su casa. Pues no la cuida usted bien, ataja Aurora, está hecha un desastre. Bueno, señores, ignoro cómo esté en el interior, yo sólo procuro que no se metan algunos indios a refocilarse o... a hacer sus necesidades, especifica el doctor Elisetas con una risita apagada. El doctor entrecierra los ojos al hablar y tartamudea ligeramente, inclinando un poco la cabeza hacia la derecha como si con ese movimiento fuera a destrabar las palabras. Bueno, sólo quiero decirles que estoy a su disposición en caso de que se les ofrezca algo. ¿Tiene teléfono?, inquiere Lucio, al instante. Sí, pero está descompuesto, tengo ya varios días reportándolo a la Compañía de Teléfonos para que lo arreglen, pero aún estoy esperando. Pues sígalos esperando, dice Lucio al arrancar el auto. Joven, su comportamiento no es normal, si quiere puedo darle unas píldoras tranquilizantes. Lucio responde con un arrancón que levanta nubes de polvo.

Cómo eres, ríe Aurora, lo bañaste de polvo. No merecía otra cosa, mira que ofrecerme tranquilizantes. Ha de pensar que estás loco. Lo cual sería una obvia proyección, cualquiera sabe que se necesita estar loco para ser siquiatra. Pero éste exagera, en todo caso; ¿te fijaste cómo meneaba la cabecita al hablar? Sí es cierto, y qué ojos, recuerda Aurora, sonriendo; parecería salido de la temblorosa película El pueblo cubano contra los demonios, de Gutiérrez Alea Jacta. Además, agrega Lucio, tenía babas en la barba. ¡No es cierto! ¡Sí es cierto!, y mocos en el bigote.

En el zócalo del pueblo (sigámosle llamando Yautepec) encuentran un restorán, pero antes de entrar en él Lucio averigua dónde está la Compañía de Teléfonos. En ella, pide una conferencia (¡por cobrar!) con la amiga Victoria, y a ésta le grita, ante los oídos escandalizados de los sombrerudos que aguardan turno para entrar en las casetas, que los mandó a un basurero, la casa es una porquería, se necesita ser hija de puta y madre de mongólico para prestar esa casa y, para acabar pronto, que chingue a su madre. Cuelga de golpe, satisfecho, aunque un poco agitado. Aurora sonríe salomónicamente. ¿Qué te dijo?, pregunta. Me dijo ¿bueno? y nada más, porque no la dejé abrir la boca. Nos va a odiar, dice Aurora. Uy qué preocupación tan grande.

En el restorán les sirven caldo de pollo, cecina de Yecapixtla con crema y frijoles. Señorita, dice Lucio a la mesera, ¿no tiene unos panes que sean de ayer? ¿Que sean de ayer?, pregunta la mesera, sorprendida. Sí, porque éstos que nos dio seguramente son de hace una semana. Y la comida es pésima, niña: me gustaría saber de qué fosa séptica sacaron el caldo y de qué huarache cortaron la carne, ¿no les da vergüenza servir estas atrocidades? ¡Ni crea que le voy a dar propina, y con suerte tampoco le pague! Ya agarraste vuelo, dice Aurora cuando la mesera, sonriendo nerviosamente, se ha ido.

Salen del restorán y deambulan por el zocalito. ¿Y ahora qué vas a hacer, estrangular a las ardillas de los árboles? En vez de eso, en una esquina del parque compran los vasos más grandes de nieve de leche, no sin antes protestar por lo caro de la nieve, y luego suben en el quiosco donde se dedican a criticar, entre risas, a los campesinos morelenses que abajo ocupan las bancas.

Regresan a la casa, después de comprar cajas de velas, comestibles y varias botellas de vino, ¿cómo es posible que nada más vendan vinos del país?, vocifera Lucio, ¿qué creen que somos nacos oligarcas del rumbo? ¡Qué falta de respeto para el turismo nacional! Ustedes, pobres malincheros, se tiran al suelo como alfombra nomás ven a los gringos, pero a los pobres paisanos se nos discrimina vilmente, por eso estamos como etcéteras. Mi amor, no te mediste con la arenga que te echaste en la vinatería. ¿Y los fantasmas?, pregunta Lucio cuando distribuyen velas en la recámara y en la sala. Pues deben estar esperando que oscurezca, ¿no?, para seguir la tradición. ¡Fantasmas tradicionalistas, qué horror!, exclama Lucio; yo creo que los de aquí deben estar más decrépitos y desdentados que el vecino siquiatra. Por cierto, pregunta Aurora, ¿compraste la lechita de Tacho? La tachita de leche, responde Lucio.

Hace calor, y se quitan toda la ropa. A Aurora parece gustarle mucho circular desnuda por la casa. Enciende las velas, pues aunque el sol vespertino aún reverbera con violencia allá afuera, dentro está casi a oscuras. Envueltos en oscuridad, parafrasea Lucio, oscuridad divino tesoro. A la luz de las velas, y después de beber dos botellas de vino, se disponen a hacer el amor. Lucio está a punto de penetrarla cuando ella propone que en esa ocasión el acto carnal (o palo) sea anal (o por chicuelinas). A Lucio le cuesta trabajo (y a Aurora varios gritos) entrar en ella sin ninguna lubricación, y apenas se halla a punto de lograr la penetración total cuando tocan en la puerta. ¡Carajo! ¿Quién podrá ser? Yo creo que los fantasmas no, sólo que las ánimas morelenses salgan a trabajar en los maizales durante el día. Ha de ser el pendejo de mi hermano, seguro se le olvidó algo, considera Lucio empujando un poco más. No le hagas caso mi amor, ya me la metiste casi toda, dice Aurora. Pero los toquidos son insistentes, insolentes. ¡Me lleva el diablo!, exclama Lucio, fastidiado; sale de su mujer y se dirige a la puerta. Vístete, ¿no?, le recuerda Aurora mientras busca una camisa para cubrirse. A regañadientes, Lucio se pone un pantalón. Los toquidos continúan, cada vez más violentos, cimbrando la puerta, cuyo marco deja caer repetidas capas de polvo.

Quien toca es nada menos que el doctor Elisetas. Antes de que Lucio pueda decir algo, el siquiatra se mete en la casa, diciendo ¿que no oían?, estuve tocando horas. ¡Claro que oíamos, ¿qué diablos quiere? Buenas tardes, señora, saluda el doctor al parecer sin inmutarse porque Aurora se halle semidesnuda. Bueno, qué quiere, ¿nadie le ha dicho que tiene que esperar a que lo inviten antes de meterse en las casas? Hombre, yo soy de confianza. Le traje sus tranquilizantes, joven. Oígame, usted está orate, casi grita Lucio. Aurora ríe, repitiendo quedamente: orate... Usted es el que debería tomarse esos chochos, viejo ídem. No tiene por qué agradecérmelo, avisa el siquiatra con exagerada corrección mientras toma asiento y se equilibra en una silla tambaleante. ¿No creen que es muy temprano para ponerse a beber?, agrega después, mirando a Lucio con ojo clínico. Este ríe. Mire viejito, no lo corro a patadas nada más porque me divierte su temeridad. Joven, advierte el doctor, modérese: debo prevenirle que, aunque retirado, soy el delegado honoris causa de Salud Pública del municipio y puedo ordenar que lo encierren en el manicomio. A usted es al que hay que encerrar, viejito, ¡qué atrevimiento! ¡Delegado honoris causa! ¡No es posible! Señora, dice el doctor Elisetas dirigiéndose a Aurora, ¿desde cuándo le dan estos ataques a su marido o concubino? Desde que tenía seis años, bromea Aurora, fíjese que en casa siempre tengo a la mano una camisa de fuerza para cuando se pone grave. *Muy chistosa*, comenta Lucio. Había de verlo, continúa Aurora, hasta le sale espuma de las orejas y cerilla de la boca, y rompe todo, señor, así es que en mi casa los muebles son de hule. Muy interesante, juzga el siquiatra tomando el vino, del cual bebe un largo trago, a pico de botella. ¡No se beba mi vino, viejo chilapastroso!, grita Lucio, ¡espérese a que lo inviten! Mi vida es un calvario, prosigue Aurora, no tiene usted idea... Dígale a su marido, o amasio, que se tome las medicinas que le he traído. Lucio, por su parte, está revisando los frasquitos. Mi amor, que dice el viejito pendejito que te tomes las medicinitas que te trajo. ¿Sabes qué son, Aurora? ¡Anfetaminas! ¡Y este barbasconbabas cree que son tranquilizantes! ¡No puede ser!, ¿de veras?, ríe Aurora mientras se levanta para leer las etiquetas de los frascos. El doctor continúa bebiendo. Mire joven, dice, imperturbable si no fuera por el meneo de la cabeza que se sincroniza con sus tartamudeos; cada vez más tengo la certeza de que usted está enfermo y de que requiere hospitalización inmediata. En Cuernavaca hay una clínica a la que podemos llevarlo en, digamos, veinte minutos. Deveras está loco, dice Lucio a Aurora. Quien está loco es usted, afirma el doctor, lo supe desde el primer instante; bastaba con ver cómo corrió usted a las personas tan pacíficas que estaban en esta casa. Lucio y Aurora se miran, atónitos. No me mire usted así joven, sus gritos se oían hasta mi casa. Más bien, repone Lucio, usted estaba espiando en el jardín, con razón me pareció advertir que algo se movía entre las plantas. ¿Considera normal lo que hizo?, pregunta el doctor, bebiendo de la botella. Mire imbécil, yo hago lo que se me da la gana y ningún baboso me va a llegar a molestar, ¡lárguese inmediatamente de aquí antes de que lo saque a rastras! *No* me voy, afirma el siquiatra enfáticamente, y continúa: y después, cuando hablé con usted hace unas horas me di cuenta de que me hallaba ante un caso peligroso. Yo no estoy dispuesto a que ningún loco furioso, como su misma esposa lo cataloga, ponga en peligro a la comunidad, así es que es mi melancólico deber avisarle que he mandado llamar a una ambulancia para que se lo lleven a Cuernavaca.

Lucio y Aurora vuelven a mirarse, considerando por primera vez que ese tipo está tan loco que bien pudo haber hecho lo que dice. Estése usted en paz, no presente resistencia, tómese los calmantes que le di y todo saldrá bien; si usted colabora le aseguro que con unos seis meses de electrochoques diarios quedará usted curado, finaliza el doctor Elisetas y vuelve a beber más vino; bebe tanto que se atraganta y el licor le escurre por la barba. Está de remate, sentencia Aurora, ya sácatelo de aquí. ¡Y está fumando mariguana!, ¿ya te fijaste?, exclama Lucio al ver que, en efecto, el doctor Elishongos sacó un cigarrillo delgadito cuyo humo delata la presencia de una yerba petatesca. En ese momento el doctor salta con una agilidad insospechada, corre a la puerta y la cierra con llave. ¡De aquí no sale usted!, vocifera, ¡hasta que venga la ambulancia! Lucio no puede concebir que sea posible lo que está ocurriendo, pero finalmente su indignación es mayor que el azoro. Toma al viejo de las solapas y lo sujeta firmemente. ¡Déme esa llave! ¡De donde sacó esa llave, además! ¡No me toque! ¡Mientras más violencia ejerza más tiempo se va a pudrir electrochocado en la casa de la risa! Lucio trata de meter su mano en el bolsillo del viejo, pero éste, con una fuerza inconcebible, le propina un derechazo en la mandíbula. ¡Me has estado buscando todo el día!, chilla, ¡pues ya me encontraste, ya me encontraste! Lucio se repone del golpe y, atrapado por la ira, se lanza contra el doctor, le pega como puede, pero el viejo tiene un vigor insospechable y lucha rabiosamente, sus ojos destellan con un fuego que rebasa la irritación, y Lucio pronto se da cuenta de que el viejo no sólo se defiende bien sino que puede llegar a dominarlo. Quiere abrazarlo con tal fuerza que Lucio ya no se pueda mover. Como en un delirio (un relámpago, un resplandor) Lucio comprende que la fuerza del viejo sólo es posible porque se trata de un loco peligrosísimo, y que tendrá que luchar por su vida. Es increíble, alcanza a pensar, cómo en un instante todo se vuelve decisivo. Logra colocar su antebrazo como una cuña sobre el cuello del doctor y lo empuja contra la puerta, pero comprende que no va a poder continuar sujetándolo, pues el siquiatra ahora lo golpea, con fuerza, en los costados, y en un instante, ya en el pánico absoluto, Lucio ve que junto a la puerta carcomida hay un enorme clavo oxidado, doblado como pico de buitre. Lo busca, lo encuentra, lo saca con facilidad de la pared de adobe porque aún conserva un poco de fuerza –los puñetazos del siquiatra están a punto de doblarlo– y también porque ve que Aurora, su mujer, ha tomado el atizador de la chimenea y con eso lo asalta la idea aterradora de que ella va a intervenir, pero *en contra de él*. Lucio esgrime el clavo y lo entierra repetidas veces, primero en los hombros y después en el cuello del siquiatra. La sangre irrumpe en chorros, salpica por todas partes, pronto es un arroyo que fluye, hacia afuera, por debajo de la puerta. El viejo se lleva las manos al cuello, como si quisiera tapar los borbotones de sangre, y abre los ojos al máximo; en verdad sus ojos giran en redondo y las pupilas se fijan hacia dentro mientras afuera quedan las conjuntivas igualmente ensangrentadas. Finalmente se desploma, yerto, porque en ese momento Aurora ha llegado con el atizador de hierro y con él propina un golpe devastador en la cabeza del viejo.

¡Qué bueno que lo mataste!, *¡qué bueno que lo mataste!*, chilla Aurora, y Lucio, al verla jadeante, sudando, semidesnuda, blandiendo el atizador ensangrentado, comprende que ella también enloqueció a causa de la excitación; ésa no puede ser Aurora, esa mujer es la imagen viviente de la maldad...

Lucio se desploma, exhausto, junto al cadáver que aún sangra; siente un dolor lacerante, intolerable, en las sienes, y un zumbido que llena todo y que sigue creciendo de volumen. En ese momento grita, con toda su desesperación: *¡No puede ser, no puede ser! ¡Esto tiene que ser un sueño, una pesadilla insoportable! ¡Dios mío, Dios mío, por favor, haz que despierte, haz que despierte por lo que más quieras!*

...Lucio despierta. Se halla en un cuarto blanco, donde la luz del sol vespertino entra a través de un gran ventanal y rebota, se multiplica con fuerza en todos los rincones. Lucio, en un catre, se halla hecho un nudo, con todos los músculos contraídos a causa de la tensión del sueño y respira profusamente; toda la sábana está empapada. Se da cuenta de que ha despertado y abre los ojos. Ve que en el cuarto blanco no hay ningún mueble, a excepción del catre donde yace aún contraído, fetal. Estira el cuerpo y todos sus músculos le duelen a causa de la tensión tan tremenda a la que estuvieron sometidos durante el sueño. La sensación de alivio porque logró despertar hace que no repare inmediatamente en el lugar donde se halla, pero después, un tanto extrañado, piensa que el sitio parece Yautepec. ¿Yautepec?

Lucio está vestido de blanco, pantalón y camisa blancos, y cuando verifica que sus zapatos también son blancos se da cuenta, con un estremecimiento que le devuelve cruda, dolorosamente, el terror, que en el suelo de tierra también se halla el clavo torcido, oxidado, goteando aún la sangre del siquiatra. Febril, mira todo el lugar. Durante unos segundos el terror es insuperable, está a punto de hacer que la cabeza de Lucio se desintegre en astillas,
y en ese momento,
Lucio está en la puerta,

una puerta que antes no existía, o que no vio; Lucio está viéndose a sí mismo sentado en el catre con el clavo torcido y ensangrentado en la mano; hay una palidez mortal en ese rostro desencajado por el terror. Y enfrente se encuentra un espejo, ¡cómo no lo vio antes!, y allí ve su cuádruple imagen: Lucio sentado en el catre, pálido por el terror, y Lucio viéndose en el espejo, con el estupor máximo;
Lucio se levanta del catre y corre a la puerta; mira hacia afuera, se ve una parte del pueblo (digámosle Yautepec): las calles sin pavimentar, algunas con casas de adobe, tecorrales con yerbas crecidas, platanares, mangos y dos hules inmensos, ominosos; un corral donde varios cerdos duermen la siesta de la tarde,

y Lucio, que se ve a sí mismo mirando hacia afuera, ahora sabe que los crímenes van a continuar; el otro saldrá de allí para asesinar a quien se le ponga enfrente, nada más porque sí, porque ya agarró vuelo, porque el cerdo flaco ha engordado y hace destrozos, porque ese impulso que lo hizo levantarse y correr a la puerta no se puede frenar,

y Lucio, que se ve a sí mismo viendo hacia afuera, tiene en la mano un puñal de plata, con forma de cruz: lo ve, lo alza, y, con serenidad perfecta, con una resolución impecable, lo tira con fuerza hacia el otro, que ha corrido hacia afuera;

35

Lucio apenas ha recorrido unos pasos cuando el puñal se clava en su espalda; el dolor quema, el desgarramiento de la piel y la carne lo hacen emitir un alarido de sufrimiento; se lleva las manos a la espalda, para tratar de quitarse el puñal, sin dejar de correr, corriendo ahora con más velocidad, trastabillando alcanza a tomar el mango del puñal pero, al tratar de sacarlo, sólo hace más grande la herida en su espalda que ahora sangra profusamente, quizá con la velocidad con que Lucio corre, pegando alaridos de dolor y desesperación.

Los gritos de Lucio han convocado la presencia de mucha gente que sale de sus casas, campesinos muy morenos, quienes, al verlo, gritan: ¡ése es el chilango que nos mató al doctorcito! ¡Doctorcito! ¡Pobres estúpidos, acaso no sabían que ese viejo estaba loco de remate! Lucio corre con más fuerza. La gente de las casas ha empezado a perseguirlo; algunos recogen piedras y se las tiran, ¡agarren al asesino, agárrenlo! De todas partes sale gente, todos recogen piedras y las tiran, golpean los pies, las piernas, los brazos, la espalda de Lucio. Una piedra se estrella en la nariz, y el dolor, las lágrimas y la sangre que explotan, simultáneos, nublan la vista de Lucio que ya no sabe por dónde va, sólo sigue corriendo, zigzagueante, perdiendo velocidad, ¡se va a caer, agárrenlo!, el torso inclinándose cada vez más hacia el suelo, hacia el lodo formado por las lluvias de verano; de su boca penden hilillos de sangre, pero Lucio ya no los ve, y si ve, no le importa; la lluvia de piedras continúa mientras advierte que ha llegado a un árbol inmenso, otro hule, y algo le indica que ése es el sitio apropiado para morir.

Llega al hule, y se desploma. Pero sigue vivo, y eso es algo que Lucio no puede creer. La gente del pueblo, muchos niños también y perros flacos, excitados, que ladran, está exacerbada y grita, se acerca a él. Igualmente llegan dos policías y Lucio sólo puede pensar cuán absurdo, grotesco, es que los policías de Yautepec vistan uniformes color tamarindo, casi del color de su piel...

Bueno, para no hacerte el cuento más largo, lo cual es lo único largo que se te puede hacer, has de saber que Lucio es conducido a la cárcel del pueblo (Yautepec) y después es sujeto a un juicio y se le condena a pasar muchos años en prisión, en una celda oscura, de paredes pétreas, en el centro del pueblo, y aunque hay una ventana Lucio no se atreve a ver hacia afuera, porque el pobrecito pretende, durante todos esos años, volver su atención hacia dentro; está convencido de que todo eso ha sido necesario para que se purifique, y pague. Con el tiempo pierde la esperanza de salir, se acostumbra a la oscuridad, incluso llega a gustarle, y después de mucho, mucho tiempo, le corresponde salir libre.

El día en que sale de la cárcel es portentoso, una bóveda celeste llena de luz expansiva, grandes nubes desplazándose con rapidez, cordilleras en incesante metamorfosis. La fuente del zócalo se puede escuchar, no; más bien se trata de un arroyo cercano; y en el pueblo hay una gran excitación, la banda municipal toca pasodobles a todo volumen, y una feria iluminada por el sol exhibe sus monstruos amansados: la mujer tortuga, la niña que se volvió serpiente, tú sabes. Pero Lucio se siente aún peor que cuando el puñal se hundió en su espalda; ni el linchamiento ni los años de cárcel mitigaron las grietas de su alma. Lo primero que ve es la pared lateral de una iglesia que está enfrentada a la cárcel; es una pared de piedra vieja, con yerbas que crecen entre las rendijas, golpeada con tanta fuerza por la luz solar que Lucio casi se ciega, tiene que cerrar los ojos ante el impacto de esa luminosidad. Lucio piensa que toda su vida estará condenado a ese tormento: el cuerpo entero corroído por un incendio interminable; a veces, muy a menudo en realidad, ha percibido el olor de su propia carne chamuscada, y eso siempre ahonda el vacío oscuro de su interior, la sensación de que está muerto, sin nada que lo alegre, así toda la eternidad, aunque circule sin impedimentos por cualquier sitio, para siempre, como caracol, en esa celda oscura que acaba de abandonar, sin miedo, sin dolor, pero con la desolación que brota del abismo, por donde se cuelan ventarrones como latigazos, la casa de su espíritu en ruinas, todo devastado, sin vestigios de vida, la tierra resquebrajada, arrasada por el sol.

Lucio vuelve a alzar la vista. Allí está la pared de la iglesia, con sus millones de pequeñas resquebrajaduras más claras que nunca a causa de la luz. Y en ese momento una voz se yergue, con un brote de esperanza, y le susurra con vehemencia: ¡a la iglesia, a la iglesia! En un instante (un relámpago, un resplandor) Lucio cree comprender por qué se encuentra allí, y una esperanza pequeña pero tan viva que lo quema, lo hace correr por toda la extensión de la pared de piedra hasta que, sin aliento ya, dobla la esquina y contempla el atrio de esa iglesia del siglo XVI con su zaguán inmenso, de herrería oxidada. Lucio atraviesa el atrio, sin fijarse en los tabachines que florean ni en las jacarandás ni en las parotas ni en los cedros ni en el jardín descuidado, pero cuando llega al portón una fuerza le impide entrar, un poder colosal lo toma de los hombros y lo sujeta, a pesar de que él, entre lágrimas desesperadas, hace un último esfuerzo, lucha con todo su ser porque ésa es la batalla decisiva de su vida. Finalmente la fuerza cede y Lucio entra en la iglesia, y en ese momento, señoras y señores, todo es oscuridad, un perfecto

BLACK OUT

RENE AVILES FABILA
(1940)

Nació en Ciudad de México y pertenece a la Generación de la Onda. Fue profesor en la Facultad de Ciencias Políticas y Sociales de la Universidad Autónoma de México y actualmente dirige "El búho", suplemento cultural del diario *Excelsior*. Entre sus novelas más divulgadas están *El gran solitario de palacio, Tantadel* y *Réquiem por un suicida*, la más reciente. Entre sus muchos libros de cuentos figuran *La lluvia no mata las flores, Fantasías en Carrusel* y *La desaparición de Hollywood*. Sentimos especial predilección por la joyita que es su novela breve *La canción de Oddette*.

La Antesala de la Muerte
(Cuento rosa)

Salió del cementerio; solo, cabizbajo; atrás quedaban enterrados Cecilia, su esposa, y el hijo que no llegó a nacer; realmente su vida había sido poco afortunada, llena de desgracias, y ahora el único lazo que lo sostenía murió; su infancia fue difícil y sin percatarse de la presencia de un helicóptero militar que revoloteaba a baja altura su mente enfebrecida produce el primer flash-back: tarde lluviosa, un joven papelero que de noche estudia secundaria, por matar el tiempo lee un periódico abandonado: bellas damitas y guapos juniors le sonríen desde la sección de sociales: están cenando y qué banquete; el huérfano, Marcos, estuvo a punto de caer en el mal, sólo que algo, alguien lo impide y así lo vemos realizando las tareas más pesadas para un adolescente y tan pronto carga bultos en La Merced, como hace mandados para costear sus estudios; uno de sus maestros lo aconseja, única cosa que le permite su tremenda pobreza magisterial; por él Marcos conoce la historia patria, llena de ejemplos, de buenos ejemplos: niños desamparados que por sí mismos llegaron a triunfar en la política convirtiéndose en multimillonarios; luego, ambos comparten el pan barato y la leche de cal que el abnegado educador logra comprar con su raquítico sueldo; además éste es quien le habla de Dios y lo lleva a la iglesia para que juntos recen por la prosperidad y la salud del presidente que envuelto en una chamarra tricolor lucha por fortalecer el subdesarrollo; en seguida desaparecen discretamente, caminando sin hacer ruido, como marchaba Marcos del Panteón Civil de Dolores hacia Chapultepec, sin percatarse de la presencia de agentes de tránsito que desviaban a los vehículos particulares para que maniobraran transportes que ostentaban un letrero gris: Servicio de limpia-*D. D. F.*, adentro iban hombres vestidos de civil y armados con escuadras y ametralladoras oficiales: granaderos y policías protegían los movimientos; una voz, alarmada: ¡Son los Halcones, manito!, pero Marcos no la escuchó: al tremendo peso moral que soportaba hay que añadir la lluvia, una lluvia tímida y persistente, sin pretensiones de aguacero o chubasco; el pelo de Marcos, prematuramente emblanquecido, chorreaba agua y el agua le escurría por la frente empapándole el rostro y haciendo más dramática la expresión de vencido; su mirada iba fija al suelo y nada más la levantaba para evitar golpearse contra un árbol o contra un poste; su ropa también estaba húmeda, eran algo así como las cuatro de la tarde y la lluvia parecía perder fuerza; sin Cecilia ya nada será igual, piensa, y aparece el segundo flashback, en tanto que surge el rostro de un halcón, drogado o tal vez borracho: No queremos hacerles daño, somos revolucionarios, venimos para apoyarlos, repetía mecánicamente: Marcos es gerente de una sucursal bancaria con ideas avanzadas; frente a él está la fotografía del viejo maestro, fallecido de hambre y tuberculosis hace tiempo, en una oscura habitación del hotel de ínfima categoría; firma unos papeles cuando su secretaria pide autorización para que una cliente hable con él; el ejecutivo responde afirmativamente y la empleada hace pasar a la bellísima Cecilia: ninguno de los dos habla: *Romeo y Julieta* de Tchaikovsky resuena en la severa oficina: más adelante se conocen bien y al fin, enamorados, deciden casarse y formar un hogar cristiano: el matrimonio fue dichoso; todo cambió: en el bosque de Chapultepec, a la altura de Constituyentes, antiguamente Madereros, había poca gente, ninguna pareja de enamorados y sí varios tanques y carros de combate: Marcos trató de provocar un tercer flash-back y mostrar en grandes planos la vida ejemplar de su maestro: imposible, ni un modesto close-up; la presencia de Cecilia disolvía al buen anciano: cuando el Paseo de la Reforma estaba a la vista, Marcos opta por una decisión dramática: suicidarse, en esos segundos llegó al flash-back número tres en largas secuencias: el banco donde presta sus servicios es asaltado por guerrilleros urbanos que se llevan muchos miles de pesos para alimentar su movimiento: qué impresión tan fuerte: se desmaya: no está acostumbrado a los actos violentos porque ama la tranquilidad y aborrece lo que altera el orden establecido, especialmente odia a los comunistas; luego, la central bancaria decide despedirlo ya que durante su desvanecimiento ocurrieron muchas cosas como la desaparición del dinero y varios disparos que causaron un policía herido; la gerencia lo acusa de actitud antiheroica (debió defender con su vida el sagrado dinero de los clientes que depositan su confianza en la institución y respetar la orden de tirar a matar, dada desde muy arriba junto con una pistola) y lo cesa; podría concluir que su vida era un fracaso completo y que los reducidos momentos de felicidad se diluían entre tanta desgracia: pero ¿cómo matarme? soy cobarde e incapaz de tomar un revólver o ingerir barbitúricos; el cuarto flash-back lo aborda mientras que una larga hilera de pesados camiones militares, repletos de soldados perfectamente equipados para combatir, se detenía: sonó un silbato, los hombres descendieron y marchando con belicosidad avanzaron en dirección a la fuente de Diana Cazadora: Cecilia va por Cinco de Mayo, busca ropa infantil; su embarazo la hace andar torpemente y no se fija que un automovilista viene conduciendo a toda velocidad y la embiste: Cecilia se retuerce de dolor en el suelo: no teme por su vida sino por la del niño que lleva en las entrañas, el hijo de Marcos; un agente de tránsito detiene al borracho que la atropelló, quien enseña dos credenciales, una del PRI y otra que lo identifica como diputado federal y lo deja en libertad con un perdone usté, mi jefe; llega la ambulancia de la Cruz Roja y

41

recoge a la mujer herida; al hospital; en el trayecto, los camilleros aprovechan su inconciencia para hurtarle el reloj y el dinero; Marcos al intuir que algo le sucede a su esposa, corre a buscarla y durante dos días visita delegaciones y cruces, hasta que por fin llega a donde Cecilia agoniza: pálida y demacrada solicita un sacerdote: sabe que está muriéndose; Marcos exige la presencia de un cura, pero el único que hay a la mano merienda y rechaza la petición; Cecilia piensa que el cielo le cierra las puertas y muere en los brazos de su marido: fallece como vivió, amándolo; el hombre llora patéticamente; un médico piadoso o que espera propina cubre el rostro del cadáver y palmea la espalda del doliente a modo de consuelo; Marcos aún sentía la mano del doctor en el hombro cuando llegó al Paseo de la Reforma, sus pensamientos lúgubres fueron interrumpidos por numerosos grupos estudiantiles que marchaban protestando contra el gobierno corrupto y asesino, por la represión cotidiana (encarcelamiento, presiones), por las injusticias, por su ineficacia para resolver los problemas nacionales, contra la demagogia (pan nuestro de cada día): ¡claro, qué torpe, cómo no lo pensé antes!: ya tengo la forma de morir: tranquilamente, con los ojos llorosos, tomó una pancarta con la efigie del Che Guevara y se introdujo en la manifestación.

IGNACIO BETANCOURT
(1948)

Nació en San Luis Potosí, en la región conocida como la
Huasteca. En 1976 obtuvo el Premio Nacional de Cuento
con su irreverente, original y a ratos delirante libro de
cuentos *De cómo Guadalupe bajó a La Montaña y todo
lo demás*. En esa ocasión el jurado estuvo compuesto
por el maestro Edmundo Valadés, paladín del cuento
mexicano (recientemente) fallecido, el escritor José Agustín y el autor de esta selección. Su otro libro de cuentos
es *El muy mentado curso*. Betancourt cultiva también el
teatro: *Lapsus linguae, El gran circo de los hermanos
Gandalla*.

La memorable gran carrera
o la tragedia del estadio

Ya despojados de sus atuendos, los tres competidores falsa-
mente en calma, en cueros, llenos de silencio y harto
ansiosos, tratando inútilmente de calmar los palpitares, con
discreción profunda saludan al llamado "monstruo de los mil
ojos", que se desgaja en aclamaciones al descubrirlos dispues-
tos a la contienda. En el trío de peculiares atletas, a pesar de la
turgencia, los atributos de hombre lucen asustados; era tanta luz
de sol y tanta mirada, que la rota costumbre del genital encue-
vamiento realmente dolía.

Con una ligera bata de boxeador ella se ve radiante, loada
por la claridad del día la dama en cuestión se presiente excita-
da, ligeramente conmovida hace como que observa la brillantez
de la pulida pista olímpica, pero más bien duda del éxito frente
a la ansiedad abundante de ruidos en la multitud.

Los altavoces y su sombra piden a los competidores ocupar
sus puestos. Cuando la mujer se desnuda y es mirada tan sólo
con el abrigo de su propia piel, sobre el lugar de los hechos se

deja caer una exclamación admirabilidosa; la belleza que de tanta le escurre por la silueta la vuelve un verdadero encantamiento, el vehemente trío de aspirantes casi estalla de tanto anhelar, a fuerza de desear su membresía crece, son tres garrochas dispuestas a saltar, arietes insólitos ante las murallas de la vida. El conjunto de ganas aúlla sin voz a la mitad del día.

Realmente como un pulpo la visión se llena de tentáculos y con el puro ojo puédese palpar el cuerpo plano de la muchacha, materializada en los espectadores tan sólo por la alquímica virtud de la lujuria.

En las tribunas danse múltiples casos de entusiasmados admiradores que en encanto atroz por la hija de Mister Salinas, optan por vivas manipulaciones, en fin, solamente la euforia que lo visto les causaba. Mas nunca les hubiera dado por hacerlo, confundidos muy bien entre la muchedumbre, cientos de agentes secretos, invisibles guardianes del orden equipados con macanas eléctricas y gas paralizante, violentamente arremetieron contra los abundantes indisciplinados, mismos que luego de la descarga eléctrica eran sometidos a la quietud por efecto de los atomizadores. Posteriormente los rígidos infractores son sacados del estadio y en montón puestos sobre camiones traídos ex profeso. Su salida es un desfile inusitado, procesión de inmóviles vacantes, pena llegaban a causar en quienes les vieron cerca y no faltaron mujeres piadosas que con presteza cubríanles las vergüenzas empleando para tal menester rebozos, cachuchas y hasta vasos de papel; por parte de la concurrencia tales gestos eran celebrados con una rechifla general.

A Pedro que dormía en el suelo una cucaracha le orinó los ojos, esa mañana despertó el niño con las pupilas inundadas de podredumbre. Mamá, al Pedrillo le están saliendo mocos de los ojos. Ya para el mediodía la infección le ha chupado las retinas, con la noche se le clausuró a perpetuidad la entrada de la luz. Pedro participa en la carrera reivindicando a la invidencia.

Ya no más la tradición inmovilizante en el espectáculo deportivo, es la audacia el principal atributo del empresario moderno. "Audacia, más audacia, siempre audacia, gritó un día Dantón", no dejaba de repetírselo en voz baja Mister Salinas, como para mejor convencerse de lo que iba a hacer, además, decía a su secretaria con tono amenazador, debe quedar claro que el negocio será limpio, que todos arriesgamos algo, que yo no soy ningún tramposo, que los miles de aspirantes a participar en la gran carrera públicamente fueron sorteados, ha sido la suerte quien los escogió, el triunfo o la derrota sólo va a depender del talento deportivo.

A Paco le cortó las piernas un autobús de la línea *Sarabia Saucito*, fue uno de esos viejos trastos que él utilizaba para llegar al empleo, despachador en una tienda de abarrotes, "La benemérita" se llamaba, y la ocasión infausta culpa fue de su deseo de puntualidad; medio sueldo por cada retraso. El camión venía reventándose de gente, por eso tuvo que caerse Paco, sonó horrible el quejido de los huesos triturándose, fue de pura chiripa que mantuvo la vida. Aun con las piernas incompletas iba a demostrarle al mundo que podía triunfar, por eso entró a la gran carrera.

El esperado día llegaba, la población repletó el estadio, los que no pudieron disfrutar en vivo, presurosos volvían a sus casas para mirar por televisión. *Cualquiera puede ser mi yerno / Ahora o nunca./ Para el que se decide la puerta del futuro no tiene cerradura.* Y miles de carteles con la señorita Salinas sonriente, o pensativa, o con los labios entreabiertos, o arropada en transparentes muselinas, o haciendo un guiño.

Era verdad que en la convocatoria del gran evento pegada por todas las esquinas de la ciudad, claramente quedó estipulado el asunto de la selección de los tres participantes mediante sorteo, mas como sólo Mister Salinas manejó los resultados, nadie pudo verificar la fidelidad a los azarosos designios. En posteriores declaraciones a la prensa especializada, el padre de la chica en disputa dejó insinuar que para la elección en algo había influido su irreprimible bonhomía, una oscura solidaridad hacia los más desposeídos.

De recién nacido, Juan mucho se enfermaba del estómago, es porque se chupa los dedos mugrosos, sentenció el doctor. Al paso de semanas con recurrentes diarreas por parte del infante, el enfado de la madre se acrecentaba y tanto fue su enojo que optó por una decisiva solución: en larga temporada amarrar los brazos a los costados del cuerpecito. Fue tan eficaz dicho remedio que el niño no volvió a chuparse el dedo, sin embargo ocurrió que al transcurrir los años a Juan crecióle todo menos los brazos, tan bien le fueron anudados que se le quedaron encogidos, siempre sin compostura cerca de las axilas. Harto de pintar tarjetas navideñas con los pies, decidió participar en la carrera.

Compre usted su foto de la señorita, ándele, cómpremela ahora porque al rato ya no va a ser señorita.

Los tres empelotados hombres, sudorosos, tanto que más pareciera que la contienda ha concluido, acechan a un metro de distancia el codiciado y lozano trofeo, cien centímetros de ventaja, así había sido convenido, mera gentileza para con la doncella.

Suspendido entre el principio y el fin de una respiración aguarda el desnudo trío, puro vibrar, la tensión es el tono en que silba una flecha buscando la luna para tronarla.

Paco el cojo, incompleto de las tibias hacia el piso luce heroico sus pedazos de pierna agitados al viento anaranjado de esa hora, mientras, apoya las manos como tranquilas garras en la parte media de las muletas. Hinchado de pupilas por tanto acariciar con la visión las armoniosas pantorrillas de la hija de Mister Salinas, sin pies constata que a mil milímetros de su deseo se encuentra el paraíso terrenal.

Juan el manco en su ansiedad logra alardes de equilibrio, pródigos esfuerzos para mantener la compostura. Los pequeños apéndices brotando de sus hombros como germinaciones de embrujadas semillas, son con gran precisión "lo que pudo haber sido y no fue", retoños de carne destinados a lo diminuto. Juan se coloca *en sus marcas* como puede y clava la mirada, la entierra, la incrusta definitivamente por el rumbo del trasero hermoso de la joven. En el espejo convexo de sus ojos se refleja esa parte en que los vellos son un bosque inverosímil, y ocultando presagian sorpresas interiores difícilmente predecibles pero siempre gratas; alabada humedad de ese recinto por donde nacen y mueren los hombres; panal siempre secreto y siempre abierto; ventana al cielo que en la postura de inicio de carrera en que luce la señorita Salinas, ofrécese a los contendientes como flor de pólenes rosados y oscurecidos pétalos. Ruega por nosotros.

Pedro el ciego en la ortodoxa posición del corredor que espera la salida, condenado a imaginar en esos colores de la mirada invidente las vastas tonalidades del cuerpo femenino aguza el olfato y percibe con sorprendente claridad el perfume que exhalan los poros del manjar asediado. Dicen por ahí que los ojos del alma miran la belleza pura, al menos no son capaces del desengaño.

La señorita Salinas muy bien acomodada en la correcta figura de pierna doblada y manos al frente con el pulgar y el índice extendidos, siente como lumbre la acechanza tenaz en sus espaldas, se arrepiente del trance pero se aguanta, las ganancias bien valen la pena. Papá es un genio para los negocios, debo tener confianza, diez mil pesos el boleto y estadio lleno, derechos televisivos; Dios proveerá.

Y hubo que marcar tres veces el comienzo, la algarabía no dejó oír el disparo que iniciaba la contienda. En ocasión posterior el ímpetu del ciego lo aventó como resorte sobre la doncella, sólo gracias a la vertiginosa intervención de un fornido guardián púdose evitar que el espectáculo se malograra, poderosa patada en el pecho le puso a Pedro las ansias en orden. Qué abundancia de gritos se dejó caer desde las graderías.

Cuando al fin da principio el evento, con ritmo y gallardía, de manera ejemplar los tres competidores corrieron al parejo, hombro con hombro, como un solo hombro, hombrón, hombrazo inútil por ahora; van conservando la distancia tras de la infante que por más velocidad que imprime a su esbeltez no logra despegarse del asedio. Ay santísima virgen de Lourdes, qué ocurrencias las de mi papá. Por lo pronto Mister Salinas ni siquiera imagina el incendio y el caos.

El raudo taconeo de las muletas sobre la pista de tartén es contrapunto al suave golpetear de los pechos de la corredora, y al fuelle equino de la nariz del ciego y al zumbido que escapa como iracunda súplica de los músculos tensos del manco. Es una música de ruidos naturales, suena en verdad como canto amoroso y de muerte.

Terrible la trifulca que se armó entre el respetable, muy curiosa disputa por un catalejo. Eran dos mellizos que por el ansia de mirar pelearon; el catalejo había sido comprado con el mutuo dinero de los univitelinos y especialmente para disfrutar de la carrera. El uno pensó que el otro tardaba demasiado en sus observaciones, primero reclamóle con voces mesuradas, mas luego viendo que absorto le ignoraba púsose a exigir con palabras airadas su derecho a mirar. Y en menos que se cuenta, del dicho se pasó al hecho, y entre dimes y diretes los puños consanguíneos se crisparon, brotó de los nudillos la exasperación, sonó un golpetón y otro, y otro, así hasta que con marciales actitudes aparecieron tres agentes policiacos, y en un santiamén a los rijosos despojaron del catalejo haciendo cesar de esta manera el zipizape; a chirona los mellizos fueron remitidos. Luego llegó otro policía, seguramente un jefe porque en seguida y sin que nadie lo estorbara, apropiándose del artefacto requisado dedicóse a mirar por el ingenioso lente que tan cerca le ponía las carnes de la señorita corredora.

El ciego en su pujanza perdió la brújula, el norte de su olfato equivocóle el mapa pero aunque rezagado ya del grupo tuvo una idea salvadora. Haciendo acopio de dignidad decidió asumir el último lugar y a propósito marcha despacio, bien sabe que la joven Salinas al completar una vuelta más que él, forzosamente se hallará ubicada en el trayecto de sus ganas. Ya no puede aguantarse, ha decidido transgredir las normas y disputarse el todo por el todo. Corre en zigzag para perder el tiempo necesario y así verse alcanzado. Al sentir cerca pisadas de mujer se le rueda una sonrisa tímida.

Mister Salinas, que con gran atención vigilaba el transcurso del "moderno y audaz espectáculo", pronto ha descubierto las aviesas intenciones del rapaz competidor y ni tardo ni perezoso implacable desenfunda la pistola que momentos antes le había servido para indicar el principio de la justa. Hados terribles cortan los aires porque calmosamente el padre ofendido encamina la mira en dirección a la cabeza del ciego incontinente. Cuando ya Pedro se concibe hundiéndose en la ninfa, pum, hubo un relámpago bajo las óseas paredes de su calaca; la bala en el ojo ciego otorgó luz a la retina por excepcional y única vez. Ya hay un corredor fuera de la competencia.

Aunque la contienda prosiguió fluyendo como río cierto del mar, la detonación no es del agrado del susodicho *monstruo de las mil cabezas*, el disparo fue escuchado con fingida tolerancia y bajo la apariencia, a muchos el coraje les aguó el festejo.

La madre del ciego, una anciana arrumbada y polvosa que obtiene techo y comida abriendo y cerrando las puertas de una vecindad en el barrio de San Sebastián, se negó a aceptar como ciertas las imágenes que la televisión desde un cuartucho oloroso a humedad, ofrecía a eufóricos bebedores de cerveza, parroquianos que ignorantes de la senil progenitora se manifestaban con rotundas y encontradas voces acerca de la forma en que había sido muerto el malogrado violador. La viejecita se fue a barrer como si nada hubiera visto, segura de que su hijo sigue vendiendo billetes de lotería en la esquina de siempre. Entre viento calmo volarán lánguidos acordes, chirridos de puertas, fúnebres compases sobre el lomo parduzco de los grillos cuando por la tempranera mañana del día siguiente, la anciana mal disimulando bajo las canas un presentimiento, le lleva tamales a su hijo Pedro. De verdad va a sentir feo cuando descubra inexplicablemente abandonado el puestecito de los billetes de la lotería. Qué lóbrega la esquina y qué verdadera. La bolsa de papel con los tamales se le caerá de la mano y voluntariamente la deja olvidada. De vuelta a casa irá la viejecilla tan absorta, que no va a darse cuenta de las grandes columnas de humo que saliendo del estadio ennegrecen el cielo; tremendo motín.

Sabiendo que ya sólo dos compiten el manco aumenta la velocidad hasta tal punto, que su correr le vuelve dolorosas las caricias otorgadas por el viento en la entrepierna, el encuentro entre el glande y el soplo de Eolo prodúcele sofocos, y hasta el simple respirar se hace un tormento, únicamente la feroz querencia de alcanzar la fémina prolonga su insistencia.

En los mingitorios del baño alguien se orina sobre un corazón, el chorro se enrojece como una mala señal disolviendo la roja presencia en un juego sangriento de pequeños remolinos. A quién se le ocurriría mandar a hacer corazones de naftalina púrpura. En cada orinal un corazoncito se deshace tiñendo las cañerías que habitan bajo la pista donde los hombres persiguen una fantasía.

Parece que la muchacha gana terreno, pero al sentirse Pablo y Juan sin la presión de Pedro, la más cercana posibilidad del triunfo dales nuevos ímpetus. Para la cuarta vuelta ya sólo se encuentran a sesenta centímetros de la epidermis del premio, a cincuenta centímetros del rocío que en el monte de Venus de la prenda amada pronostica texturas interiores nunca exploradas suficientemente.

Vuela cuerpo mío, háganse alas mis omóplatos, plumas mi piel. A mí velocidad de la luz. Mas de pronto el manco reventado por el frenesí, da una vuelta de carnero y rueda por la pista.

Al notar el desmoronamiento de su único adversario, con discreto regocijo el cojo siéntese ganador aunque no ceja en su desaforado muletear. Muleta izquierda, muleta derecha, muleta izquierda, muleta derecha, así, así, así. La infalibilidad del ritmo en toda su evidencia. Así, así mi cielo, ay qué rico.

Otro menos, pensó la muchacha al sentir la caída de Juan. Papá tenía razón, con una buena selección de los contendientes estaría a salvo, de cualquier manera no me desampares Santo Niño de Atocha. Y en su circunstancial plegaria la bella atleta no se ha percatado que Juan el manco cual si fuera un inmortal, se reincorpora y vuelve a perseguirla. Impulsado por ancestrales biologías Juan repite la maña del cavernícola que desmayado elude el fatal coletazo del tiranosauro. Qué chinga, piensan al unísono Paco y la señorita Salinas.

A la bio-a la bao-a la bim-bom-bam, el manco, el manco, ra-ra-rá. Y estallar de cohetes en el cielo con sol. Miles de brazos bailan en las graderías. Desde los bolsillos el azar da voces, comienzan a cruzarse las apuestas. Cien por el cojo, voy doble al manco.

Vuela cuerpo mío, tórnense alas mis omóplatos. Pero Juan tres y cuatro veces perdió el equilibrio, así hasta extraviar los pasos por los siglos de los siglos. Cae. Juan el manco, terrestre, terreno, material hasta el cansancio, inútil ahora hasta los tuétanos, se muere fracturados los occipitales. Sobre la pista crece una mancha oscura, va dibujando el perfil de un país infortunado, el mapa de un lugar cuyo nombre duele recordar. En gran acercamiento las cámaras de televisión mostraron la sangre, no faltó quien creyera mirar en el charco rojizo la silueta de un cuerpo de mujer.

Ya repuesto el público del descalabro, superado el natural desánimo, reconocen que aún les queda gallo. Paco es desde ahora su representante plenipotenciario, mientras él tenga vida el triunfo será posible.

En los finales de la quinta y última vuelta la garganta de la concurrencia se ha despellejado en el ardor de las exclamaciones, cogote vociferante, la voz más grande. Tú eres el bueno, cojito, tú le das. Echatela por mí. Cójetela mi cojo. Cójetela. Cójetela. Cójetela cojo. Cojo. Cojo. Y es como un ritual el sacudimiento de los gritos. Para que dure más la entrada de mi fierro, se lo meto poco a poco, poco a poco, poco a cojo, cojo a cojo, cojo, cojo. Y no me lo va a creer comadrita, cuando ya casi la alcanzaba, que se le truena una de las muletas, sí, como lo oye, se rompió la desgraciada, y aunque el cojito brincó como diez metros, ya no pudo seguir.

Ay comadre, el sonido de la rotura fue como el chasquido de unos dedos gigantes que ordenaran silencio. Como si el sol hubiera fulminado al ruido, así de mudo se puso todo. Luego lueguito que cayó el desdichado viera usted qué apagado se quedó el estadio. Después, bueno pues ya sabe usted lo que pasó, la quemazón y todo eso, pero en el momento de la caída hubo tanto asombro que se pudieron escuchar las pisadas de la hija de Mister Salinas cruzando la meta. Hubiera visto el coraje del pobre hombre cuando se vio acabado; cómo sería la visión que mi sobrina al mirarlo se puso a llorar sin darse cuenta. Claro se notaba que el cojito no quería morir, viera cómo se sacudió antes de entregar el alma.

Se descompone, se pierde, el arriba y el abajo son el mismo sitio, fuera y dentro la misma perdidumbre. El sabe que es Paco, pero nada más, tratando de recordar, el olvido se lo empieza a comer.

—Mirá loco, ponéle ahí que el cojo se levanta. No jodás, cómo es que ninguno va romperle el culo a la mina ésa. Andá Nacho, ponéle que el de las muletas se la tira.

—No.

DAVID MARTIN DEL CAMPO
(1952)

Nació en Ciudad de México. Desde mediados de los setenta (publicación de su primer libro, *Las rojas son las carreteras*), ha hecho una carrera rápida y certera como novelista. Entre sus novelas, publicadas con regular frecuencia, están *Esta tierra del amor, Isla de lobos, Todos los árboles, Dama de noche* y *Alas de ángel*. Entre sus publicaciones figuran también dos crónicas marinas, *Los mares de México* y *Mil millas / Delfines y tiburones*.

El sentadito

Aquí me traen todas las tardes. Desde que la sombra del mercado crece y tapa este lado de la calle, ya me traen empujando para que desde aquí vigile. Antes, cuando no me daba cuenta de las cosas, la gente se reía de mí y yo no sabía por qué tanto me miraban. Después ya lo supe.

La primera en llegar, como todos los días, ha sido la Leocadia. Trae su vestido verde apretado que le deja de fuera las rodillas. El otro, el azul y blanco, lo deja para el fin de semana, aunque cuando no, este verde sirve hasta los sábados que es el mero día.

Amigos no tengo. Así, lo que se dice amigos, de adeveras, pues no, no tengo. Antes me entristecía, me daba coraje y envidia que no jugaran conmigo, pero yo no podía. Es tan difícil para mí estarme quieto. Lo bueno fue que me di cuenta de cómo soy yo y cómo los demás. Amigos no tengo, pero sí conozco a muchos que pudieran serlo. Ellos no lo saben, pero yo juego a que son mis amigos y me imagino que jugamos juntos aunque es imposible. Así es como me paso las mañanas, acordándome de las gentes que veo, de los muchachos que trabajan en el mercado. También de la Tigra.

A esta hora es más o menos cuando comienza el negocio. Si hoy fuera sábado, de seguro ya habría tachado una o dos cruces en la lista que me trae don Manuel. Sí, de seguro dos cruces tachadas habría en la lista, o tres, o más. Ahorita apenas la sombra del mercado comienza a treparse por esa de enfrente que es la revistería. También sube la sombra por la fonda frente a la que se paró la Leocadia, y por la juguetería en la que asoman los balones de fútbol anaranjados y las carabinas de plástico. Así me la paso hasta las seis, depende, claro, de si no hay mal tiempo, porque entonces me quedo encerrado. Pero cuando la sombra ya tapó la azotea de la casa de revistas, el negocio se pone más bueno; lo menos una cruz cada media hora.

Aunque no tengo amigos, me da mucho gusto que el Perico me diga cosas y me sobe la cabeza cuando pasa, cuando va o viene de su puesto de jugos de naranja. El no lo sabe, pero yo me he dado cuenta que sus manos huelen a cáscara de naranja y los dedos le brillan de tanto partir, apachurrar y pelar esas naranjas tan bonitas que desde aquí se divisan como los balones de enfrente, nomás que más chiquitas. Hoy no está el Perico en el puesto; de seguro se fue a comer a los merenderos del mercado. Cuando pasa me mira y me dice: "quiúbole Sentadito", o nomás me despeina el coco y pasa corriendo y gritando: "¿no te cansas, Sentadito?". Así me dicen: *el Sentadito*; aunque mi nombre es Miguel. Otros me dicen *Mano-fija*, pero a ésos no los quiero. A ésos los odio porque se burlan de mis manos que no puedo tener quietas.

Allá viene la Elota, como le dicen por sus dientes parejos como mazorca hervida. Esa no me quiere tampoco. No me quiere porque una vez le hice trampa cuando no le anoté una de sus cruces. La verdad no se la anoté porque un día antes me dijo: "Ya estate quieto Sentadito, nomás me pones de nervios con tu zangoloteo de santo cubano". Me dio mucho coraje aunque no me dijo *Mano-fija*, de todos modos me la cobré y no le puse su cruz cuando se fue la segunda vez. Después don Manuel y ella vinieron a preguntarme que qué había pasado.

Yo le dije, aunque nadie me entiende a la primera cuando hablo, que no me había dado cuenta de la segunda cruz de la Elota, que me había quedado medio dormido. Fue peor porque don Manuel se puso furioso y me amenazó otra vez, que si me volvía a quedar dormido no me sacaría más de donde doña Trinidad, y que ya no me traería todos los días aquí a tachar las cruces de Chela y la Elota y la Tigra y las demás. Yo me quedé rete espantado. Quería llorar porque no me gusta donde doña Trinidad... está tan viejita la vieja que ni me cuida cuando tengo hambre o sed, o me busca a tiempo la bacinica cuando me estoy orinando. Luego nomás me quedo escurrido y la silla apesta durante días a meados. Lo peor fue cuando me dejó allá en el traspatio bajo la lluvia, y yo nomás hacía los ruidos que hago cuando quiero hablar y ella no hizo nada porque se quedó dormida oyendo sus novelas del radio, y yo quería mover mi silla de ruedas, pero por más que trataba de agarrar los aros de las ruedas no podía del movimiento que he tenido desde que me acuerdo en mis brazos, es decir, en todo el cuerpo. Sí, por eso está peleada la Elota conmigo, porque una vez no le puse su segunda cruz. Ella no tiene la culpa, no sé, pero a veces parece que nomás vienen a regañadientes.

Ese señor que pasa por las tardes cargando tantas cubetas colgadas del palo que se recarga al hombro, es una de las cosas que más me gustan de aquí en el mercado. Los brillos del sol en las láminas que parecen chispazos de muchas formas me jalan la mirada. El ni se da cuenta que lo miro y sigue meneando sus cubetas por la calle. A veces grita: "...ubetas y escobas" y otras "...ubetas de o'jalata", lo que quiere decir que vende cubetas de hoja de lata y escobas. Eso lo he entendido yo solo sin que nadie me lo explique. Acaba de llegar don Manuel. Se bajó de su coche para entregarme la hoja de todos los días. Al acomodarla en la tableta que tengo amarrada en la silla de ruedas, se puso a mirar para acá y para allá, mirando cuáles son las que ya llegaron. Miró a la Elota y a la Leocadia en el lado de enfrente. También a Estrella que se puso en la mera esquina donde dan vuelta los camiones amarillos que van para los astilleros. Don Manuel las miró y me ha colocado el lápiz en la mano, para que me ponga listo para apuntar las

cruces cuando alguna de ellas se vaya con alguno. Es bueno
don Manuel, no se le olvidó el chicloso. Me lo acaba de poner
en la boca. El es quien le da el dinero a doña Trinidad para
que me cuide y me alimente. El dice que ella es mi abuelita,
pero no es cierto. Ahora ya se va otra vez, me mira como
siempre, sin muchas ganas, pero sonríe como si fuera como
yo, o yo como él. Me dice otra vez: "aguzado Sentadito",
como todas las tardes.

La sombra del mercado ya tapó las vitrinas de las tiendas de
enfrente. Ya no se ven claros los balones de fútbol. En la fonda
está subiendo esa humareda azul que comienza cuando echan
los bisteces a los comales. Esa es otra de las cosas que siempre
distingo aquí en la calle.

Ahorita que estaba pensando en la Tigra y mirando esa
nube de humo que se trepa al cielo, llegó la Rusa y se la
llevaron luego luego en un taxi. Ahorita le estoy tachando su
cruz a la Rusa en la lista que me dejó don Manuel. Más tarde,
ya de noche, don Manuel va a regresar, o uno de sus ayudan-
tes, y se llevará la lista llena de las cruces que he tachado en
cada uno de los viajes de las muchachas. No sé a qué horas
vendrán por la lista, no sé porque en la noche no hay sombra
del mercado en los edificios de enfrente que indique el tiempo.
Lo único que sé, es que vendrán por la lista ya bien tarde,
cuando la calle esté vacía; vacía vacía no, porque todavía que-
darán algunas muchachas y yo que nomás recargo como puedo
la cabeza en el respaldo de la silla, aunque no me duermo.

Por eso llega tan temprano la Leocadia, porque es la que
menos cruces le tacho cada día. A veces no tiene ninguna cruz
tachada en la lista y ya es bien de noche. Yo la miro tristísima
cuando se va diciendo groserías y saca la botella de aguardien-
te que guarda en su bolsa. Ella es la que más pleitos tiene con
don Manuel. Ahorita pasó el Perico y me alborotó el pelo de la
cabeza. Me dijo: "¿todavía no te cansas Sentadito?", y yo le digo
que no, que no me canso de vigilar en mi silla, aunque no me
entiende por los ruidos que hago con la boca cuando quiero
hablar. El no sabe que yo juego a que él es mi amigo y le
ayudo a hacer sus jugos de naranja. Una vez pensé que lo
ayudaba a hacer tanto jugo que llenábamos el mar del jugo

amarillo de las naranjas. Me imaginé eso porque el mar es lo que más me gusta de todo.

Dos veces me han llevado a mirar el mar. Una vez fui con don Manuel y la vieja doña Trinidad. Fue hace dos años, cuando me sacaron del orfanato, antes que comenzara con lo de las tachaduras de las cruces. La otra vez me llevó la Tigra. Cuando siento que me pega el aire húmedo del mar me pongo como loco de gusto, me muevo mucho, mucho, tanto que casi me caigo de mi silla, y los demás me miran riéndose, pero no me importa por el gran gusto de ver tanta agua moviéndose sin parar como yo, y que siento que me da la razón. Una vez pensé que si me mojaba con el agua del mar me aliviaría de mi enfermedad, pensé que hasta podría aprender a caminar y dejar para siempre esta silla de ruedas. Me gustó mucho pensar eso aunque sé que es imposible, que toda la vida me la voy a pasar moviéndome como lombriz sentado en mi silla. Después de mirar esa vez el mar todo el día, me tranquilicé mucho, me quedé casi quieto, nomás viendo las olas que rodaban por la playa como serpentinas de feria. Hasta la Tigra se acercó y me dijo: "Ora tú, qué tienes, ¿qué ya te aliviaste?".

La Tigra es muy buena. Una vez me dijo que nomás juntara mucho dinero me iba a pagar una operación con los doctores de la capital para que me curaran. Me dijo que nos íbamos a ir para vivir juntos, "como hermanitos". Yo sé que no es cierto, que eso lo dice la Tigra para consolarme, y para consolarse ella que tiene esa cara tan linda con sus ojos tan tristes como los de un pescado muerto.

La Elota se está subiendo con un señor en la bicicleta. A veces se las llevan en coches o en taxis, otras veces se van a pie; pero en bicicleta no. Qué chistosa se mira la Elota trepada en la parrilla de la bicicleta. No se me va a olvidar: le tacho su primera cruz del día.

Cuando llega la Tigra me pongo muy contento. Ella me regala dulces, a veces me da revistas que compra allá enfrente para que yo me distraiga mirando los dibujos y los colores de las páginas. La Tigra siempre se lleva sus buenas cruces, siempre más de dos. Ha de ser porque es la más buena. A mí me da gusto que la Tigra venga a platicarme. Ella sí me entiende, a veces me cuenta cosas de su casa, dice que tiene un hijo así de grande como yo. Dice que cuando crezca me daré cuenta de por qué todos quieren que se llene mi lista con cruces de las que tacho con este lápiz. Dice que yo no entiendo, pero me entendió el día que le quise explicar que sí entiendo. Le dije a la Tigra que ya sé que las muchachas, la Nati, la Rusa, ella y hasta la fea Leocadia, se van con las gentes a platicar, y luego regresan para irse con otros a platicar; porque aquí en la calle nadie platica, nadie se mira a los ojos, y eso es lo que van a hacer las muchachas con los hombres que se las llevan. Se van a platicar bonito, como la Tigra que me cuenta cosas mientras yo la miro con mi temblorina de todo el cuerpo.

Para eso me traen aquí empujando en la silla, para que tache las cruces de la Rusa y la Chela, y las demás. Lo único que quisiera ya, no es aliviarme ni que aprenda a hablar bien, eso no se podrá nunca, por más que lo diga don Manuel. Lo único que espero es que algún día se muera doña Trinidad y entonces la Tigra se encargue de cuidarme, porque sé que hay unos que nacen buenos y son los que pueden andar solos; pero también habemos otros que nacimos para juntarnos, porque traemos la enfermedad, y juntos sufrimos menos, como la Tigra que está llegando apenas ahorita, o como yo que miro la sombra del mercado que sube por allá enfrente.

MARCO AURELIO CARBALLO
(1942)

Nació en Tapachula, estado de Chiapas. Comparte su pluma creativa con el periodismo y actualmente es redactor de la ya tradicional revista *Siempre*. Ha escrito dos novelas, *Polvos ardientes de la Segunda Calle* y *Golfos de Hotel*, y varios conjuntos de cuentos, de los que destacamos *La tarde anaranjada y los cuentos negros, La novela de Betoven* y *Los amores de Maluja*, su más reciente publicación.

Los amores de Maluja

—Soy virgen –dijo cuando intenté recostarla en el escritorio de mi cubículo aprovechando la tarde violeta de un viernes otoñal.

Esa primera afirmación de Maluja frenó la acometida que inicié con la audacia que alienta media docena de cubas libres dobles. La segunda confesión hizo que cesara de inmediato el efecto de las bebidas:

—Soy casada –reveló cuando íbamos al Metro en su automóvil.

Maluja había llegado a la oficina buscando una entrevista para su tesis. Preguntó por mi jefe, y como él estaba de vacaciones ella dijo *Bueno, aunque sea contigo...* Antes comimos y bebimos las cubas, e hice las declaraciones ya de vuelta a mi cubículo tratando de tumbármela arriba del escritorio. Buscaba ser auténtico y seguir mis impulsos.

Ahora que la evoco y sigo al pie de la letra indicaciones suyas, creo que me cautivaron sus carcajadas y que cambiara sus zapatillas por unos zapatos sin tacón, para meter a gusto los pedales del coche. Se llamaba igual que una chica de mi pueblo, de quien estuve enamorado como idiota muchos años pero de lejos, de banqueta a banqueta, a causa de nuestras diferencias sociales. Había otras coincidencias. Aquella, la de mi pueblo, era burguesa y ésta deseaba serlo y le fascinaban los tragos igual que a mí. Esta Maluja es una chica alegre, pensé, y me dije *Nada mejor para un gato viejo y neurótico que una ratoncita feliz y de colita torneada.* Pero ella era en verdad dichosa. Quería al marido, según supe después. Nunca me convenció su aparente virginidad, aun cuando era posible que tuviera marido. Pero ¿virgen y casada? Frente al túnel del Metro, hice notar la contradicción –qué inteligente– y ella sólo rió a carcajada limpia, y me extendió la mano para despedirse.

Anoté los teléfonos del periódico donde ella trabajaba pero desde que di la espalda a su coche, en la estación Tacuba, supe que nunca la llamaría. Yo enfrentaba líos amorosos –un divorcio en trámite y una amante despechada y convaleciente de un intento de suicidio– como para agregar el de una mujer comprometida y *enamoradísima*, según sabría yo semanas o meses después que había estado del marido.

Por eso fue una sorpresa para mí que me hablara por teléfono a la oficina. Yo estaba ya divorciado al fin, y la frustrada suicida había salido del hospital y vivía con un escultor alcohólico, para no variarle. Ya ebrios, ambos me hablaban por teléfono alternándose para mentarme la madre y acusarme de torturador mental.

Maluja descreyó mi versión de que yo la había buscado por teléfono, al tiempo que me informaba de la renuncia a su periódico hacía tiempo. Aprovechó las vacaciones forzadas para escribir su tesis, me dijo, recibirse en la facultad de filosofía y letras y correr al marido y otras cositas, como haber dejado de libar al ritmo de reportera. Le pedí que nos desayunáramos juntos, pero no llegó a la cita. Es una provocación, pensé. Volvió a llamar por teléfono disculpándose. Nueva cita y nuevo plantón, hasta que la vi entrar en mi cubículo, sonriente.

Platicando en el Vips de Universidad y Miguel Angel de Quevedo, procuré actuar con autenticidad. Ya se sabe, palabrotas y juicios temerarios. Esto le disgusta a cualquier mujer, pienso ahora. Hay que ser de otro modo, del modo como ellas se imaginan que es el hombre ideal. No estoy dando recetas; estoy desahogándome. Además para una provocadora, un provocador y medio.

Preferí ceder a Maluja el turno de la palabra, luego de provocar en ella un discurso antimachista cuando expuse que una mujer me interesaba, sin trámites ni averiguaciones, según sus pechos, piernas, trasero y rostro. Tuve cuidado de aclarar que no en ese orden de importancia. Si me gustaba el palmito, entonces le ponía a prueba el cacumen. Claro, si no se empieza por ahí, por el cacumen, uno se mete en líos catastróficos.

Maluja deseaba dar un vuelco a su vida, me dijo. Sus colegas vivían muy a gusto sumergidos en el fango de la mediocridad. De ahí su renuncia al periódico. No quería terminar como ellos. Luego de romper con su marido, sin que me aportara detalles, se había sometido a una dieta muy estricta y al aerobics. En efecto pude ver con disimulo que estaba en su punto.

Agradecí los elogios sobre mis declaraciones para su tesis.

–Fuiste el más directo. Sin rodeos –me dijo.

Sin rodeos quería decirle que saliéramos del Vips y fuéramos como rayos al kilómetro no sé cuántos de la carretera a Cuernavaca. Un compañero de trabajo, que se andaba tirando a la amante del jefe, su secretaria, hablaba con entusiasmo de un hotel con habitaciones provistas de *yakuzi*. Pero ahí la noche valía como una semana de mi salario, y traía en la bolsa nada más para pagar los cafés. Aparte odio bañarme en una tina con alguien.

En el momento del despido dije, por decir algo, que viajaría el fin de semana a Puerto Vallarta, gracias a una invitación insólita. Fue cuando nos estábamos besando la mejilla, según esa moda detestable para mí. Entonces ella me vio a los ojos, abrió la boca y brincó alborozada pidiendo que la invitara. Maluja tenía un boleto de avión a punto de vencerse, así que nos pusimos de acuerdo con rapidez.

La tarde del viaje la auxilié con gusto cargando sus petacas, como cuatro, y un radio y tocacintas portátil. En Puerto Vallarta, Maluja aceptó acostarse conmigo en tres habitaciones. Íbamos a la preinauguración de un hotel, edificado por mi amigo Salvador, que es contratista. El lugar estaba semilleno de gente del ramo turístico, y de ingenieros y arquitectos.

La primera noche tuve que tomarla de las manos y de los brazos para que, encajado y sobre ella, me abrazara. Parecía una ranita bocarriba con las ancas abiertas. La siguiente noche, en la segunda junior suite, ordenó que me abstuviera de obligarla a hacer algo que para nada deseaba hacer. Si yo insistía, ella se vería en la necesidad ineludible, para sentir algo, de evocar al marido, además de pedirme que le estrujara el trasero como a ella le gustaba que se lo estrujaran. Me curé la tristeza con una botella de Hornitos.

La tercera noche, aún con mi orgullo adolorido, se negó a bailar arriba de la mesa la cumbia que oíamos. Enfadada me dijo:

—Tu sentido de la autenticidad te orilla a veces a la locura.

Por eso me asombró que ella pidiera cubas durante una cena, al regreso de Vallarta, ya en el DF, y con sus manos buscara mi pierna y me la apretara, o buscara mis botas con sus zapatillas. A la salida propuso que fuéramos a un bar exclusivo donde me sentiría como en mi casa. Condujo su coche por un eje vial, rumbo al poniente, y perdí la orientación al cruzar el Periférico. El bar exclusivo era un apartamento de dos recámaras y muebles de rattán. Tardé tres segundos en descubrir la cava donde, entre varias botellas de brandy químico, hallé dos de JB. Me serví el whisky en las rocas. Ella puso en el aparato a José José y a José Luis Perales.

Sonó el teléfono. Yo estaba leyendo mis declaraciones en el original de su tesis. Qué chistoso. El gustazo que iba a darle a mi jefe si llegaba a enterarse de mi usurpación en cuanto a emitir declaraciones. Ella lanzó por allá sus zapatillas, se levantó el vestido, tomó asiento a horcajadas sobre mí y se dispuso a contestar, quitándose un arete. Vi su calzoncito blanco y que llevaba medias negras. Sin tardanza tuve una erección pero simulé indiferencia, a riesgo de perder la brújula de la autenticidad. Se trataba de una amiga, deduje por lo que oía.

Maluja hablaba en clave de mi presencia ahí. A todo decía que no, que no era éste o aquel, sino otro hombre, yo, Feldespato El Auténtico. Maluja parecía y se le oía contenta. ¿Eran las cubas? Lo que hace el trago. Entonces ella se desabotonó la blusa mientras seguía al teléfono. Qué hembra, pensé, dejando de lado la tesis, y me di a la tarea grata de engullir un pezón dulce como higo maduro.

Colgó y desapareció un rato. Me sentí a mis anchas –botas sobre la mesa de centro– y todo un conquistador. Terminé de leer mis declaraciones. Qué chistoso. Nada recordaba de cuanto le había dicho semanas o meses atrás. Maluja volvió en bata, desnuda bajo la prenda.

–Ven –dijo.

Pero yo fui a la cocina por otro whisky. Ella me siguió y vinieron las confesiones. El marido se había ido con otra, que a su vez dejó al esposo y a los hijos. Un telenovelón. Le pedí un cigarrillo.

–¡Vecina! ¡Vecina!

La cabeza de Maluja colgaba por la ventana. Podía irse de bruces y morir desnucada. El whisky me había dado aplomo suficiente para *no* saltar y aferrarme a su cintura, y besarle la nuca y deslizar la bata por sus hombros y cometer una depravación. En la ventana del piso de abajo apareció una vecina. Cuchichearon. No, no tenía cigarrillos.

–Ven –me dijo Maluja.

Yo seguía bebiendo.

–Ven –insistió.

Entre las cintas hallé una de Javier Solís y puse *El Malquerido* cinco o seis veces. Me remití al título de la tesis: *Literatura y periodismo en los siglos XIX y XX y su repercusión en el posmodernismo*. Qué chistoso. Un escritor inédito hablando de esos temas.

–¡Feldespato! ¿Vienes o voy a pensar que eres maricón?

Maluja yacía en la cama, cubierta hasta el cuello.

–Ahí no –señalé–. Ahí lo hiciste con tu ex.

¡Los prejuicios del auténtico! Ella se desconcertó unos segundos.

–Ven –dijo y estiró los brazos hacia mí.

Comencé a desnudarme. Maluja apagó la luz, y lo hicimos. Lo hicimos como si yo fuera su ex para ella, y como si ella fuera para mí la linda Maluja de mi adolescencia, a quien moría por poseer y que me poseyera. Murmuré a sus oídos muchas frases amelcochadas que no acostumbro. Me sentía ebrio de lujuria y de alcohol. Pero la pasaba mal cuando ella insistía en:

—Apriétame más, fuerte, así, así, las dos, las dos...

El *puente* de semana santa impidió que le hablara de inmediato. Maluja había anunciado también un viaje al puerto de Veracruz para visitar a su familia. Dejé pasar tres días. El castigador. Le hablé cuatro días después para quejarme de un intento de atraco, a la salida de su apartamento, aquella madrugada. Eran cinco o seis oaxaqueños o chiapanecos que parecían vietnamitas. Derribé a dos gracias a mi personal kung fu callejero. Cuando el piquete de liliputienses blandía cucharas, mazos, plomos y palas, un taxista abrió la puerta de su vehículo, y conseguí escapar ileso.

El hombre dijo con indignación que Maluja debió haberme llevado a donde hubiera taxis. Defendí a mi querida amante arguyendo que la había dejado *muerta* luego de amarnos cinco veces. El taxista halló cierta similitud entre su vieja y Maluja, y me fue platicando por el camino parte de su vida erótica. Al final de cuentas, él me asaltó cobrándome cinco veces lo que marcaba el taxímetro.

Maluja rió a carcajadas cuando le platiqué por teléfono la anécdota del asalto interrumpiéndose a sí misma para preguntar:

—¿Deveras?, ¿deveras?

Pensé que todo marchaba bien. Ella estaba riendo feliz.

—¿Podemos vernos el miércoles? —pregunté.

—No.

—¿El jueves?

—Tampoco.

Fue como una cubetada de agua hirviendo. ¡No! Pensé que todo marchaba bien. Ella seguía con sus risas, pero no. ¿Por qué no? ¿Porque puse mis botas sobre la mesa de centro? ¿Porque dije que no me gustaban las flores en proceso de corrupción, sino en las plantas? ¿Porque me zumbé las botellas de JB de su ex?

—No, Feldespato, porque sigo pensando en él cuando estoy contigo, porque no sabes apretarme el *derrière*, sólo me lo acaricias, y porque odio esa canción. *¿El Malquerido?*, que él ponía a cada rato igual que tú. Discúlpame, olvídame y no me guardes rencor. Me gustaría que escribieras algo ya, aunque fuera sobre mí. Hazlo.

—¿¿??

Colgué y salí corriendo a comprar una de Hornitos, y escribí esto, obediente que es uno.

SALVADOR CASTAÑEDA
(1946)

Nació en la ciudad de Matamoros, al noreste de México. A su regreso de Moscú, donde estuvo becado estudiando Agronomía, se dedicó a actividades político-guerrilleras que lo llevaron a prisión. Con su novela *¿Por qué no lo dijiste todo?*, basada en estas experiencias, obtuvo el Premio de la Editorial Grijalbo, 1979. Actualmente trabaja en el Departamento de Literatura del Instituto Nacional de Bellas Artes.

Si el viejo no aparece...

Para entrar al túnel que lleva a los juzgados –con sus enormes gavetas grises DM Nacional atiborradas de expedientes empolvados– hay que abrir una puerta de metal montada en una superficie también metálica, que por su tamaño forma una pared. Luego se baja un escalón y queda uno metido en un cubo de concreto. Si se quiere seguir adelante es necesario franquear otra puerta del mismo material y las mismas dimensiones que la anterior, a dos metros y medio de ésta. Me metieron aquí hace días, ya no sé cuántos porque he perdido la cuenta.

Siempre que hay un secuestro, donde quiera que sea, sucede lo mismo; vienen sobre nosotros. Y lo hacen porque no saben por dónde empezar, a dónde ir ni tienen nada. De pronto quedan como gallinas descabezadas, así que vienen con la esperanza de encontrar algo que les dé algún indicio para organizar la cacería movilizando fuerzas militares y paramilitares. Patrullando la ciudad y haciendo registros casa por casa como si de verdad creyeran encontrarlos de esa manera. Taponan todas las entradas y salidas con retenes, pensando que no pudieron salir y fueran a hacerlo despúes. Ven guerrilleros en toda la gente y con los nervios de punta, gritan desesperados por no poder encontrar lo que no se puede.

Al verlos así pareciera que perdieron el control de la voluntad, como salidos de algún lugar secreto donde han permanecido reprimiendo las ganas de reprimir y la cuota fuese atrapar un guerrillero vivo o muerto.

Aquí revuelven todo y encuentren o no lo que buscan, se llevan relojes, dinero en efectivo, instrumentos de trabajo, libros o cualquier cosa que les gusta y nosotros ni cómo reclamarles nada. Lo que hacemos, al retirarse luego del cateo, es gritarles impotentes a través de las ventanas:

¡Rateros, se llevaron el dinero, mi reloj! ¡Chinguen a su madre, guaruras!

En una ocasión así, regresaron a bajar a varios de nosotros a la administración de la crujía, no para devolver algo de lo que se habían robado, sino para darnos una *calentada*. Después nos subieron jodidos, blancos como la cera por los golpes y el susto, con una expresión de acorralados en el rostro.

Cada vez que vienen nos toman desprevenidos –generalmente lo hacen después de la *visita* o antes algunas veces y nos enteramos cuando casi los tenemos encima; y es que no se puede estar esperando siempre, aunque siempre haya que esperarlos. A gritos y aventones comienzan a sacarnos de las celdas y registran a cada uno de pies a cabeza, incluso entre las piernas como si les gustara sentir entre sus manos nuestros huevos. Esto lo hacen antes de meternos al *asoleadero* como animales a un corral; a patadas y empujones. Una vez ahí, aparecen las muestras de miedo animal; ganas incontrolables de orinar, como cuando las cabras en el campo ven de cerca o ventean al coyote. Nos vamos hacia los rincones y lo hacemos en las coladeras, bañando la pared, pero curioso, nunca en el centro del corral como lo hacen ellos. Paseamos de un lado para otro, con un miedo amargo que bloquea las glándulas que secretan la saliva, en grupos que nos delatan como sectarios desgarrándose entre sí en medio de las paredes de la cárcel, con linderos políticos que cada uno fija según su propia conveniencia. De vez en cuando volteamos –con un temor de quinceañeras acosadas– hacia arriba para ver a los *monos* en las murallas, muy vigilantes de lo que en esos momentos hacemos. Desconocidos. Luego nos ponemos a cantar –como si realmente lo sintiéramos– canciones ridículas que alguien que vive de eso bautizó como revolucionarias o de protesta, para el consumo desaforado del miedo o conformismo, bajo sus miradas a través de las ventanas que hay en los pasillos donde se acomodan las celdas, como si vieran animales. A pesar del miedo, en ocasiones levantamos la vista y en ese momento –sin haberlo previsto– se entablan duelos de miradas con miedo mutuo, sosteniéndola fijamente. Cuando ya no aguantan, con los ojos llorosos, voltean a verse entre sí como un recurso final, comentan algo y nos señalan con movimientos leves de cabeza, semejantes a lagartijas con residuos agresivos que la evolución natural de las especies se encargó de ir desapareciendo.

En esta ocasión ya los esperábamos, pero nos descuidamos y fue entonces cuando llegaron.

Desde que se dio la noticia por la radio suponíamos que vendrían a lo mismo de siempre. Y es que aquí nos tienen a la mano; entran a la hora que quieren y nadie les dice nada. Como en su casa.

Claro que si existiera alguna organización por la defensa de los presos políticos, quizá se medirían un poco. Pero no, no hay, es más, no es posible que haya. A los de la vía armada nadie se nos acerca, estamos más solos que nunca. El comité ése, de membrete kilométrico, sólo se solidariza con nosotros cada fin de año en la última página de alguna revista –que ellos mismos califican de revolucionaria– deseando para nosotros una Navidad feliz y un Año Nuevo lleno de prosperidad. ¡Cabrones! Ah pero eso sí, bien que explotan nuestra existencia en la prisión, allegándose dinero y viajando.

A ratos escucho chillidos melosos de ratas que estuvieran acoplándose sin ningún recato para nadie y ruidos constantes como intentos de perforación en la puerta y en el piso, luego que cesan las carreras de los machos tras las hembras.

Si pudiera ser tan libre como ellas, les cambiaría mi vida por la suya, no importa que su ciclo vital sea más corto. No, qué es lo que estoy pensando. No debo ni imaginarlo siquiera. Ya parece que los oigo, si pudiesen leerme el pensamiento: "miren a este claudicante pequeñoburgués, hijo de la chingada, comparándose con una rata el mierda". Pero no, ya no me interesa lo que opinen. ¡Qué chingones!, siempre pintándose como lo máximo. Como si estuvieran predestinados por no sé qué dios. Si las cosas fueran como ellos dicen que deben ser, gritaría más fuerte que todos, las deficiencias de los demás para ocultar las mías. ¡Que se vayan a la chingada! Síii, cabrones ultras, yo sí cambiaría mi vida por la de una rata, ahora mismo sin importarme lo que digan o piensen ustedes. Y yo de pendejo metiéndolos en la *lista* para que salgan. ¡Ah! pero cuando sepan que conmigo se hizo el contacto, ¡conmigo y no con ninguno de ellos!, hasta se van a cagar para arriba de coraje.

Primero subieron los *monitos* muy despacio, como si caminaran sin zapatos sobre algún campo espinoso, cuidando no hacer ruido con las rejas, pasadores o candados, así que los sentimos hasta que repentinamente comenzaron a gritar enloquecidos macana en mano sin control sobre sí mismos, bajo el dominio de algo enajenante pidiendo que nos *claváramos*:

—¡Clávese, clávese, cabrón! —e iban y venían en tropel por el pasillo estrecho lo mismo que si quisieran salir de un lugar al que no debieron entrar nunca y nos aventaban a cualquier celda. Algunos, sin quererlo, quedamos donde teníamos prohibido entrar debido a nuestras diferencias políticas, así que nos tuvimos que soportar unos a otros porque la situación no estaba para otra cosa. No nos dirigíamos la palabra para nada y nos cuidábamos de que —en esos momentos— no se cruzaran nuestras miradas aunque estuviéramos en el mismo agujero por la represión.

Todo el pasillo quedó ocupado por guardias sudorosos y jadeantes con macanas de caucho y de madera sin pulir, viéndonos como si fuéramos desconocidos y la razón de ello fuese habernos conocido durante tanto tiempo. ¡Cabrones, hasta provocaba risa verlos tan serios!

Las macanas de caucho que traían eran de fábrica, hechas en serie, mientras que las de madera estaban elaboradas por ellos mismos y no se sabe si el tamaño y las características de cada una reflejaban o el miedo o el odio hacia nosotros. Las de madera tenían aristas por sus cuatro lados y una empuñadura improvisada en forma grotesca, lo que las hacía más agresivas, para que medio se acomodaran a la mano. Un cordón de ixtle la fijaba al brazo y en caso de soltarla, a la hora de los madrazos, ésta quedaba colgando de éste como desarticulado. Metidos en uniformes grises donde apenas cabían y con sus corbatas negras parecían empleados de alguna funeraria *orillera*.

Luego que los guardias les allanaron el camino, *apandándonos* a todos, subieron los del grupo especial de contraguerrilla. Estos sí lo hicieron corriendo y a medida que se iban aproximando intercambiaban palabras entre sí, en secreto, seguramente los últimos detalles de las consignas que traían.

Esta mezcla de ruidos y respiraciones agitadas daban la impresión de algo enorme e indefinido que se acercaba amenazante y en tropel sin que nada ni nadie pudiera detenerlo.

Delante de éstos las cosas son diferentes, en cambio con los muerteros es otra pues ya no producen miedo entre nosotros, ni ellos ni sus uniformes. Durante años los hemos conocido bien, nos piden consejos hasta para sus problemas familiares, nos hablan de sus necesidades, les prestamos libros. A cambio de lo cual nos dan información; sin embargo, no confiamos mucho en ellos. No obstante que para algunos de nosotros son aquí el enemigo, otros no lo entendemos así rigurosamente y hablamos con ellos interesándonos por sus problemas, de tal manera que a la hora de los cateos nada más se hacen pendejos como que buscan sin hacerlo realmente. Claro que entre ellos hay algunos a los que les interesa hacer méritos y a esos hasta sus compañeros los desprecian. Al principio las cosas no eran así. Recién llegamos todos ellos estaban en nuestra contra por lo que les dijeron las autoridades y para sorpresa nuestra sólo el administrador de la crujía era diferente –aunque quizá haya sido su táctica para sondearnos–, pero no para todos desde luego porque ahí también estaba el enemigo personificado y no había que dirigirle ni la palabra siquiera aunque a veces fuera necesario.

Los del grupo especial de contraguerrilla tenían los rostros blancos, como de pan mal cocido, por el miedo –siempre tienen miedo– porque aunque nos tengan enjaulados les inspiramos miedo y cierto respeto. Recuerdo que en una ocasión, durante un cateo, el que llegó hasta mi celda procedió muy diferente a como lo hacen siempre. Me pidió ¡por favor! –lo cual me dejó desconcertado– que levantara el colchón de la litera para ver qué era lo que tenía ahí, luego:

–¡A ver, levante ahí por favor. Ahora dígame qué tiene en esa caja de cartón y en aquella otra y esos papeles ¿qué contienen? –Así estaba con su cateo cuando llegó corriendo el que los dirigía, seguramente al no ver salir a los que ahí vivíamos:

–¡Vámonos a la chingada, sálganle, sálganle! ¡Hay que sacarlos y que se bajen al asoleadero los cabrones! –dijo así el que hacía *su* cateo.

Siempre que vienen parece como si nunca durmieran o se drogaran y apestando a alcohol.

Apenas traspusieron, los de adelante, la reja del pasillo donde comienzan a acomodarse las celdas, empezaron a gritar histéricos queriendo –con ese griterío sin control– compensar el miedo o contrarrestarlo.

–¡Guerrilleros de mierda, se los va a cargar la chingada, ojetes asaltabancos, traidores a México!

Cuando uno de ellos se acercaba a la reja de cualquier celda, se cuidaba de no dejar a nuestro alcance la metralleta, hablando quedo y al mismo tiempo dejando escapar bocanadas de aliento alcohólico al abrir la boca para decirnos como si preguntara:

–Conque entrenados en guerra de guerrillas en Corea del Norte, ¿no putos?, ahorita vamos a ver que tan cabrones son.

Llegaron armados con metralletas de cargadores rectos y perpendiculares hacia abajo, de esas cortas que se pueden llevar bajo el brazo colgando del hombro y que se esconden con facilidad. Traían wolkie-tolkies cuyas antenas sacaban por las ventanas frente a las celdas para poderse comunicar con el exterior. Las manos ataviadas con anillos enormes rematados con piedras rojas o azules, relojes de oro anunciados en *Selecciones*, pequeños elefantes empedrados –en la solapa– con una pata delantera levantada como si fueran a aplastar a alguien, las manos suaves, uñas femeninamente esmaltadas y sin cutícula, esclavas gruesas de oro, zapatos bostonianos y bañados en Brut-33. Para identificarse entre ellos traían el pulgar de la mano izquierda marcado con una cinta blanca de tela adhesiva muy bien recortada, con tiempo.

Venían a *piquete derecho* porque preguntaban en cada celda proporcionando mi nombre completo. Ignoraban en dónde vivía exactamente y los guardias no lo decían. La relación por celdas que maneja la dirección del penal la hemos inutilizado mediante cambios frecuentes, además de borrado el número de cada una para dificultar un poco la identificación en caso de un cateo general como ahora.

No obstante nuestras diferencias políticas y los deslindes entrecruzados de todos contra todos, nadie dijo en qué celda me encontraba. Esta especie de solidaridad circunstancial los molestó tanto que se pusieron como hormigas cuando alguien las pisa sin matarlas y nos sacaron de uno en uno al comedor –donde está la entrada al pasillo– para hacernos hablar mediante una *calentada*.

La sesión de golpes estaba muy cerca y escuchábamos los gritos ahogados del *calentado* en turno y los de los agentes preguntando cada vez que golpeaban; esto lo hacen así, aplicando un método para atemorizar a los que escuchan. Luego lo regresaban arrastrando, pálido y vomitado, despidiendo un olor penetrante a comida fermentada y viscosa que impregnaba todo el espacio. Al último *calentado*, antes de sacarme, lo regresaron a golpes en la cabeza con la mano abierta, patadas por detrás y mentadas de madre. Y es que al golpearlo, al agente le cayó el fermento sobre los brazos manchándole hasta la corbata.

Comprendí que no tenía caso seguir y agradeciendo en silencio, a todos, esa rara especie de solidaridad espontánea, dije quién era y dónde estaba. No bien terminaba de hacerlo cuando llegaron hasta la celda los que se encontraban lejos de ella desesperados pidiendo a gritos la llave atropellándose, al mismo tiempo que me lanzaban miradas calcinantes, fijas y comenzaban a acumularse como si repentinamente hubiesen encontrado lo que toda su vida buscaron. El oficial de guardia, ese día, se apresuró con ella desde donde estaba y me sacaron a patadas forcejeando entre sí para golpear primero. El que me asió del pelo daba jalones hacia adelante y de vez en cuando movía a los lados queriendo derribarme. Una lluvia de patadas caían por detrás, golpes en los costados con los puños o con la punta de las macanas. Otros pateaban el estómago o la cara. De cada golpe caía y trastabillando medio lograba ponerme de pie para volver a caer. Al llegar a la escalera de plano me bajaron a rastras.

Las mentadas de madre, los golpes y las acusaciones de traidor a México no me dolían tanto como me preocupaba no saber lo que pasaría después.

Frente a la puerta del túnel, sangrando de la cara, sin algunos dientes y a punto de caer sentí golpes esporádicos que me estremecieron violentamente como si se tratara de algo rezagado y de pronto llegara, tratando de recuperar el espacio perdido; golpes de quienes no alcanzaron a hacerlo a la hora de la orgía. Me vendaron los ojos con algo que no supe lo que era atándome las manos también. En oposición a la realidad no aceptaba que el lado derecho de la cara sangraba demasiado y el globo del ojo de ese lado no se movía para nada.

No bien terminaban de atarme cuando de pronto me asaltó un temblor desconocido desde los pies a la cabeza, lo mismo que un ataque de epilepsia, sin poder controlar nada y me endurecía extrañamente, como muerto, con un dolor en la cintura que me dividía el cuerpo en dos al igual que recién masturbado. Cuando todo llegó al límite máximo grité desesperado con todas las fuerzas, al hacerlo sentí un escalofrío parejo y extraño. Luego, con un golpe sorpresivo, que me dejó la cabeza atrás por no alcanzar a desplazarse a la misma velocidad que el resto del cuerpo, me metieron y el piso bajo el nivel exterior de la puerta me ayudó a caer de rodillas oyéndose un golpe amortiguado.

–¡Levántate, todavía no te hinques ojete! –dijo uno de ellos que me tomó del pelo a la vez que lo decía arrastrándome hasta una de las paredes. Escuché la voz del libanés decir:

–¡Ustedes dos y tú se quedan, ya saben lo que tienen que hacer! –quise imaginarlo todo en ese momento pero no pude. Luego un secreteo determinante que no pude entender me dejó en un vacío de inexistencia. Los golpes secos y cortantes del pasador metálico rematados por el sonido frío del candado, parecían pasos necesarios en alguna ceremonia. Cerraron la puerta por fuera y quedé solo con los tres. Dentro se sentía un ambiente gélido, pesado y las rodillas dolían lo mismo que en las marchas prolongadas cuando el enemigo nos perseguía tragados por la inmensidad de la montaña. Las voces se escuchaban salidas de una hoquedad profunda y estrecha donde el eco no tiene ninguna oportunidad en un espacio tan reducido. Olía a tortura en la oscuridad y el silencio, a puntapiés en las espinillas y en los testículos, a golpes en el estómago y a macana eléctrica.

–¡Vas a hablar guerrillero! –dijo uno de los tres cargando la voz sobre esto, seguro de ello.

–¡Aquí hasta los mudos hablan, cabrón!, ¿cómo ves? –terminó diciendo el segundo con sarcasmo, como para no ser menos.

Parecía que no había aire porque no lograba respirar por más que trataba y de cada golpe expulsaba el poco que podía atrapar sin tener tiempo para que éste dejara su carga de oxígeno.

–¡¿Dónde lo tienen escondido?!

–¡¿Quiénes son los del secuestro?!

–¡Tú hiciste la lista de aquí, así que sabes dónde lo tienen!

No obstante que llegaron preguntando por mí, al escuchar esto último el mundo se vino encima. Seguramente que a los de la otra prisión ya les habían sacado todo.

–¡Si el viejo no aparece te vamos a dar en la madre y también a otros que ya tenemos en Guadalajara!

Alguien abrió el postigo de la puerta y llegó una tregua. El que me sostenía casi en vilo dejó caer su carga mascullando algo que no entendí, acercándose para poder escuchar bien. Enseguida salieron todos pero me prometieron volver más tarde.

Al quedar sentado, con la espalda en la pared, aquello se asilenció y todo comenzó a ordenarse en un reacomodo natural y necesario ante un cambio momentáneo de la situación.

Si pudiera materializarla ahora, en este momento. La topografía: elevaciones, depresiones suaves, la esfericidad casi perfecta de las montañas perdidas en la llanura. La falla escondida en el matorral. Las formaciones ondulantes. La temperatura quemante de la superficie. La perforación geológica con barreno de diamante en una exploración eterna.

Al regresar los oí acercarse a toda prisa por el pasillo cuya construcción multiplicaba hasta el infinito el taconeo y las voces entre ellos. Esto lo hacían para aterrorizarme, y lo lograban, aunque hiciera esfuerzos para contrarrestarlo. Los golpes quebradizos de la puerta cargaron rabiosos una vez más contra el silencio que se replegó sin resistencia. Llegaron por la madrugada y me sacaron sin la venda en los ojos. Los *monos* grises que esa noche estaban de guardia llevaban capotes elevados hasta las orejas protegiéndose del frío de la madrugada, armados con eMe-1 y eMe-2 que sostenían entre las piernas con las manos aferradas al cañón de modo que parecía una penetración sexual metálica. Los de pie lo llevaban al hombro asido con desgano del portafusil. Uno de los que me acompañaban se adelantó a toda prisa y les ordenó que volvieran la cara hacia otro lado para que no me vieran.

No saber a dónde me conducían y la desventaja total ante ellos, me desarmó e involuntariamente dio comienzo una evocación silenciosa de imágenes como cuando dicen que la muerte está cerca. Atravesamos de prisa el laberinto de puertas, con pasadores y cadenas que las refuerzan, que nunca he podido descifrar durante más de cinco años, aunque repita una y mil veces el trayecto seguido cuando me metieron aquí. El lagrimeo rojo y espeso seguía. La sangre al secarse arrastraba consigo a la piel trabajosamente, jalándola.

En los espacios libres que hay entre las murallas donde pasan vigilantes durante toda la noche a vuelta y vuelta y que vistas de cerca parecen enormes, las lámparas mercuriales quiebran la oscuridad y transforman en día la noche. El sonido temeroso en la lejanía –de una vieja campana que suena desde el porfiriato– viajando despacio en una ramificación misteriosa desde el Polígono, cada quince minutos y su eco humano con gritos de alerta saliendo de los garitones en una alianza eterna metálica y humana.

Sin nunca antes haber salido de la crujía de castigo, acostumbrado a ver distancias cortas, el espacio parecía inmenso, diferente, aunque sólo sea el mismo metido entre murallas también. Al pasar por *granito*, caminando entre varillas corrugadas, ver las planchas blancas, frías como lápidas, los cristos y las vírgenes tiesas e indiferentes ante todo, mis dudas desaparecieron y ya no sé si por fortuna o desgracia. ¡Me llevaban al *campo* y ahí es la muerte!

Caminaban tan aprisa que querían ganarle tiempo al tiempo mismo. Inexplicablemente caminaba más rápido que ellos en algunos tramos, como si también me urgiera el tiempo o fuera una reacción normal desconocida ante lo inminente que parecía todo. La actitud de mutismo absoluto de ellos no sé si era también eso o compasión, una clase de solemnidad panteonera. Al llegar al *campo*, este me pareció enorme con su iluminación fría regada por casi todo el espacio orillando a la oscuridad. Las porterías sin redes parecían agujeros en el espacio, residuos de alguna formación geológica esculpida caprichosamente por la mano de la meteorización. En uno de los costados se veían desdibujadas a lo lejos, a punto de desaparecer, tres siluetas humanas que esperaban quietas. Los guardias de las murallas y el de la ametralladora que estaba en la entrada –parapetado tras unas láminas viejas– observaban con morbo lo que ya les era familiar pero no por eso sin interés.

El gordo de la esclava de oro y anillo con piedra roja, que sin duda leyó por ahí alguna de nuestras denuncias, con un sarcasmo impune, al mismo tiempo que me jalaba del brazo para llamar la atención y decir –en un lenguaje primitivo de señales de contacto– que era a mí a quien se dirigía, acabó con el silencio de todos diciendo:

–Ahora sí ya no te quejarás del régimen antidemocrático, ya saliste al *campo*, guerrillerito.

Se escuchaba la calle con su lenguaje de coches y camiones que pasan, movimientos confundidos con el habla humana y animal de los perros temerosos de la oscuridad. Gente que se encamina a donde la esperan. El cuerpo caliente. La exploración detallada hasta encontrar la zona anómala. Los rumbos y los echados. La gran falla. Los bosques trabados. La lucha permanente. ¡Cabrones!, muchos ni se acuerdan que hay cárceles. Y pensar que si alcanzamos el triunfo, será para todos.

En el pozo, con sus dos metros de altura hacia abajo, la luz cae pesada untándose por un lado y sale desesperada sin alcanzar el fondo. Al verlo, el sudor afloró por la frente y los testículos se recogieron más todavía, atemorizados buscando protección. La evocación de imágenes involuntarias estaba ahí:

El panteón sin tapias perdido en los cerros del Jurásico, sin vegetación. Las cruces viejas de madera fibrosa, agrietadas y torcidas por el sol calcinante con la pintura achicharrada como cáscara seca, cayendo lentas con los brazos horizontales aún. El silencio metido hasta en las piedras, rompiéndolas sin ruido. La esfera de granito cayendo pesadamente una y mil veces de las manos de un atlas viejo de talones agrietados desmoronándose por los efectos de la erosión, aplanando la tierra arenosa de las tumbas, "para que no lo saquen los coyotes" –decía refiriéndose al difunto.

El carro viejo de madera con sus cuatro ruedas y rayos, girando lentas como cuatro soles apagados, donde se lleva al que muere metido en una caja forrada con tela barata en un acomodo sobre la superficie de un barroco complicado, y cuatro mulas cansadas que lo jalan en una especie de tregua hasta llegar al panteón donde empezará de nuevo el lloradero que más bien parece convencional. Atravesando rancherías por caminos terrosos que suben y bajan por los tajos abiertos como grietas, sin dejar nunca la superficie del suelo. Los remolinos –elevándose una y otra vez en su intento permanente para asaltar el cielo– en lucha abierta contra la fuerza de gravedad que los desarticula sin dejarlos llegar muy alto. El *civil* que levanta las actas de defunción en una máquina de escribir vieja y rara que parece araña –equipada con una cinta carcomida– dejando caer con movimientos mecánicos engañosos sus manos azulosas, huesudas y transparentes sobre los restos del teclado. Su cara con una prolongación animal, casi equina. Despidiendo a través de su cuerpo arrugado un olor a cobre recién desenterrado. Al abrir la boca asoman ruinas de una dentadura podrida, incrustada en encías abultadas a punto de sangrar. El descanso bajo el mezquite, que se alza viejo y torcido, antes de llegar al agujero. Los perros flacos con racimos apretados de garrapatas como llagas verdosas metidas hasta entre los dedos, con la lengua de fuera, descansando también. Oleadas de aire caliente y seco que sale quién sabe de dónde. La caja bajando a la tumba en una despedida que debiera prolongarse para siempre, sostenida entre cuatro con mecates de lechuguilla, en medio de un coro sudoroso y sin concierto, con gritos desgarrados de viejas amortajadas en rebozos deshilachados, acusando a Dios.

–¡Como no quieres hablar te vas a morir, puto! ¡Ahora sí hasta aquí llegaste! –dijo uno lapidariamente.

Al decirme esto me vendaban los ojos una vez más. Se escuchaban movimientos con tablas de madera arrastradas por el suelo.

Los martillazos sobre los clavos de la tapa me perforaban la cabeza como taladros y sudaba copiosamente por todos lados, ahogándome con la lengua pegajosa de reptil. Las paladas de tierra y piedras que arrancaban un sonido hueco al caer sobre la tapa lo mismo que toneladas de tierra en un derrumbe universal y los gritos perdidos en la lejanía pidiéndome los nombres y el lugar, llegaron a una especie de fusión extraña cambiando instantáneamente todo su volumen por el de un sonido de alta frecuencia audible sólo cuando se está a punto de pasar de una dimensión a otra. Batido en mis propios desechos calientes, mezclados con eyaculaciones interminables, sin placer, producían un olor indefinido entre principio y fin, entre muerte y vida, entre mierda y espermas y veía imágenes diferentes enceguecedoras como relámpagos que se acumulaban en aquella especie de oscuridad luminiscente.

El gordo que llega silencioso por las madrugadas y me despierta pateando la puerta del túnel, es uno de los que me sacaron al *campo*, lo reconozco muy bien por su voz chillona y penetrante. A ratos escucho –a lo lejos– risas de mujer y teclazos de máquina de escribir, es de día. Cada vez que se acerca tengo que incorporarme y llegar trabajosamente hasta el postigo de la puerta subiendo tembloroso el único escalón que me empareja con el nivel de la entrada. Al moverme, el zumbido de las moscas se multiplica como en un basurero. Debo ir de inmediato si no quiero que se vuelva a meter como la primera vez que me llamó y no pude acercarme. Entonces, nada más un golpe me dio saliendo luego, de prisa, a punto de vomitarse por no resistir el olor ni lo que vio con el estómago, pero desde fuera y tapándose con la mano izquierda la boca y la nariz al mismo tiempo, me dijo, lo mismo que a través de un alargado tubo:

—Si la próxima vez no te acercas, entro nuevamente, aunque tenga que hacerlo con mascarilla, cabrón.

—Si el viejo no aparece —me dice— te vamos a dar en la madre, guerrillero. Y me enseña una 38 nuevecita. Cuando me la pone en la frente se queda viendo fijo al ojo que casi cuelga y la piel se arruga, se engruesa protegiéndose de algo. No puedo evitar el temblor parejo sin control ni la salida del líquido caliente y espeso que baja otra vez lento por entre las piernas.

Sigo oyendo los chillidos de las ratas como si se aparearan en cada descanso que hacen y luego siguen con los ruidos perforantes.

No son tanto las amenazas de muerte como la muerte misma quien me hace perder el control de todo. No quiero morir adentro.

Lecumberri / 75.

GONZALO CELORIO
(1948)

Nació en Ciudad de México. Además de su obra narrativa, que consta de la novela *Amor propio*, el volumen de cuentos *Modus periendi* y los conjuntos de varia invención *Para la asistencia pública* y *El viaje sedentario* (de reciente aparición), ha dedicado bastante pluma al ensayo literario y artístico. Destacamos *El surrealismo y lo real maravilloso americano, Tiempo cautivo, La catedral de México* y *Los subrayados son míos*. Actualmente se desempeña como Director de Difusión Cultural de la Universidad Autónoma de México.

Escrito sobre el escritorio

Uno

Cuando murió papá, yo tenía la edad de Alicia, del pequeño escribiente florentino, del grumete que llegó a almirante. Entonces los enfermos se morían en casa, rodeados de parientes y amigos inoportunos al llegar, que dejaban, generosos, un poco de su salud desperdigada por la habitación al despedirse. Lo primero que hice cuando mis hermanos me despertaron para decirme que ya, fue sentarme, todavía amodorrado, en la enorme silla giratoria y husmear los cajones del escritorio de papá. Mi hermana mayor me dijo indignada: cierra ahí. Yo no pretendía robarme, como ella seguramente pensó, los objetos que siempre había codiciado: el desarmador diminuto, los papeles de colores, el lapicero negro, la perforadora de pinza, que hacía un hoyo rombal, como las que usaban los inspectores del camión para marcar los boletos húmedos y arrugados. Yo sólo quería creer, a fuerza de nostalgia –aunque fuera prematura–, que papá estaba muerto en el cuarto de al lado.

Desde que se jubiló, cuando yo no tenía más lecturas que las de mi libro *Poco a poco* y sufría paralelamente el texto de gramática española de Gutiérrez Eskildsen, papá transcurría por los días y los insomnios sentado en su escritorio, inventando artilugios que nunca triunfarían o que ya eran moneda corriente en otras partes y aun en otros tiempos sin que él se hubiera enterado siquiera. A fin de cuentas, daba lo mismo porque vivió, al menos los últimos años, para inventar y no para urdir el éxito de sus inventos. La única vez que trató de vender una de sus ocurrencias cayó en franca desgracia. Cabalgaba en el despropósito del tránsito sexenal, como dijo algún ministro, y se vio instado a abandonar el servicio diplomático que a la sazón prestaba en La Habana. Regresó a México, con mamá y mis hermanos cubanos, pendiendo sólo de un clip: un broche especial de su invención, tan común hoy en día que no se le echa de ver el ingenio, cuya patente estaba tramitando aquí el mejor de sus amigos. Cuando llegaban a La Habana las cartas alusivas, mamá invariablemente musitaba: qué raro que tu amigo siempre diga *el* invento y no *tu* invento, y papá invariablemente respondía: desconfiada, qué raro que siempre digas *tu* amigo y no *nuestro* amigo. Como era de esperarse, su amigo le robó la patente y papá, tras meses de privaciones, pasó de diplomático a inspector fiscal de provincia, y de espantar conversaciones perfumadas en lujosos salones a espantar iguanas que esperaban con ansia el excremento de sus vísceras en campo abierto. No fueron siquiera patentados el semáforo de celuloide que se colocaba al final de la cuartilla y permitía saber cuántos renglones de escritura quedaban al final de la página en la vieja Remington, ni los círculos fosforescentes puestos en los respaldos de las butacas del cine, que delataban, iluminados por el reflejo de la luz de la pantalla, los asientos desocupados en los maravillosos tiempos de la permanencia voluntaria.

Cuando ya no tenía otra ocupación que la de inventar, papá se procuró una retahíla de comodidades que le consentían quedarse sentado en su escritorio. No existía entonces la pastilla disolvente que puede llevarse a cualquier parte si usted padece agruras. Papá inventó un salero en forma de pluma que, al ser girada, dejaba al descubierto unas perforaciones por donde se vaciaba, sobre un simple vaso de agua, su contenido efervescente, útil para usted que va de aquí para allá y ni manera de andar cargando con el frascote de Picot. Pero papá jamás salía de casa y su invención no tenía otro objeto que la permanencia en su escritorio cuando lo asaltaban las agruras.

Tanto cuento para decir solamente que soy hijo de papá; que amo los enseres del escritorio –los papeles y los lápices y sobre todo las gomas de borrar– tanto o más que la escritura; que acaso, sin saberlo, escribo lo que ya escribieron otros; en fin, que estar sentado en mi escritorio (aval de mi acidia y mi jubilación, tan prematura como mi nostalgia) justifica mi vida. Escribir es una manera de quedarse en casa: tener la sal de uvas a la mano para aliviar la acidez sin necesidad de levantarse.

Dos

Durante el tiempo que van sumando los innumerables instantes transcurridos entre la ensoñación y la imagen, entre la intuición amorfa y el verbo que la formaliza, entre la seguridad de lo que se dice adentro y el temor de lo que se escapa; durante el tiempo de los sucedáneos de la escritura: el cigarro, el café, la repetición idiota de la palabra Qwertyuiop, que recoge toda la ansiedad metida en una pausa, en un silencio, y que más que del texto me hace lector de la máquina que lo escribe, he memorizado las vetas de encino, como grabadas en metal, las heridas, las corrientes submarinas de mi escritorio. Poco sé en cambio de su cortina de madera, oculta en el misterio de su enredo. Mi escritorio está siempre abierto. Al polvo, al trabajo, a la abulia, al ocio. Sin embargo, tiene secretos. No me refiero a los secretos previsibles que, por así llamarse, no lo son; ni cajones de doble fondo ni amañadas cerraduras. Hablo de las vetas de la madera sólo por mí aprendidas. Muy Borges de mi parte, siento que en ellas, como en las manchas de la piel de un jaguar, pudiera, acaso, descifrarse el universo. Pero más afín a la modestia de los personajes que a la vanidad de su escritor, me conformo, como el sacerdote reducido a prisión por Pedro de Alvarado, con el mero e insignificante placer de la memoria. Aunque ilegibles, conozco las vetas de la madera de mi escritorio mejor que las líneas de mi mano. Inútilmente he pasado toda mi soledad sentado frente a ellas. Si nunca bajo la cortina es porque no hay peligro a mis alrededores: nadie ha querido aproximarse todavía. Además, ¿para qué guardar el secreto si mi oficio no es otro que el de confesar mi intimidad a través de un papel preservativo que me aleja en la medida en que me acerca?

No es la puerta-ventana que da al corredor y al jardín y su glicina, ahora deshojada. No son los mosaicos asimétricos del baño ni las mohosas llaves de la tina. No es el espejo, al que consulto mis crecientes deterioros. No son las paredes zoológicas ni el techo insomne de mi cuarto. Es mi escritorio el paisaje que más miro. Cobija mis ensoñaciones y es, en sí mismo, mi ensoñación más recurrente: si me canso, si alzo la vista, si no tengo nada que decir o no sé cómo decir lo que tengo, si se me escapa la idea, como suele suceder cuando se vive en una casa de techos tan altos, no logro burlar su estricta vigilancia y me topo invariablemente con sus maderamen, con las anteojeras que tiene a los costados. Imposible, entonces, volver al papel puritano, al libro que sucumbe ante las leyes de la gravedad, a Penélope, mi máquina de escribir, que borra durante el día todo lo que maquino durante la noche. Cómo no escribir sobre mi escritorio, que me distrae de lo que sostiene y, celoso, me concentra en sus propios temas: en sus vetas arcanas, en sus pequeños cajones, en los múltiples compartimentos donde se ordena mi universo diminuto.

Pero mi escritorio no sólo me impone un tema (el escritorio mismo), sino un estilo, nostálgico y ramplón.

Cuando me lo regaló Yolanda, a sabiendas de que me pertenecía por vocación y por destino, comprendí que todo lo que podría escribir sobre él habría de tener necesariamente un tono costumbrista. Para muestra, un botón.

Tres

Si escribir, como deducen los intrusos destinatarios de las cartas que Rilke dirigió al joven poeta Kappuz, es trasponer los límites, mi escritorio es mi barco, mi cama, mi álbum, mi ataúd.

Anoche, transitaba por las márgenes del *Primero sueño* de sor Juana cuando sentí las calificadas manos de mi dueña en mis espaldas. Sus dedos pasaron de la caricia inofensiva a la presión terapéutica; de las espaldas a los hombros y a la nuca. Y yo, del suspiro a la interjección, aún endecasílaba.

Desplazó el volumen delicadamente, como quitándose una prenda íntima. Se sentó en mi escritorio, frente a mí. Y yo seguí leyendo, con la misma pasión temerosa y temeraria con que leía "Piramidal, funesta de la tierra...". Mis labios balbucearon, línea por línea, su boca y su cintura, pronunciaron sus axilas y sus muslos y repitieron en voz alta los pasajes más sonoros de su cuerpo. Vencida la dificultad de la sintaxis, me anegué en la oscuridad de sus imágenes y traté, vanamente, de descifrar el texto de la piel.

Cuatro

Entre el verbo y la carne, ¿cómo habrá sido el escritorio de Dios?

JOAQUIN ARMANDO CHACON
(1944)

Nació en Chihuahua, en el norte de México. Se inició en las letras con una obra de teatro, *Dos meridianos a la misma hora*, que escribió aún muy joven. Desde entonces, sus afanes literarios se han centrado fundamentalmente en la novela: *Los largos días, Las amarras terrestres* y *El recuento de los daños*, que obtuvo el premio internacional Diana-Novedades en 1987. El cuento que presentamos obtuvo también un importante premio en el concurso "Efraín Huerta". El autor de esta selección tiene el gusto de haber participado en el jurado.

Los extranjeros

Sentados por ahí mirábamos pasar la vida. El automovilito pintado de verde de la señorita Alma había enfilado por la calle Guerrero y pronto se nos perdió de vista. Sentados entre las mesas de La Universal mirábamos a los norteamericanos que todos los años llegaban, con sus camisas coloreadas, algunos con sus barbas, con su hablar que no entendíamos y sus mujeres que estaban para mirarlas. Los fines de semana era imposible sentarnos en alguna de las cafeterías, o encontrar un lugar vacío en La Universal para bebernos una cerveza o alguna cuba libre. En caso de tener la suerte de encontrar alguna mesa desocupada, era agradable estar ahí y, cómodamente, escuchar la música de la banda militar. Llegaba poco antes del oscurecimiento, cargando sus contrabajos y los clarinetes y la batería con sus perfectos y circulares platillos de plata. Los niños los seguían, atraídos por sus uniformes azul marino, por sus pasos cansados, por sus caras surcadas de arrugas, por sus pesados instrumentos, y nosotros los veíamos acomodarse en el kiosko, arreglar las hojas pautadas y ponerse a afinar las cuerdas, el tono, la batuta y la figura. Había llegado el momento de pedir otra cuba libre o alguna cerveza clara, de encender un cigarrillo y esperar las luces de neón. El automovilito pintado de verde de la señorita Alma cruzaba entonces y bordeaba el zócalo con sus risas de muchachas frescas y perfumadas.

Entonces había muchos niños aún bajo el cielo, tomados de la mano del padre, de la madre o de alguna tía vestida de domingo.

Las voces de los turistas dejaban de oírse después de las primeras notas musicales, el mundo volvía a ser redondo y nosotros regresábamos a nuestros recuerdos.

Y el recuerdo musical se situaba durante toda la semana por venir. Nosotros nos encontrábamos antes del mediodía. De uno a uno íbamos ocupando alguna de las mesas situadas en el Pasaje Santamaría y desde ahí veíamos pasar la vida. Observábamos con cariño a Gerber con su figura quijotesca mientras él, apuradamente, nos miraba a nosotros, aligerando el paso para ir al encuentro del primer vodka del día. Veíamos a las mujeres que bajaban de coches propios o alquilados, para dirigirse al peinador de las Lourdes y, luego, mientras su cabello adquiría figuras geométricas insospechadas, escuchaban de actividades culturales, hablaban de desfiles de modas o simplemente de chismes, de esas cosas que se dicen las mujeres cuando se encuentran a solas entre ellas y que no repiten en ninguna otra parte, pero que van alcanzando la proporción necesaria para que al poco tiempo lleguen incluso a nosotros y se revuelvan con el azúcar que le ponemos al café. Lo bebemos lentamente hasta el fin, continuando inmediatamente con otra taza cuando la primera está vacía, no sea que a alguien le entren las ganas de descifrar los extractos que quedan en el fondo.

Ahí mismo se apareció frente a nosotros una mañana. Excepto por algo extraño en la mirada y un aura completamente de nostalgia, que a alguno de nosotros se le ocurrió que fuese amarilla primero y enseguida de color verde, muy bien podía representar el papel de cualquiera de los conocidos, pero lo verde o lo amarillo y la distancia de lo mirado con los ojos lo hizo resaltar inmediatamente del calor de esa mañana.

–Fue un lunes –les dije.

–Creo que era más bien un miércoles –dijo Gálvez.

Como si la silla y la mesa lo hubieran estado esperando desde una cita anticipada, él fue hacia allí directamente, se acomodó y, cuando Crucita le preguntó por aquello que deseaba, dudó por unos instantes y luego lo escuchamos hablar, aunque sin prestarle mucha atención a la modulación o al timbre de la voz, que de haberlo hecho hubiéramos comprendido desde entonces muchas cosas que todavía no ocurrían.

Era un café capuchino lo que pidió, lo recuerdo perfectamente, como si estuviera ocurriendo el día de hoy y en este mismo instante, y Crucita se lo llevó pronto bien servido y con esa su sonrisa de Mona Lisa de la cual todos nos enamorábamos, tarde o temprano.

–Viene de paso –dijo Higgins–. Se le atrasó su fin de semana.

–Y luego dije yo que más bien se le había desordenado –recuerda Gálvez–, por eso creo que era miércoles.

Estábamos en abril o en mayo y se convirtió en la segunda vez que Higgins no tuvo ni idea de lo alejado que estaba en sus suposiciones, puesto que cuando volvimos a reunirnos, después de la comida, él estaba todavía ahí, en el mismo sitio y en la misma posición. Malkhe fue el último en reunírsenos, ya que todavía vivía allá por El Vergel, y cuando llegó nos dijo inmediatamente: "Pues allí está todavía".

Ni Crucita, ni nosotros, ni ninguno de los que luego fueron sentándose alrededor de las mesas cercanas a nosotros y a él, podemos precisar si ya desde aquel día llevaba consigo el libro. Hurgando mucho en nuestras memorias podemos de nuevo recrearlo recargando completamente la espalda al respaldo, el brazo izquierdo extendido y posada la mano en el respaldo de la siguiente silla, la mano derecha descansando serenamente sobre la mesa (¿el libro ya ahí, bajo la palma de la mano, a un lado?) y mirando con suma curiosidad todo el movimiento de la calle; la cabeza siempre levantada, aunque sin ningún asomo de orgullo en la expresión. Vestía una camisa en azul desteñido y unos pantalones de alguna tela gruesa, de color marrón y, a pesar de la temporada, llevaba un suéter blanco. Sobre la bolsa izquierda del suéter hubo al principio una letra de tela: una *ele* azul que nadie supo qué significaba y que luego se perdió, desapareciendo del atuendo. Alguien dijo que la había perdido durante un pleito nocturno que sostuvo con Benavides un domingo frente a Los Arcos, pero tampoco nadie supo si realmente hubo pelea o no, ni Benavides llegó a recordarlo cuando Malkhe y yo se lo preguntamos una noche, bebiendo unas cervezas en Los Faroles. Lo único que Benavides recordaba es que se había peleado muchas veces y que siempre que lo había hecho se encontraba borracho. Y del libro tampoco supimos si ya desde ese día existía, aunque de cuando en cuando a alguno de nosotros nos da por decir que sí, que antes de sentarse en una de las sillas de aquella esquina puso el libro sobre la mesa, que lo recuerda muy bien, pero tal vez ocurre que en la maraña de imágenes, las actitudes posteriores de tantos días parecidos parecen acomodarse al día primero.

Higgins se había equivocado definitivamente. Y después de esa mañana y esa tarde, nosotros y toda la ciudad se lo fue encontrando cotidianamente en uno y en otro sitio, hasta irnos acostumbrando a su mirada y dejando de prestarle atención al aura, fuera verde o amarilla. Llegamos a saber que se llamaba Emmanuel y nos fuimos acostumbrando al libro que, bajo el brazo o en alguna de las manos, lo acompañaba a todas partes, lo mismo en las mañanas en que se detenía en el puesto de las hermanas Ruiz, ahí en uno de los cuartitos del kiosko, a beber un vaso grande de jugo de naranja, para luego ir a ocupar la misma mesa de siempre en El Viena y pedirle un café capuchino a Crucita. Y el libro también iba con él, en el transcurso de la tarde, cuando se aparecía en el restaurante frente a la fuente, para alimentarse, y también cuando ya entrada la noche pasaba frente a las mesas de La Universal, mientras nosotros bebíamos alguna cerveza esperando cada quien la hora en que habíamos de regresar a nuestras casas.

Para cuando alguno de nosotros se detuvo un momento ante la mesa de Emmanuel, a comentar algo relacionado con el tiempo o el ruido de los pájaros, ensordecedor en el advenimiento de la noche, y miró el título del libro que iba y volvía con su dueño, ya Emmanuel era uno más dentro de las piezas de la cotidianidad.

–Fui yo –diría Malkhe–, y el libro era *Las Iluminaciones*, de Rimbaud, en su edición francesa.

Y volverá a contar todo lo relacionado al caso, y, en esos momentos, al suceso del temblor que había despertado a todos más temprano que de costumbre. Emmanuel se refirió a ello con una cierta gracia, intentando restarle importancia al fenómeno. Y el libro estaba sobre la mesa, con sus pastas de color gris rata donde resaltaban las amarillentas letras. Volví hasta donde ustedes estaban y se lo dije: *"Las Iluminaciones* de Rimbaud", y al poco rato dejamos de pensar en esto. Si Emmanuel leía o no el libro pertenecía a otro nivel distinto al temblor de tierra, una fuerte sacudida seguida de un suave balanceo como el final de un viaje en columpio, que el ir y regresar es de todos modos transportarse. José Alegría llegó después, más triste que de costumbre, tomo asiento junto a nosotros y una taza de café pagada finalmente por Gálvez, ofreciéndonos una completa conferencia sobre temblores, sacudidas, sismos y terremotos. Cuando Alegría comenzó a hablar, partiendo de su "¡Ah, es muy fácil!", yo me puse a mirar a Emmanuel, allá en su rincón y con su libro, como buscando con la vista y el oído la distancia exacta de la diferencia entre la nostalgia y la tristeza. Gerber cruzó entonces por primera vez rumbo a La Universal y entre sus pisadas se llevó algo de mis pensamientos.

Pero en lo que sí estamos todos de acuerdo es en admitir el hecho de no haber visto nunca a Emmanuel abrir el libro. Simplemente lo cargaba de arriba hacia abajo y, los jueves y los domingos, sentado en alguna de las bancas del parque, parecía abrazarlo cuando escuchaba los sonidos de aire, de percusión y de cuerdas que iban hilvanando los componentes de la banda militar. Y eso sí, como cualquiera de los nuestros, Emmanuel desaparecía del centro un poco después del mediodía del sábado para volver a aparecer al final del domingo, en el momento en que la banda militar comenzaba a desparramar sus sonidos, como si éstos lo llamaran hasta cualquiera que haya sido el sitio en que se encontraba. Mientras la batuta del director iba señalando a izquierda y derecha y al centro, Emmanuel aparecía junto a algún globero, buscando un sitio desocupado y ahí se acomodaba, como si fuera una parte importante de la escenografía, con sus pantalones desteñidos, su camisa de cuello roto y, unas veces sí y otras no, su suéter blanco, pero siempre el libro, apretado sobre el pecho y entre sus brazos.

Cuando la mano del director bajaba y alguna cuerda o algún platillo anunciaba el final, comenzaba el desalojamiento: se pagaban las cuentas, los motores y las luces de los autos se encendían, las bocinas anunciaban el fin de una semana y los hombres de azul marino, más allá del ruido, guardaban amorosamente sus instrumentos bajo la mirada sin matices de Emmanuel. En las mesas de La Universal íbamos apareciendo y saludándonos todos aquellos que mirábamos la suciedad y los desperdicios acumulados en las calles. Se decía entonces que Emmanuel caminaba despacio y despreocupadamente por las calles cercanas, aunque se le llegó a ver hasta por Morelos y luego bajando por Morrow hasta Matamoros, de allí se encaminaba resueltamente hacia el cine Ocampo y ahí contemplaba los cartelones; cuando saciaba su curiosidad tomaba asiento en alguna de las mesas exteriores de Villa Roma y se bebía un último capuchino. Desde esa esquina, en donde parecía desembocar el viento en noches amenazadas por la lluvia, parecía contemplar el olvido y el despilfarro de los visitantes y hacer un recuento de los daños. Sin prisa, como no dejando que la noche terminara, bebía su café. Nosotros lo observábamos de lejos, sintiendo una especie de tranquilidad al saber que se encontraba al otro lado de la plaza, mientas bebíamos la cerveza y saboreábamos la cuba libre y sabiendo que él iba a bajar, en unos minutos más, los escalones, deteniéndose levemente entre el segundo y el tercer peldaño, que desembocan en el asfalto, para desde ahí, en un gesto momentáneo y repetido durante muchos –¿cuántos realmente?– finales de domingo, abarcaba todo con esa su mirada, para luego descender y subir por la calle directamente hacia nosotros. Cruzaba por entre las mesas de La Universal, saludándonos a unos y a otros con una inclinación de cabeza, en un gesto un poco grave, hasta perderse más allá de la entrada del estacionamiento, en la oscuridad de las calles por donde vivía.

Un domingo de ésos, de lluvia ligera y esparcida que comenzó a alejar a los turistas un poco antes de lo habitual, Gálvez llegó hasta nosotros cuando Higgins había pedido ya la segunda cuba libre. A pesar de las gotas todavía quedaba en el aire el buen sabor de las selecciones musicales. Cuando yo miré hacia Villa Roma los escalones eran bajados en ese momento por un globero, y uno de sus productos, rojo, circular, se desprendía del conjunto: el globo subió rápidamente unos cuantos metros, deteniéndose luego como si buscara una orientación y unos instantes después continuó la elevación en línea vertical, de modo que lo pude ver hasta que era sólo un punto. Emmanuel no estaba por ahí cerca.

Malkhe miraba en otra dirección. El automovilito verde de la señorita Alma había cruzado de derecha a izquierda y alguno de nosotros decía que, probablemente, a esa hora el viejo O'Netty llegaba con su andar borracho hasta el edificio de la calle Motolinía, después de que poco antes había alcanzado su récord de veintiún vodkas con jugo de naranja. Y lo que Malkhe miraba, y luego todos nosotros, era a una de las mujeres más hermosas que hemos visto. Adornaba su cuello con un collar de perlas blancas y parecía estar contenta de estar ahí, sentada en La Universal cuando ya todos los turistas se habían ido. Willy le había servido un ron con hielo y la mujer lo probaba como si fuera el mejor ron del mundo, que muy bien pudiera serlo, y parecía no tener ninguna prisa a pesar de lo tarde que era. Desde nuestra mesa nosotros la observábamos discretamente, aunque sin referirnos a ella de manera directa en nuestra conversación. Era una noche de ceremonias pasadas, de recordar nombres que habían bebido con nosotros y que ya habían sido enterrados. El Che Garufa pasó por ahí con su chamarra negra y la inseparable guitarra y nos habló de úlceras y remedios y pulsó las cuerdas. A la mujer pareció agradarle esa música triste y descolorida y siguió contenta y nosotros también, puesto que, además, era una buena noche. Ella bebió

93

con delicadeza su ron, llamó con cortesía a Willy y saldó su cuenta. Después de levantarse, con una inclinación de cabeza, se despidió de nosotros, en un ademán de buenas noches que también significaba hasta mañana. Sólo entonces nos dimos cuenta que un coche negro, de esos grandes y con chofer, la esperaba. Y mientras se alejaba el auto, las rojas calaveras disminuyendo en la distancia, Garufa cantaba con su voz apagada algo de Gardel y nosotros sabíamos que la volveríamos a ver y nos sentíamos en cierta forma emocionados de que así fuera.

La señora Patricia era igualmente bella a la luz del día. Con su propia mano escogía los melones y las sandías en el mercado, lo mismo que el pescado y las carnes frías, y daba con generosidad propinas y limosnas; no había domingo en que no asistiera a escuchar la palabra de Don Sergio y no faltaba por las noches a La Universal, donde Willy le llevaba presurosamente un ron con hielo que ella saboreaba como en la primera noche; para todo el mundo tenía una afectuosa sonrisa y el Che Garufa parecía rejuvenecido cuando era llamado a interpretarle alguno de sus viejos tangos. Hasta El Viena nos llegaban todos los rumores que provenían del salón de belleza: que era argentina decía alguna gente, y otros que venezola, que había sido estrella del teatro y del cine, que en realidad era una anciana que se conservaba así porque acudía a Suiza a una cura de sueño cada seis meses, que por supuesto era multimillonaria, o que era la amante de algún gobernador, y todo lo creíamos. Las mujeres iban algunas tardes a su casa y tomaban café o té y pastelitos y galletas. A nosotros nos saludaba de mano al encontrarnos por las calles del centro o en La Universal o en El Viena; tenía una dentadura perfecta y sonreía sin disimulos, aunque sabía mantener la distancia adecuada con todo aquel que se le presentaba. Y durante todos esos días el aire de la ciudad parecía más claro y había una alegría contagiosa.

A cada uno de nosotros nos fue llegando la invitación por medio del chofer de la señora Patricia. A las veinte horas de un viernes. Y quizá esa noche el centro de la ciudad quedó vacío. La señora Patricia tenía también una hermosa casa, con muebles cómodos y colores tranquilos; en las paredes colgaban cuadros auténticos; el jardín estaba iluminado y la música llegaba suavemente a todas partes. Ella recibía personalmente a todos sus invitados, haciéndoles sentirse inmediatamente dentro de una gran confianza y hasta Willy, que fue contratado esa noche, se esmeraba al máximo en su oficio. Y así se abrieron botellas de todas marcas, se habló de todos los tópicos –y la señora Patricia parecía conocer lo mismo de agricultura o de política, que de astronomía y psicología– y se probaron excelentes bocadillos.

Poco antes de las diez de la noche. Emmanuel entró. Llevaba una nueva camisa y un pantalón nuevo, aunque el mismo suéter blanco, pero como si lo hubiera recién sacado de la tintorería, y bajo las luces de esa sala o en ese jardín, su cabello negro tenía a veces tintes azules. Era exactamente el mismo de siempre, sólo que para nosotros parecía distinto y más de una de las mujeres pareció darse cuenta hasta entonces de su apostura, la cual fue resaltada en todo momento en que la señora Patricia estuvo a su lado. En esos momentos toda la fiesta parece haberse resumido en el recuerdo. Las acciones y los detalles que ocurrían al lado de ellos se borraron de todas las memorias, y únicamente quedaron la señora Patricia y Emmanuel en la proximidad de un abrazo y acercando sus rostros para dar y recibir un beso en la mejilla. O ambos, bajo una noche fresca y constelada, paseando en ese jardín, ella apoyándose en el brazo de él y sosteniendo el vaso con ron y hielo y Emmanuel, incluso en ese jardín y esa noche, con el libro de pastas color gris rata. O detenidos en la contemplación de un cuadro de Corot.

Y si acaso hubo alguna sorpresa entre los concurrentes por el encuentro y lo familiar de la proximidad entre esos dos seres, inmediatamente se disipó al volverse la señora Patricia hacia todos los que les mirábamos, para sonreír con la misma naturalidad de siempre.

A pesar de todo, el tiempo fue transcurriendo y pronto estuvimos en la madrugada, acomodados en los mullidos sillones o en sillas de corte recto, escuchando la música de un tocadiscos y bebiendo las últimas copas.

¿Y quién no recuerda a la señora Patricia, de pie junto a uno de los libreros, con su figura alargada en aquel vestido blanco, y quién no a Emmanuel sentado en el sillón negro, bebiendo café en una pequeña taza de porcelana?

¿Y quién no recuerda la voz de Emmanuel, serena en el tono y los matices, que debimos haber descubierto desde meses y días atrás, solicitando a la señora Patricia que repitiera, *por favor, el segundo movimiento?*

—Brückner —había dicho ella después de colocar la aguja en el sitio preciso, y esa única palabra, ese apellido, pareció ser una especie de clave secreta, de señal para el silencio preciso desde el cual el segundo movimiento comenzaría a inundar la sala.

Durante los minutos que duró ese segundo movimiento, ella permaneció de pie y Emmanuel bebió su café, y ninguno de los que ahí estábamos pronunció palabra alguna para romper esa forma de rito, y estoy seguro de que en todos los que les acompañábamos se experimentó una especie de deseo alcanzado, como el de haber sido incluidos de pronto en el sueño feliz de otras personas, cuya historia nos hubiese sido largamente contada. La mirada de todos estuvo fija en ellos y mirando con ello, por momentos, algo más allá de los límites del ser humano, de su grandeza insondeable y de sus profundos abismos.

Y cuando aquello terminó, la señora Patricia se volvió a mirar a Emmanuel, muy lentamente, y cuando sus miradas se encontraron la sonrisa primero y luego la fresca, alegre, carcajada que surgió de ella, y a pesar de todo, pareció ser el resultado lógico de lo que acabábamos de escuchar y a todos pareció contagiársenos la alegría y, aún dentro de ella, Emmanuel nos miró a todos con una especie de timidez que está a punto de dejar de ser, no lo olvidaré nunca tampoco y lo recuerdo siempre sin poder volver a precisar el sonido, el momento en que los labios crecen en la sonrisa al recibir en su cabellera la caricia, cotidiana, llena de confianza, como una forma de la ternura, de la señora Patricia.

Lo que sí se ha olvidado, lo que nadie recuerda, como si ese momento no se hubiera querido que llegara a ocurrir, es el cómo terminó aquella velada. Pero los días siguientes ya pertenecen en mucho a la leyenda de esta ciudad y de ese tiempo, porque en ellos apareció Emmanuel por las calles del centro trayendo y llevando familiarmente entre sus manos el llamativo sobre en donde se guardaba un disco del que todos conocíamos la procedencia. Y si en los primeros momentos, para alguien ajeno a toda esa historia, esa carga hubiera podido parecer ridícula, extravagante o con cualquier otro molesto adjetivo, con el paso del tiempo y, sobre todo en el sitio de la memoria, el hecho adquirió una normalidad tan común como la futura aceptación general del verdadero color del aura de Emmanuel.

Y Emmanuel se sentaba a beber su café capuchino colocando el disco sobre la mesa, como antes el libro, y escuchaba la música de los jueves y los domingos abrazado al disco. Cruzaba frente a nosotros por La Universal y el cuadrado envoltorio no se separaba jamás de su figura.

La señora Patricia, por su lado, siguió apareciendo en los sitios de costumbre, más hermosa aún a nuestros ojos, con su agradable sonrisa y su inmejorable trato.

Y nosotros esperábamos los acontecimientos y los rumores, incluso esa verbalización de las figuras, estáticas en el movimiento, desprovistas del calor y la ternura, que pudieron haberse formado en las mentes, pero los rumores no llegaron nunca y seguimos endulzando el café y saboreando la cerveza y contemplando cómo las semanas transcurrían.

Un martes por la noche, mientras pedíamos la segunda cerveza, el coche negro con el chofer al volante se detuvo y de él descendió un hombre grueso y más bien bajito, seguido de la señora Patricia, y nosotros dejamos la conversación de lado, los vimos ir a sentarse al sitio en que ella acostumbraba y la vimos hacerle el pedido a Willy. Las manos de la señora Patricia juguetearon nerviosamente con el vaso de ron con hielo mientras escuchaba todo aquello que el hombre le decía, la vimos fumar un cigarrillo y extrañamos su alegría y su manera de saludarnos. Todos nosotros bebimos la cerveza de prisa y abandonamos el lugar.

El verano comenzó a diluirse esa semana. Hablábamos del triunfo del Partido Socialista en Chile por el voto popular y de los diamantes que Burton le regalaba a Liz Taylor, de la película vista el fin de semana y de los cambios en el gabinete del Presidente Echeverría. El sábado por la mañana tuvimos frente al Viena la función de un hombre que hacía suertes con cinco bolos y terminaba comiendo fuego mientras su pareja pasaba por entre el público un sombrero rojo de copa y le dimos algunas monedas. Malkhe fue el primero en levantarse después de comentar algo sobre la ausencia de pechos en la mujer del sombrero de copa y se fue caminando despacio por entre las mesas, como en una forma de apresurar el porvenir. Y todos nosotros, por separado, dejamos pasar en nuestras casas la tarde del sábado. Dormimos y esperamos el momento preciso del atardecer del domingo para volvernos a reunir en el centro.

Mientras la banda militar en el concierto del kiosko esparcía los lánguidos compases de un vals antiguo con nombre de mujer, nos fuimos a sentar en una mesa de La Universal y bebimos cerveza esperándole ver en cualquier momento por Villa Roma.

Se cuenta que anduvo despacio por las calles, alejándose de la ruta en que los coches emprendían la retirada, que cruzó a un lado del Jardín Borda, que se internó por el atajo que lleva al puente de Chula Vista y que finalmente tocó a la puerta de la casa de la señora Patricia.

El hombre grueso y bajito fue quien le abrió. Era una noche de luna llena y posiblemente ambos pudieron verse muy bien las facciones. Aquellas palabras que hayan pronunciado no fueron escuchadas por ningún testigo. Tan sólo se dice que el hombre hizo esperar a Emmanuel ahí afuera de la casa mientras él entraba en busca de algo. Cuando volvió llevaba una pistola en la mano. Hizo dos disparos a menos de un metro y Emmanuel trastabilló hacia atrás, bajó de la acera y se detuvo a mitad de la calle y, sin soltar el disco, cayó boca abajo, mojando el aura –amarilla o verde antes y ahora finalmente azul– con el recuerdo de la lluvia.

La ambulancia llegó diez minutos después, pero Emmanuel ya había muerto.

Una noche, bastante tiempo después, en que Malkhe y yo nos sentamos a la mesa del viejo O'Netty, para acompañarlo en su borrachera, Willy nos contó que alguien le había dicho que las balas penetraron sobre la funda y que por supuesto, también habían destrozado el disco, a la altura del segundo movimiento.

RICARDO CHAVEZ CASTAÑEDA
(1961)

Nació en Ciudad de México. A pesar de su juventud (y hacemos notar que es el autor más joven de esta selección) es ya un campeón de los premios literarios. Además de varios otros –dentro y fuera de México– ha ganado el Premio Nacional de Cuento San Luis Potosí y el premio internacional de la revista *Plural*. Sus libros son: *Los ensebados, Para una evolución de la víctima negra en el cine* y *La guerra enana del jardín*.

El Diario del Perro Muerto

Estoy escribiendo este libro
porque todos vamos a morir.

KEROUAC

Traíamos puestas ropas negras y la máscara del desconsuelo. Lo clásico. La cabeza caída, los ojos enterrados en la fosa, ese color verdusco que se gana a fuerza de mantenerse despierto una noche velando el cuerpo. ¿Y para qué? No supimos llorar. Las nubes se tornaron grises. El olor de la lluvia vendría después a enredársenos en el cabello. Una palada de tierra golpeó el ataúd. Estábamos todos: Ricardo, María, Oscar, Mónica, yo. Los que debíamos estar en el cementerio. Los creadores del Diario. Los renegados, como comenzaban a llamarnos en la escuela. El muerto era Ricardo.

Empezamos el Diario por accidente. No. Por aburrimiento. A los veintitantos años es casi imposible regresar a un salón de clases sin pagar el precio. A media tarde uno descubría que los cigarros y el café no bastaban. Que o bien se inventaba algo o

101

bien se terminaría dormido en la paleta del pupitre. Duele resucitar los métodos adolescentes. De por sí resultaban ofensivas la pizarra, la lista, las tareas, como para humillarnos todavía plegando pedazos de papel y arrojando los mensajes sobre el hombro. Por eso recurrimos al cuaderno. ¿Qué caso tiene discutir de quién fue la idea? El cuaderno corría en silencio de mano en mano llenándose de dibujos, de versos apresurados, de disparates. Treinta nombres de primer semestre embarcados en un mismo cometido: evadir el tedio. No había consigna. Se valía apuntar cuanto pensamiento cruzara la cabeza. Por eso el primer tomo es una encoladura de principios. Se escribía sin reparar que las frases se liaban, se apretujaban, iban armándose de expectativas temblorosas que casi siempre se venían abajo con un plumazo o ante los embates de otra oferta. Sí. Nos prometíamos un futuro común sin apenas advertirlo. Esa fue la constante del primer cuaderno. Una lucha entrelíneas por hacernos de un grupo. Al final las hojas quedaron hartas de proyectos desairados. Nunca se hizo el taller de teatro ni le entramos al movimiento intelectualista de la escuela. Varios rostros se perdieron con sus estandartes en el camino. Son firmas que un día no aparecieron más en el papel: Anja se volvió a Alemania, Eduardo prefirió dedicarse al periodismo. Sin embargo no todo huele a frustración. Si se lee con cuidado, las páginas contienen promesas que después cuajaron. Oscar comenzó a tirar el anzuelo desde allí, "si supieras cuánto mar se me escapa entre los labios", aunque María tardaría muchos versos y varios cuadernos más en corresponderle. Allí también están el credo a Kerouac, la crónica inconclusa de la primera pinta al cine y por supuesto, traspapelada entre otras estampas, la fotografía del perro agusanado y la leyenda con letras de colores: "El Diario del Perro Muerto".

Fue el principio. El lema pasó a la portada y apareció el tomo dos. Para entonces se había reducido el número de firmas que remataban textos y dibujos. El cuaderno cruzaba el salón para llegar a Mónica. Entre Ricardo y yo la fila era de seis personas que se limitaban a coger el Diario y a pasarlo con gesto indiferente. Oscar y María nada sabían de la frialdad de los intermediarios. Ya se sentaban juntos.

Nosotros, porque la palabra nosotros comenzó a ser pertinente por aquellas páginas del segundo tomo, fuimos responsables de las últimas deserciones. Los mensajes entremetidos que se dejaban ver de vez en cuando se quedaron sin respuesta. Sin proponérnoslo. Estábamos demasiado ocupados en advertir cuánta mirada compartida teníamos de la vida como para responder si un guión educativo debe recuperar la estructura dramática y otras sandeces de ese calibre.

En un dibujo de María nos descubrimos solos. Una banda de cinco caricaturas con los brazos enlazados y una sonrisa de media luna. En realidad apenas intimábamos: un beso en la mejilla o un apretón de manos, el invariable ¿cómo estás? Lo demás paraba en las páginas del Diario. Pero el dibujo ameritaba fiesta. Salimos de la escuela uno detrás del otro y en un café chocamos las tazas por los sobrevivientes, por El Diario del Perro Muerto; y como si nos conociéramos de siempre, Mónica se fumó la noche gritándonos lo que teníamos por delante.

Tuvo razón.

Adelante nos esperaba una amistad que creció sin lógica, como el Diario. Porque desde aquella noche en el café cuando se establecieron las últimas reformas —no más hojas numeradas; se escribe donde se nos pegue la gana, al frente, en medio, atrás ¿qué importan las secuencias?; sin fechas; sin firmas— empezó una historia vacía de direcciones y de metas. O también se podría decir una "no historia". Porque vivir al día haciendo lo que regaladamente se nos ocurriera era igual a privarnos de pasado o bien aceptar que cualquier pasado era susceptible de explicarnos. Y eso fue lo que sucedió.

Nuestra historia está a merced de la lectura que se haga de los Diarios. Una lectura convencional, de principio a fin, hallará que los vagabundeos por el Centro, ya de madrugada, vinieron antes que las pintas al cine y las ganas desquiciadas de Ricardo por saltarse la tapia del cementerio. Quería llevar su música a los muertos. Luego vendría el gusto por la noche. Cogíamos un camión que nos dejara fuera de la Ciudad y regresábamos a pie por la cuneta enfangados de sombras y de estrellas. Una vez nos metimos al metro. El último recorrido. Cerca de la una de la mañana. Un viaje de extremo a extremo en la línea verde.

Llegamos a la última estación. Vino el timbrazo. Nadie se movió. Amanecimos en el patio de retenes adormilados en los asientos dobles. Cortázar nos había engañado. Nadie vivía allí dentro.

Si los Diarios se leyeran sin orden. Se toma un cuaderno. Se abre en cualquier página. Se lee. Después se elige otro. Una página al azar. Así. Podrían pasar tantas cosas. Como que un domingo le cayéramos a María con una bolsa de pan, el jamón, tres películas; y nos acabáramos la tarde entre Alas de Libertad, La Ley de la Calle, Los Muchachos Perdidos. Y quién sabe. Quizás en el siguiente cuaderno también nos apareciera domingo, pizzas en vez de tortas y Pesadillas en la Calle del Infierno uno, dos y tres. Luego otro –las coincidencias son cabronas– sin comida, de gorrones, con La última tentación de Cristo y Jesús de Montreal. Y más domingos, como si nuestras semanas no conocieran ni lunes ni jueves, con un montón de videos a la espalda, en un saco, listos para quedarnos ciegos con ese pasón de cine.

O igual pudiera suceder que la casualidad ligara momentos cumbres de la banda. De aquel día memorable en que María y Oscar comenzaron a amarse. Nos subimos al auto. El sol vino a alcanzarnos en Acapulco. Oscar lloró porque no conocía el mar.

De ese día a la publicación de Mony en la jornada. Una reseña de teatro embutida en una columna y con una letra que chillaba de tan apretada en las últimas páginas de la revista. Compramos la Coca Cola de dos litros y desde el cine Chapultepec hasta el metro Hidalgo, a lo largo de Reforma, no paramos de leer a gritos los quién sabe cuántos hallazgos de Hey Familia y la excelsa actuación de Arcelia Ramírez, bla, bla, bla; y cada vez que recalábamos en el nombre de la autora, en cursiva: Mónica Rizo, ¡alto!, nos empinábamos la botella. Salud por Mony, por la fama, por el Perro Muerto, y de vuelta a la lectura.

Luego Ricardo sacó mención en un concurso de cuento. No nos la acabábamos. Yo me encargué que la noticia se esparciera por los cuatro semestres. Cerramos la escuela. La caravana fue de siete automóviles repletos de goliardos que no sabían bien a bien quién era Ricardo. Igual gritaban y eso era suficiente. La noche fue nuestra. Ganamos la mesa de la bebida, las charolas de los bocadillos, y a la hora de la premiación hicimos tal alboroto que amenazaron con largarnos. La pachanga terminó en casa de quién sabe quién, con nuestro ejército diezmado por el alcohol y por varios carrujos de marihuana. Nunca supimos dónde se perdió la mención de Ricardo. No importa. Hay muchos testigos de que esa noche sí existió.

Las historias de la banda son todas las que puedan armarse con los cuadernos. Al infinito. Sin embargo hay constantes en el Diario del Perro Muerto que nos cuentan sin darle tantas largas a la neta. Nos queríamos. Cada quien a su manera apostaba el alma por el grupo. Estábamos predestinados. Larga vida al Perro Muerto, Perro Muerto nunca muere y otras frases célebres que salpicaban las páginas del Diario eran nuestras formas de prometernos una vida compartida, de regalarnos la eternidad.

Cómo no amar los veinte años de María metidos en sus enormes ojos-bruja y en los labios escarlata que nunca aprendieron a decir cuánto dolor cabe en una biografía. Y a Oscar. El Jefe. El poeta urbano. Nos choreaba de sus andanzas por la ciudad, de las horas mágicas después de la medianoche cuando los ángeles enfermos se adueñan de las calles y abren la partida pidiéndole un cigarro, carnal, para medirte, para ver si eres de los suyos, y claro que Oscar era de ellos, de los que bajaron del cielo, de los que buscaban la verdad en los callejones. Cómo no enamorarnos de nosotros. Aun a Mónica se le perdonaba su extravío, su mirada perdida, como si estuviera lejos, en un sueño. De buenas a primeras volvía y se atascaba en un ¿qué? ¿qué? aunque la plática no fuera con ella. Mónica igual a un afán obsesivo por ponerse al día. Nunca lo logró. Quería transigir con dos mundos. La locura. Eso éramos. Cinco locos con unas ganas tremendas de vivir y de gastarnos la vida juntos.

Por eso no entendimos lo que pasó. Ni una lágrima en el velorio. Nos vestimos de negro y de tristeza, y a la mera hora nos quedamos secos junto al féretro. Como si detrás no existieran los cinco tomos del Diario. En el entierro sí, parecíamos prometer con la mirada asustada, en el entierro sí; y escondimos los ojos sin llanto en la vergüenza de un pañuelo sin usar.

No entendíamos. Pero qué íbamos a entender si nadie releía los Diarios. Allí está claro. También era una constante en la banda. La enfermedad. En el papel las cosas funcionaban. Siempre había qué escribir. La estábamos haciendo de maravilla. Eramos una andanza tras otra. Una novela. Pero afuera...

No es que yo haya mentido. Sí fuimos a Bellas Artes y nos largamos a mitad del concierto. Sí canté "Matemos al gallo" y me siguió la banda. Sí hubo luna en el cielo, unos rockeros en el camión, la película, el callejeo de ley, la persecución, sí, sí. Mas fue distinto. En las hojas no cupieron los bostezos de Mónica ni los silencios tejidos con palabras gastadas ni el "ora qué" donde perdíamos el paso hasta que Oscar u otro nos salvaba con un grito: ya vieron a ese chalado, vamos a seguirle. O: allí hay un teléfono, y hablábamos a cuanto número se nos ocurría para platicarle a los cuates lo bien que nos sabía la noche en la calle y el desmadre. Después colgábamos la bocina y yo ya no escribía de ese silencio duro que venía después a ponernos mal. Como con ganas de tronar con un ¡basta! ¡estoy harto! ¡a la chingada!

Pero a la chingada con qué. Nadie escribía de ello. Así sucedió cada vez que nos tocó el Diario y la responsabilidad de escribir la crónica del día anterior. Ya sé que no es posible llevar el episodio completo al cuaderno. Lo extraño es que Mónica, Oscar, Ricardo, María y yo censuráramos lo mismo. Porque el Diario del Perro Muerto está construido con palabras pero también con silencios. Nadie repasó los cuadernos para advertir cuánta distancia existía entre la realidad y la versión, entre los propios recuerdos y lo que institucionalizábamos en el papel como la memoria oficial de la banda. Había una consigna implícita de no decirlo todo. Por eso en el Diario la historia parece otra historia. Una historia barnizada. Desmedida. Más por lo que callábamos que por un abultamiento de nuestros lances cotidianos. ¿Por qué Mónica no escribió que a veces se cansaba de la banda? No es cierto lo del sábado familiar y sus reuniones feministas. En ocasiones se quería cortar. ¿Quién no? Cada uno se defendía a su manera. Si Mónica encontraba su escudo en la separación, nosotros lo hallábamos en la cercanía. Lo importante era evadir que las cosas no marchaban. Punteábamos la tarde con comentarios sobre la necesidad de no vernos tanto, para escribir, ¿qué sé yo?, sin problemas, en buena onda. Por supuesto, nos decíamos, comprendiendo que sí, que era lo mejor; y a la hora de despedirnos, fíjense que estrenaron "A la orilla del río", como si no hubiéramos acordado receso, ¿qué función?, órale, allí estamos. Y ahí estábamos al día siguiente huyendo de una lejanía que nos habría refregado en la cara el no saber extrañarnos.

Preferimos no darnos cuenta. Echábamos los brazos sobre el hombro del de junto y adelante, a continuar viviendo, a seguirnos haciendo de aventuras para el Diario. No importaba que aun a Oscar y a María se les hubieran agotado los versos. No es que discutieran. No es que peleáramos. Era como un letargo, como un color gris y frío subiéndosenos por la piel. Teníamos que vivir para escribir y escribir para que no quedara un espacio vacío en el Diario del Perro Muerto. Un espacio vacío, una página blanca. ¿Cómo censurar eso? ¿Cómo enfrentarnos a una neta tan llena de nada? Escogimos la ceguera que da poner una palabra después de la otra, así, apretujadas.

Nos condenamos a no entender.

María dobló la cabeza. El cabello y las palabras le azotaron el rostro. Había prometido que en el entierro sí. Se vistió de luto la mirada y sin embargo pasaba el tiempo.

Ricardo murió. Ese es el vértice de todas nuestras historias. Así se lean al derecho y al revés, la muerte de Ricardo es el último capítulo de los Diarios.

Traíamos puestas las ropas negras y la máscara del desconsuelo. Las nubes eran grises. María, Oscar, Mónica, yo. Serios. Aridos. El olor de la lluvia se nos enredaba en el cabello. No supimos llorar aunque Mónica se clavó con furia los recuerdos de Ricardo, aunque se arañó con los vértices de su sonrisa ya fantasma unas ojeras verdes. Las lágrimas le salieron tan fácil en el cine con una pinche película de mierda y ora no podía mojarse por un amigo, por el maestro. Como para tirarse a la fosa ¿verdad, Oscar? Porque Oscar pensaba si al menos lo hubieran matado. Y es que si lo hubieran matado podría sentir algo. Al menos odio contra esos hijos de su chingada madre. Para putearse. Para llenarse el cuerpo de llagas y moretones. Dolor al fin y al cabo. Pero nada. Ricardo murió sin ayuda. Así de simple. Se fue y nosotros secos. Sin tristeza. Sin que se nos quebrara el alma. Blancos como la página del Diario donde no se escribió que quién sabe, si Ricardo no se muere quién sabe. Quizás la leyenda de "Perro Muerto" habría resultado ser un título más. Un mero y simple título como cualquier otro. No la definición de la banda. No una definición de esa resequedad que no entendía por qué no podíamos llorar si había tanta historia compartida, si habíamos dejado tantos cuadernos atrás.

SALVADOR ELIZONDO
(1932)

Nació en Ciudad de México. Ha sido profesor de literatura en la Universidad Autónoma de México y forma parte de la Academia Mexicana de la Lengua. Autor de dos novelas que apuntaron fama y lo convirtieron en uno de los autores más estudiados de su país –*Farabeuf o la crónica de un instante* y *El hipogeo secreto*–, Elizondo ha cultivado también el cine, la poesía, el teatro, el ensayo y el cuento. Sus libros de relatos son: *Narda o el verano*, *El retrato de Zoe y otras mentiras* y *El grafógrafo*.

En la playa

Cuando ya estaba cerca de donde se rompían las olas cesó de remar y dejó que la lancha bogara hacia la orilla con el impulso de la marejada. Estaba empapado de sudor y el sucio traje de lino blanco se le adhería a la gordura del cuerpo impidiendo o dificultando sus movimientos. Había remado durante varias horas tratando de escapar de sus perseguidores. Su impericia lo había llevado costeando hasta esa extensa playa que con sus dunas se metía en el mar hasta donde la lancha estaba ahora. Se limpió con la mano el sudor que le corría por la frente y miró hacia tierra. Luego se volvió y vio a lo lejos, como un punto diminuto sobre las aguas, la lancha de Van Guld que lo venía siguiendo. "Si logro pasar al otro lado de la duna estoy a salvo", pensó acariciando la Luger que había sacado del bolsillo de la chaqueta para cerciorarse de que no la había perdido. Volvió a guardar la pistola, esta vez en el bolsillo trasero del pantalón y trató de dar otro golpe de remo para dirigir la lancha hacia la playa, pero la gordura dificultaba sus movimientos y no consiguió cambiar el rumbo del bote. Encolerizado, arrojó el remo hacia la costa. Estaba tan cerca que pudo oír el golpe seco que produjo sobre la arena húmeda, pero la lancha se deslizaba de largo sin encallar. Había pozas y no sabía nadar. Por eso no se tiró al agua para llegar a la orilla por su propio pie. Una vez más se volvió hacia sus perseguidores. El punto había crecido. Si la lancha no encallaba en la arena de la playa, le darían alcance. Tomó el otro remo y decidió utilizarlo como timón apoyándolo sobre la borda y haciendo contrapeso con toda la fuerza de su gordura. Pero se había equivocado y la lancha viró mar adentro. Entonces sacó rápidamente el remo del agua y repitió la misma operación en el lado opuesto. La lancha recibía allí el embate de la corriente y viró con tanta velocidad que el gordo perdió el equilibrio y por no caer sobre la borda soltó el remo que se alejó flotando suavemente en la estela. La lancha bogaba paralela a la costa y daba tumbos sobre las olas que reventaban contra su casco. Iba asido a la borda. De vez en cuando miraba hacia atrás. La lancha de su perseguidor seguía creciendo ante su mirada llena de angustia. Cerró los ojos y dio de puñetazos sobre el asiento, pero esto le produjo un vivo dolor, un dolor físico que se agregaba al miedo como un acento maléfico. Abrió las manos regordetas, manicuradas y las miró durante un segundo. Sangraban de remar. Las metió en el agua y las volvió a mirar. Su aspecto era más siniestro ahora. La piel, desprendida de sus raíces de sangre, tenía una apariencia cadavérica. Volvió a cerrar los puños esperando que sangraran nuevamente y luego apoyó las palmas contra los muslos hinchados que distendían la tela del pantalón. Vio las manchas que habían dejado sobre el lino sucio y miró hacia atrás, pero no pudo estimar el crecimiento del bote perseguidor porque en ese momento un golpe de agua ladeó la lancha y haciéndola virar la impulsó de costado, a toda velocidad, hacia la playa. La quilla rasgó la superficie tersa y nítida de la arena con un zumbido agudo y seco. El gordo apoyó fuertemente las manos contra la borda, inclinando el cuerpo hacia atrás, pero al primer tumbo se fue de bruces contra el fondo de la lancha. Sintió que la sangre le corría por la cara y apretó la Luger contra sus caderas obesas.

Van Guld iba apoyado en la popa, detrás de los cuatro mulatos que remaban rítmicamente. Gobernaba el vástago del timón con las piernas y había podido ver todas las peripecias del gordo a través de la mira telescópica del Purdey. Cuando el gordo dio los puñetazos de desesperación sobre el asiento, Van Guld sonrió e hizo que la cruz de la mira quedara centrada sobre su enorme trasero, pero no hubiera disparado porque todavía estaba fuera del alcance del Purdey, un arma para matar elefantes a menos de cincuenta metros.

–¡Más aprisa, remen! –gritó Van Guld y luego pensó para sí–: Tenemos que llegar antes de que cruce la duna.

Los negros alzaron más que antes los remos fuera del agua y, jadeando, emitiendo un gemido entrecortado a cada golpe, comenzaron a remar a doble cuenta. El bote se deslizaba ágil sobre el agua casi quieta, bajo el sol violento que caía a plomo del cielo límpido, azul. De la selva, más allá de la duna que estaba más lejana de lo que se la imaginaba viéndola desde el mar, el chillido de los monos y de los loros llegaba a veces como un murmullo hasta la lancha, mezclado con el tumbo de las olas sobre la arena, con el fragor de la espuma que se rompía en esquirlas luminosas, blanquísimas, a un costado de la barca.

Con un movimiento horizontal de la carabina, Van Guld siguió el trayecto de la barca del gordo cuando ésta encallaba sobre la arena. Apuntó durante algunos instantes la cruz de la mira sobre la calva perlada de sudor de su presa que yacía boca abajo junto a la lancha volcada. Las enormes caderas del gordo, entalladas en el lino mugriento de su traje, eran como un montículo de espuma sobre la arena. Apuntó luego el Purdey hacia la selva que asomaba por encima del punto más alto de la duna. Las copas de las palmeras y de las ceibas se agitaban silenciosas en su retina, pero Van Guld adivinaba el chillido de los monos, los gritos de los loros, mezclándose a la jadeante respiración del gordo, tendido con el rostro y las manos sangrantes sobre la arena ardiente.

–¡Vamos, vamos! ¡Más aprisa! –les dijo a los mulatos. Estos sudaban copiosamente y sus torsos desnudos se arqueaban, tirantes como la cuerda de un arco, a cada golpe de remo. Su impulso movía la barca a espasmos, marcados por el jadeo de su respiración y no se atrevían a mirar hacia la costa donde estaba el gordo, sino que se tenían con la mirada al frente, como autómatas.

—¡Más aprisa!, ¡más aprisa! —volvió a gritar Van Guld.

Su voz era diáfana como el grito de un ave marina y se destacaba de las olas, de la brisa, como algo de metal, sin resonancia y sin eco.

El gordo se palpaba el bolsillo del pantalón nerviosamente, dejándose unas difusas manotadas de sangre en el trasero. Allí estaba la Luger. Si le daban alcance en el interior de la selva tendría que servirse de ella aunque era un tirador inexperto. Trató de incorporarse, pero no lo consiguió al primer intento. La quilla del bote había caído sobre su pie, aprisionándolo contra la arena. Pataleó violentamente hasta que logró zafarlo para ponerse en cuatro patas y así poder incorporarse con mayor facilidad. Pero luego pensó que puesto de pie, ofrecía un blanco mucho más seguro a la carabina de Van Guld. Si se arrastraba por la playa hasta ascender la duna, su cuerpo se confundiría, tal vez, con la arena para esquivar las balas que le dispararía su perseguidor.

Parapetado en la borda de la lancha miró en dirección de Van Guld. La lancha había crecido en sus ojos considerablemente. Casi podía distinguir la silueta de Van Guld erguida en la popa, escudriñando la blanca extensión de la playa, tratando de apuntar con toda precisión el rifle sobre su cuerpo. Esto era una figuración pues Van Guld estaba en realidad demasiado lejos. El bote seguía siendo un punto informe en el horizonte. Se incorporó pensando que tendría tiempo de llegar hasta la duna. Echó a correr, pero no bien había dado unos pasos, sus pies se hundieron y dio un traspié; cayó de cara sobre la arena que le escocía la herida que se había hecho en la frente.

A Van Guld le pareció enormemente cómico el gesto del gordo, visto a través del anteojo, sobándose el trasero con la mano ensangrentada. Los pantalones blancos le habían quedado manchados de rojo. "Como las nalgas de un mandril", pensó Van Guld bajando sonriente el rifle y apoyando pacientemente la barbilla sobre sus manos cruzadas que descansaban en la boca del grueso cañón del Purdey. Estuvo así un momento y luego volvió a empuñar el rifle para seguir los movimientos del gordo. Cuando lo vio caer de boca en la arena lanzó una carcajada.

Después, el gordo se incorporó con dificultad y se sentó respirando fatigosamente. Su cara estaba cubierta de sudor. Con las mangas se enjugó la boca y la frente. Miró un instante la chaqueta manchada de sudor y de sangre y luego notó que uno de sus zapatos se había desatado. Alargó el brazo tratando de alcanzar las agujetas pero no logró asirlas por más que dobló el tronco. Tomó entonces la pierna entre sus manos y empezó a jalarla hacia sí. Una vez que había conseguido poner el zapato al alcance de sus manos las agujetas quedaban debajo del pie y por más esfuerzo que hacía por atarlas, no podía, pues sus dedos además de estar heridos, eran demasiado cortos y demasiado torpes para retener fijamente las cintas y anudarlas. Trató entonces de quitarse el zapato, pero tampoco lo consiguió ya que sus brazos arqueados sobre el vientre voluminoso no eran lo suficientemente largos para ejercer una presión efectiva sobre el zapato. Se echó boca arriba y, ayudándose con el otro pie, trató de sacar el zapato haciendo presión sobre él con el tacón. Al fin logró sacar el talón. Levantó la pierna en el aire y agitando el pie violentamente al cabo de un momento hizo caer el zapato en la arena.

Ese pie, enfundado en un diminuto zapato puntiagudo de cuero blanco y negro primero y en un grueso calcetín de lana blanca después, con la punta y el talón luidos y manchados por el sudor y el contacto amarillento del cuero, agitándose temblorosamente, doblando y distendiendo coquetamente los dedos regordetes dentro del calcetín, producía una sensación grotesca, ridícula, cómica, cruzada como estaba por los dos hilos de araña milimétricamente graduados de la mira del Purdey.

Apoyándose con las manos, el gordo levantó el trasero y luego, doblando las piernas hasta poner los pies debajo del cuerpo, se puso de pie. Introdujo la mano en el bolsillo para sacar la pistola. Esto le produjo fuertes dolores en los dedos descarnados, pero una vez que tenía asida la Luger por la cacha los dolores se calmaron al contacto liso, acerado, frío, del arma.

La sacó y después de frotarla contra el pecho de la chaqueta para secarla, la amartilló volviéndose en dirección de la costa, hacia la lancha de Van Guld. Pudo distinguir a los cuatro negros que se inclinaban simultáneamente al remar. La cabeza rubia e inmóvil de Van Guld se destacaba claramente por encima de las cabezas oscilantes y negras de los remeros.

El gordo estaba de espaldas a él. Van Guld vio cómo sacaba la pistola del bolsillo del pantalón y cómo agitaba el brazo mientras la secaba contra la chaqueta, pero no vio cómo la amartillaba. "No sabe usar la pistola", pensó Van Guld cuando vio que el gordo se dirigía cojeando hacia la duna con la pistola, tenida en alto, con el cañón apuntado hacia arriba, casi tocándole el hombro y con la línea de fuego rozándole la cara.

Le faltaban unos cuarenta metros para llegar a la falda de la duna. Si se arrastraba hasta allí no podría desplazarse con suficiente rapidez y daría tiempo a sus perseguidores de llegar por la costa hasta situarse frente a él. Consciente de su obesidad, pensó que si corría su cuerpo ofrecería durante el tiempo necesario un blanco móvil, lo suficientemente lento para ser alcanzado con facilidad. Se volvió hacia la barca de Van Guld. Calculó mentalmente todas sus posibilidades. La velocidad con que se acercaba le permitiría quizá llegar a tiempo a la cuesta de la duna arrastrándose. Se echó a tierra, pero no bien lo había hecho se le ocurrió que al llegar a la duna y para ascender la cuesta que lo pondría a salvo, tendría que ofrecerse, de todos modos, erguido al fuego de Van Guld.

—¡Paren! —dijo Van Guld a los remeros bajando el rifle. Los negros se arquearon sobre los remos conteniendo la fuerza de la corriente que ellos mismos habían provocado con el último golpe de remo. Los músculos de sus brazos y de sus hombros se hinchaban con el esfuerzo de parar el bote. Van Guld escupió sobre la borda para cerciorarse de que el bote se había detenido. Un pájaro salvaje aleteó rompiendo el silencio. Van Guld clavó la vista delante de sí, en dirección del gordo, luego, humedeciéndose los labios con la lengua volvió la cara mar adentro. Con la vista fija en el horizonte volvió a humedecerse los labios y se quedó así unos instantes hasta que la brisa secó su saliva. Tomó luego el Purdey y lo apuntó hacia el gordo

–una mancha diminuta, blanca, informe–, mirando a través del anteojo. "Hasta la brisa nos ayuda –pensó–; bastará con ponerle la cruz en el pecho, y si va corriendo la brisa se encargará de llevar el plomo hasta donde él esté". La vertical no importaba; a la orilla del mar el aire corre en capas extendidas. "A veces tiende a subir en la playa; medio grado hacia abajo, por si acaso. Si está quieto, un grado a la izquierda para aprovechar la brisa", reflexionó y bajando el rifle nuevamente se dirigió a los remeros:

–¡Vamos, a toda prisa! –les dijo mirando fijamente el punto de la playa en donde se encontraba el gordo.

"Se han detenido", pensó el gordo mientras estaba calculando su salvación. Echó a correr. No había dado tres pasos cuando volvió a caer, pues como le faltaba un zapato se le había torcido un tobillo y el pie descalzo se le había hundido en la arena. Su situación era ahora más expuesta ya que no podía parapetarse en la lancha y todavía estaba demasiado lejos de la duna. Boqueó tratando de recobrar el aliento. El corazón le golpeaba las costillas y a través de todas las capas de su grasa escuchaba el rumor agitado del pulso. Se puso la mano en el pecho tratando de contener esos latidos, pero como sólo estaba apoyado, con todo su peso, sobre un codo, los brazos le empezaron a temblar. Apoyó entonces las dos manos sobre la arena y trató de incorporarse. Haciendo presión con los pies sobre el suelo, consiguió, al cabo de un gran esfuerzo, ponerse en pie y se volvió hacia la lancha de sus perseguidores.

Sin servirse de la mira telescópica, Van Guld pudo darse cuenta de que el gordo se había vuelto hacia ellos. Los mulatos remaban rítmicamente y la lancha se acercaba inexorablemente.

–¡Más aprisa! –volvió a decir Van Guld.

Su voz llegó difusa hasta los oídos del gordo que tuvo un sobresalto en cuanto la oyó y echó a correr hacia la duna. A cada paso se hundía en la arena por su propio peso y le costaba un gran esfuerzo avanzar.

Van Guld vio con toda claridad cómo el gordo corría dando traspiés en la arena. Había cubierto la mitad del trayecto hacia la duna. Un mono lanzó un chillido agudísimo y corto, como un disparo. El gordo se detuvo volviéndose angustiado hacia la lancha de Van Guld. Con los brazos extendidos y las manos colgándole de las muñecas como dos hilachos se quedó quieto en mitad de la playa. Se percató de que en su mano derecha llevaba la Luger. La acercó para verla mejor y se volvió nuevamente hacia la lancha de Van Guld, luego extendió el brazo con la pistola en dirección de sus perseguidores. Oprimió el gatillo. Nada. Volvió a apoyar el dedo regordete con todas sus fuerzas pero el gatillo no cedía. Cortó otro cartucho apresuradamente y la bala saltó de la recámara rozándole la cara. Extendió entonces el brazo y oprimió el gatillo con todas sus fuerzas.

"Tiene el seguro puesto", pensó Van Guld para sí.

—¡Imbécil! —dijo después en voz alta.

Los negros siguieron remando impasibles.

El gordo examinó cuidadosamente la pistola. Con las manos temblantes comenzó a manipularle todos los mecanismos. Volvió a cortar cartucho y otra bala le saltó a la cara. Oprimió un botón y el cargador salió de la cacha. Apresuradamente volvió a ponerlo en su lugar; luego oprimió otro botón que estaba en la guarda del gatillo. Era el seguro de la aguja. Como al mismo tiempo estaba oprimiendo el gatillo, la pistola se disparó en dirección de la duna produciendo una nubecilla de pólvora quemada y un pequeño remolino de arena en la duna. A lo lejos entre las copas de los árboles, se produjo un murmullo nervioso. El gordo se asustó al oír la detonación, pero no se había dado cuenta cabal de que el tiro había partido de su propia arma. Se volvió hacia Van Guld. Podía distinguir todos los rasgos de su rostro impasible, mirándole fijamente desde la popa de la lancha. Echó a correr. De pronto se detuvo y empuñando la Luger la apuntó nuevamente hacia Van Guld. Tiró del gatillo, pero el arma no disparó. Se acordó entonces del botoncito que estaba en la guarda del gatillo y lo apretó. Oprimió el gatillo varias veces.

Las balas pasaron lejos de Van Guld y de su lancha. La brisa que les iba en contra las había desviado y las detonaciones no llegaron a sus oídos sino después de unos instantes. El gordo se había quedado inmóvil. Tres volutas de humo blanco lo rodeaban, deshaciéndose lentamente en el viento. La lancha siguió avanzando hasta quedar colocada directamente frente al gordo.

Volvió a oprimir el gatillo. La Luger hizo un clic diminuto. Se había agotado el cargador. Arrojó la pistola y echó a correr, pero no en dirección de la duna, sino en dirección contraria a la de la lancha de Van Guld. Cuando se dio cuenta de que su huida era errada se detuvo. Vaciló. Luego corrió en dirección de la duna. Cuando llegó a la cuesta se fue de bruces y cayó rodando en la arena. Se incorporó rápidamente e intentó nuevamente ascender la duna.

Van Guld empuñó el Purdey y encañonó al gordo, pero no tenía intención de disparar todavía. Miraba a través del telescopio cómo trataba de subir por la duna, resbalando entre la arena, rascando para asirse a ese muro que siempre se desvanecía entre sus dedos sangrantes.

El gordo cayó sentado al pie de la duna. Primero corrió a cuatro patas a lo largo del montículo, alejándose de Van Guld, pero a cada momento volvía a caer de cara. Finalmente logró avanzar corriendo con los brazos extendidos para guardar el equilibrio.

Van Guld ordenó a los mulatos que lo siguieran desde el mar. Se pusieron a remar y la lancha avanzaba suavemente sobre las olas, paralela al gordo que corría dando tumbos. La cruz del Purdey se encontraba un grado a la izquierda y medio grado abajo del pecho del gordo.

Se había adelantado a la lancha que ahora bogaba más lentamente pues había entrado en esa faja de mar donde las olas se rompen y donde la fuerza de los remos se dispersa en la marejada. El gordo se detuvo, apoyado contra el túmulo de arena que se alzaba tras él. Respiraba con dificultad y no podía seguir corriendo.

La lancha de Van Guld pasó lentamente ante él. Por primera vez se encontraron sus miradas. Al pasar frente al gordo Van Guld levantó la vista del telescopio y se quedó mirando fijamente al gordo que, también, lo miraba pasar ante él, resollando pesadamente, indefenso.

Una vez que Van Guld había pasado de largo, el gordo se volvió y empezó a escalar la duna, pero avanzaba muy lentamente porque todos los apoyos se desmoronaban bajo su peso. Sus manos cavaban en la arena tratando de encontrar un punto fijo al cual asirse.

Van Guld hizo virar la lancha en redondo.

Mientras la lancha volvía sobre su estela y los perseguidores le daban la espalda, el gordo ascendió considerablemente y su mano casi logró asirse al borde de la duna. Trataba de empujarse con los pies, pero se le deslizaban hacia abajo.

Van Guld quedó colocado frente a él. Sonriente, lo miraba patalear y levantar nubecillas de arena con los pies. Volvió a encañonarlo y a través de la mira pudo adivinar con toda certeza el rostro sudoroso, sangrante del gordo que jadeaba congestionado.

Hubo un momento en que sus pies, a fuerza de cavar furiosamente, encontraron un punto de apoyo. Su cuerpo se irguió tratando de alcanzar con las manos la cresta de la duna y por fin lo consiguió. Entonces pataleó más fuerte, tratando de elevar las rodillas a la altura de sus brazos, pero la arena se desvanecía siempre bajo su cuerpo. Logró sin embargo retener la altura que había alcanzado sobre la duna. Deseaba entonces que más allá de esta prominencia hubiera otra hondonada para poderse ocultar y ganar tiempo.

Van Guld había centrado la mira sobre la espalda del gordo. Acerrojó el Purdey haciendo entrar un casquillo en la recámara, amartillando la aguja al mismo tiempo.

Cuando llegó a la cima vio que la arena se extendía en una planicie nivelada hasta donde comenzaba la selva. Estaba perdido. Se quedó unos instantes tendido sobre el borde de arena y miró sobre sus hombros en dirección de Van Guld que lo tenía encañonado. Estaba liquidado, pero no sabía si dejarse deslizar nuevamente hacia la playa o seguir avanzando sobre la duna hacia la selva. Eran unos cien metros hasta los primeros árboles. Para llegar a ellos daría a Van Guld el tiempo suficiente de apuntarle con toda certeza, igual que si se quedaba ahí mismo.

Van Guld bajó el rifle medio grado de la cruz. Pensó que sobre todo en la cresta de la duna la capa de aire extendido tendería a subir. La corrección horizontal era ahora deleznable ya que se encontraba directamente enfrente del gordo, con la brisa a su espalda.

Resignado, el gordo subió al borde y se puso de pie sobre la duna volviéndose hacia Van Guld.

La lancha producía un chapoteo lento sobre las olas débiles del mar apacible. A lo lejos se oían los gritos de los loros que se ajetreaban en el follaje de las ceibas. Le tenía la cruz puesta en el cuello para darle en medio de los ojos, pero luego bajó el rifle un poco más, hasta el sexo, para darle en el vientre, porque pensó que si le daba en la cabeza al gordo no sentiría su propia muerte y que si le daba en el pecho lo mataría demasiado rápidamente.

El gordo lo miraba con las manos colgantes, sangrantes, separadas del cuerpo, en una actitud afeminada y desvalida.

Cuando partió el disparo, la lancha dio un tumbo escueto, levísimo.

Sintió que las entrañas se le enfriaban y oyó un murmullo violento que venía de la selva. Se desplomó pesadamente y rodó por la duna hasta quedar despatarrado sobre la playa como un bañista tomando el sol. Boca arriba como estaba notó, por primera vez desde que había comenzado su huida, la limpidez magnífica del cielo.

Van Guld bajó el rifle. La brisa agitaba sus cabellos rubios. Todavía estuvo mirando unos instantes el cuerpo reventado al pie de la duna. Luego ordenó a los remeros partir. La barca se puso en marcha. Los mulatos jadeaban agobiados de sol, impulsando los remos fatigosamente. Van Guld apoyó el Purdey contra la borda y encendió un cigarrillo. Las bocanadas de humo se quedaban suspensas en la quietud del viento, como abandonadas de la lancha que se iba convirtiendo poco a poco en un punto lejano, imperceptible.

JOSEFINA ESTRADA
(1957)

Nació en el D.F. Estudió Periodismo en la Universidad
Autónoma de México y sus inclinaciones literarias la
llevaron a ingresar al taller de narrativa que dirigió el
escritor argentino (Q.E.P.D.) Humberto Costantini. Ha
publicado dos libros de cuentos, *Malagato* y *Para morir
iguales*.

No vendrá nadie a verte

*...sino la muerte. Mientras ella
te recoge, te emborrachas con ron
igual que un bruto y luego duermes.*
ANDRÉ PIEYRE DE MANDIARGUES, "CLORINDA"

Para Salvador Castañeda

Moriré como si estuviera en familia. Esta buena mujer, desde
temprano, está pidiendo limosna para mi entierro. Dios la
bendiga. El calor de las veladoras me tranquiliza y hasta se me
olvidan las caras gigantes, las carcajadas y los bailes a mi
alrededor... No, ahí vienen otra vez; ya se acercan: me quieren
aplastar.

Necesidades arquitectónicas elevan los carriles del Viaducto.
Bajo la cima hay un puente que de lejos da la impresión de ser
una matriz cortada transversalmente: durante el día alberga a
comerciantes. Por la noche parece madre que protege del frío y
de las ratas a sus hijos: observa la llegada de todos, los ve

121

cantar alrededor de una fogata, descansar en los descascarados muros, beber de una misma botella, dormir juntos; acurrucados entre sí: todos tienen el color grisamarillento de las paredes.

El moribundo no se atreve a pedirle a la mujer que lo lleve al puente, donde todavía el día de ayer lo despertaron las toses y los escupitajos de los otros, las pisadas de los que van a trabajar, el ruido de los camiones y el aire de la madrugada. Pero, más que nada, lo despertó la sed. Esa sed que era parte de su cuerpo y se extendía más allá de su voluntad. Un trago de alcohol era suficiente para que la calma viniera de golpe; terminaba el escalofrío, la intranquilidad visceral... Todavía ayer se sentó a mirar a los vecinos. Algunos lo saludaron, otros, aunque no lo pidió, le dieron dinero. No le gustaba pedirlo; no lo creía necesario. Mucha gente lo conoció cuando era una persona.

—Nos casamos hace veinte años y lo quise mucho. Era un buen padre. Nunca nos faltaron frijoles. Era muy luchón, siempre vio la forma de ganar unos pesos de más. Le dio escuela a mis hijos; tomaba de vez en cuando, en una fiestecita, en los bautizos o en los cumpleaños de los niños, pero hasta ahí. Era de pocas palabras; a lo mejor por eso se echó a perder, quizá yo tuve la culpa. El cura dijo: "En las buenas y en las malas estarán, hasta que la muerte los separe". Pero aquello era un infierno. Mis hijos se avergonzaban de tener un padre así. Ultimamente agarró el vicio y nomás pude aguantarlo dos años.

El sol cae sobre la figura, sin proyectar sombra. Mil capas de piel se deshacen para convertirse en lodo y sudor y baba y volverse a endurecer como la mierda del pantalón. Las cicatrices del rostro y las manos atraen a las moscas. Los perros descansan a su lado. Nada parece molestarlo; sonríe con frecuencia.

—Es bonito caminar en el aire, ver gente alegre por todas partes. Aquí ni me acuerdo de mi gente ni de sus gritos, acusándome de desobligado. No saben, pero estoy juntando para un entero de lotería, tengo que buscar un número bonito y sacarme el gordo. Quiero poner un negocio que dé la pura feria. Sin necesidad de levantarme temprano... Comprar las bebidas más caras... Mi vieja ya no se enojaría conmigo; tendría lo que quisiera. Volveré a casa con el montón de pesos. Y ya no me correrán. Nomás que junte pal entero. Ya verán. Ahorita ni pa comer me hace falta el dinero. La papa es lo de menos. Aunque casi nunca tengo hambre y cuando la tengo, me la aguanto. A veces se me atora la comida, me da asco y flojera masticarla; siento que se me apelotona en la garganta. Hay días en los que no como. Las jefecitas que vienen a la plaza me dan plátanos y mandarinas, pero prefiero dárselos a los chamacos. Son chulos los escuincles, no le aunque que me haigan apedreado. Aquella tarde me sentía malito; estaba sentado en la banqueta, junto al mercado; de repente y sin decir agua va, me aventaron piedras, botellas y fruta podrida. Nomás me tapaba la cara y les gritaba que se estuvieran en paz. Pero ellos risa y risa. No me dolían los trancazos. Me gusta que los mocosos rían; nada le hace que me agarren de vacile. Es bueno vivir: para llegar a saber que las cosas son como son y no como las imaginamos. Antes, me animaba mucho la idea de ir a platicar con los cuates del puente; no sé, se me figuraba que eran dichosos, no porque echaran relajo sino porque no les importaba nada, porque nomás ahí estaban. Pero cuando me fui con ellos supe que tienen la cabeza llena de tarugadas. El que toma la palabra se cree mejor que los demás. Y sí, la verdad es que todos tratamos de presumir que somos acá y allá, broncudos y esto y lo otro; pero cuando hay guamazos nos dan en todita la madre. Siempre nos madrean los cabrones esos que sólo se la agarran de vez en cuando, los pendejos borrachos de ocasión. Luego, cuando nos vuelven a ver, se hacen güeyes: ¡pinches ojetes!

—A veces no llegaba a dormir, se perdía semanas enteras. Dios me perdone, rezaba para que ya no volviera. Pero volvía. No era posible que ése —cayéndose por la vecindad, insultando a todos— fuera mi marido: un viejo oliendo a suciedad; sin zapatos y con la bragueta abierta. Muchas veces lo bañé, le di ropa y comida. "Qué te pasa, qué tienes, háblame, qué te sucede, en qué piensas, dónde te he fallado", le decía. Nada contestaba, sólo juraba no volver a las andadas. Pero volvía. Me pedía que cumpliera con mis deberes de esposa y, yo, confiadota, creyendo que con eso lo detendría en casa, aceptaba.

¡Qué Dios me vuelva a perdonar! Al estar con él casi me vomitaba. Me sentía una puta; no me acariciaba, era brusco como animal. Por más que él hacía su lucha, yo no sentía nada. Llegó a decirme que ni para mujer servía. Y volvía a irse diciendo que iba a buscarse una fulana. Lo peor de todo es que mis hijos se daban cuenta... Una vez tardó mucho en volver, y nos fuimos del rumbo. Aquí nadie sabe que tengo esposo. No sé si vive o Dios ya lo tiene en su Santo Seno.

Me subo a la cabeza –delira cada vez más angustiado– de los que quieren aplastarme y me escondo en el cabello. Ahí vivo unos días y hasta voy al cine; eso me gusta. Cuando se bañan me escondo en la ropa para no irme por la coladera y me coma una rata o me quede pegado en un pedazo de cochinada. Me gusta treparme en mi hijo el mayor porque me lleva a la casa de su madre y la puedo ver y acostarme con ella: al anochecer subo a nuestra cama. Espero en la almohada y cuando ya duerme, llego hasta su oído y, cuidándome de no caer en él, lo beso miles de veces. Camino mucho para llegar hasta el pezón y vuelvo a sentir el sabor a leche que en ocasiones bebí. Descanso largo rato. Me duermo escuchando el latir de su corazón... Vuelve a extrañarme esa raya café que la divide desde el ombligo hasta abajo. Mi deseo crece ante la maraña de pelo entre las piernas, parecida a una selva de árboles de ramas negras y rizadas. Al entrar siento enorme alegría. La recorro aprisa. Mi inquietud la despierta. Tengo que esconderme en los rincones de su sexo para evitar que siga rascándose. Cuando supongo que su mano está lejos, continúo. El escondrijo ha puesto mi cuerpo blanquecino, pegajoso. El olor que despide me enloquece y tengo que aguantarme las ganas de morderla; rápidamente entro en ella. Gozo lo caliente, húmedo y lechoso de su vagina. Parece que el tiempo no pasa, pero al salir, ya está amaneciendo. Al rato, los niños se van a la escuela. Después los miro hacer su tarea; escriben con letra bonita cosas que no entiendo. Mi esposa los contempla, y yo a ella. Se ve tan chula que quisiera hablar, preguntarle cómo le hacen para volverse gigantes... No, mejor no. Porque van a querer saber cómo entré y son capaces de raparse, y ya no podré verlos ni andar con ellos.

Los cuates del puente vinieron a despedirse. Mientras estuvieron, no abrí los ojos, quise hacerles creer que dormía o que no estaba en mí. Aunque quisiera estar en el puente, no quise darles el gusto de... Total, aquí estoy. No sé, pero creo que me tienen envidia porque ellos se quedan... Ahorita estarían rodeándome, espantándome las moscas y bebiendo. Como si no estuviera muriéndome o como si estuviera pedo. La mujer tiene los zapatos chuecos y rotos y los pies cenizos; un rebozo gris. Se parece tanto a mi Gloria, que al acercarse creí que era ella, mi viejita santa; tiene sus mismos ojos, casi su misma cara y pensé que la vería por última vez. Me cubrió con una sábana pero no tapó mis chanclas. Ojalá las cubra, antes de que venga más gente. No puedo oír cómo se llama, muchos la saludan. Quisiera darle las gracias, pero ya Dios lo hará. A lo mejor El la envío en lugar de mi esposa. Los chiquillos se asustan al verme. Sólo un rato se están quietos, muy serios y hasta echan dinero en el bote, pero pronto se les olvida que estoy entre veladoras; da gusto verlos reír.

–Hace un año que no sé de él. Lo extraño mucho. Lo conocí un domingo; muy guapo. Estaba yo sentada con unas amigas –en una de las bancas de la alameda de Tacubaya–, se acercó y nos hizo la plática. Traía unos zapatos de charol blanco y chamarra de dril azul, bigotes bien recortados. Nos invitó al cine. Vimos una de Arturo de Córdova. Me casé de blanco. Nunca fue mujeriego. Ibamos a Chapultepec y a la matiné. Era bolero; trabajaba en el parque donde lo conocí. Después consiguió unos puestos de periódicos y nos fue bien. Desde chiquito fue muy listo; estudió hasta el quinto de primaria. Le gustaba leer. Nunca fue mal hablado, bueno, aunque casi ni hablaba. Pobrecito, trabajaba mucho.

El dolor se ha ido; no lo siento en los pulmones, ni en las piernas. Se ha ido... Como la mujer que estuvo desde la mañana... Antes de irse miró a todos lados. Se levantó con rapidez y pude verla hablando por teléfono, alcancé a oír "ambulancia..." No estaba seguro, pero ya escucho la sirena... Cada vez está más cerca... Su luz parece degollarme en cada vuelta.

Su esposa fija la mirada sobre la mesa: los pensamientos se desvanecen y ve las migajas del pan que se mueven extrañamente. Las observa de cerca y, sorprendida, mira salir de los restos un animal blanco con un punto negro en el centro del cuerpo. Sin salir de su asombro, sin ningún miramiento, aplasta el piojo. El ruido que provoca y la inquietud que siente son una misma cosa. Queda inmóvil. La hipnotiza la minúscula mancha de sangre. Escucha la respiración de sus hijos; con paso lento se acerca al apagador. A oscuras asegura la puerta.

A esa misma hora, en una accesoria apenas iluminada por un cabo de vela, una mujer enrebozada se envuelve en el perfume metálico y húmedo de las monedas; las apila con ternura, mientras murmura: "Gracias, Dios Bendito, por haberme puesto en el camino de otro borracho".

JUAN GARCIA PONCE
(1932)

Nació en la ciudad de Mérida, en la península de Yucatán. Entre sus novelas figuran *La casa en la playa, El
gato* y *Figura de paja*. Ha escrito además varios libros
de cuentos. *Imagen primera, La noche,* y algunas obras
de teatro: *El canto de los grillos, La feria distante* y
Alrededor de las anémonas.

La plaza

Todas las tardes, al salir de su oficina, C se dirigía a la plaza
a la que durante casi todos los días de su infancia había
deseado ir con un propósito determinado, lográndolo sólo en
unas cuantas ocasiones inolvidables. Allí, en la antigua nevería
bajo los portales, a un lado de los puestos de revistas y periódicos y de los cambiantes retratos de las películas del viejo cine,
sentados en las conocidas sillas de pies y respaldo de metal y
gastado asiento de madera alrededor de una de las pequeñas
mesas redondas con cubiertas de mármol, encontraba a un
grupo de amigos. El número no era siempre el mismo, pero
invariablemente había alguien. A esa hora, la permanente luz
que durante el día brillaba implacable sobre los laureles de la
India, la cúpula del quiosco en el centro de la plaza, las lavadas
piedras de la catedral y los edificios coloniales, con el discre-
pante gallo que anunciaba la farmacia en una de las esquinas,
empezaba a ceder haciéndose casi neutra antes de que el sol se
ocultara y por un instante todo permanecía inmóvil y a la
expectativa, sumergido en sí mismo, como si el momento fuera

a mantenerse indefinidamente y la tarde, negándose a entregarse a la noche, prolongara más allá de sus posibilidades el día. En el portal el rumor de las conversaciones, el peculiar sonido de algún plato en el mármol y hasta el metálico apartarse de alguna silla sobre el mosaico del piso se apagaban un poco, adquiriendo un tono más grave y, de pronto, se escuchaba el irritado canto de innumerables pájaros que se agitaban invisibles entre las oscurecidas ramas de los laureles. Después el lento llamado de las campanas de la catedral se extendía rodando sobre sí mismo por encima de la plaza en círculos cada vez más amplios y era como si el sonido lograra que el aire adquiriese substancia marcándose en su intangible espacio como el movimiento concéntrico de las ondas que produce un objeto al caer en un lago tranquilo. Mientras tomaba el sorbete de guanábana que el mesero acababa de dejar frente a él, participando distraído en la vaga conversación general, C advertía oscuramente esa imperceptible conjunción de movimientos como algo que la costumbre ha terminado por hacer parte de nosotros mismos. Enseguida, el tiempo volvía a ponerse en movimiento. Antes de que oscureciera, los amigos empezaban a retirarse y al llegar la noche otros clientes ocupaban la mesa que ellos habían abandonado con el recuerdo del repiqueteo de una última moneda arrojada sobre la cubierta de mármol, al tiempo que se echaban hacia atrás las sillas. La noche se abría a un nuevo día y por la tarde, al salir de su oficina, C volvía a dirigirse a la plaza. Así pasaban las semanas y los meses, indiferenciados en la semejanza con que las horas se repetían a sí mismas. Una boda, alguna muerte, un amigo que decidía abandonar la ciudad, un nuevo bautizo provocaban de vez en cuando una inesperada revelación del paso del tiempo, pero, encerrado en un espacio perfectamente delimitado, éste no parecía realizarse hacia adelante, sino provocando miradas hacia atrás que inevitablemente se cerraban sobre la aparición de algún antiguo recuerdo al que muy pronto se devolvía al olvido. Por la tarde, bajo los portales, los constantes cambios en el número de amigos que se reunían alrededor de la pequeña mesa con cubierta de mármol ocultaban las ausencias definitivas, pero éstas no eran menos reales por ello. Sólo el misterioso cambio en el poder de la luz, el súbito canto de los pájaros y el largo tañido de las campanas permanecía inmutable. Fue así como un día llevado por el silencioso movimiento de los días, que habían acabado por deshabitar casi permanentemente la mesa de la antigua nevería, C dejó de ir también a la plaza. El último mes, sólo él y uno, a veces dos amigos habían seguido encontrándose bajo los portales por la tarde. De pronto la plaza quedaba definitivamente atrás. Junto con ellos, la ciudad también la hizo a un lado, obedeciendo los involuntarios movimientos que determinaban su crecimiento. Aunque nominalmente no había perdido su carácter simbólico de centro, y la catedral, los arcos coloniales del palacio de gobierno y la hermosa fachada de la casa en la que se había grabado por primera vez el escudo de la ciudad conservaban su prestigio, para los niños los sorbetes de la antigua nevería ya no eran los más codiciados y entre los laureles de la India, el quiosco en cuya cúpula la luz se posaba sin reflejos al empezar a repicar las campanas mostraba sus oxidados barandales de hierro sin que a nadie se le ocurriera protestar, mientras las manchas dejadas por las golondrinas en el piso desaparecían sólo gracias al viento que las borraba una vez que el sol las había secado. Aislada en su propia realidad, la plaza se quedó sin memoria. Y para C, que le volvió la espalda junto con la ciudad, su acción no tuvo ningún eco exterior, aunque más allá de su conocimiento había creado un vacío que nadie parecía capaz de llenar porque tan sólo se mostraba en inesperados golpes de nostalgia por algo cuya naturaleza no podía expresar y que trataba de borrar rápidamente, con una especie de vergüenza ante la posibilidad de que eso se advirtiera y de temor por la capacidad de ese algo desconocido para paralizarlo de una manera extraña, alejándolo de las realidades concretas que tenía a su lado y llenaban sus afectos. Ahora, simplemente, al salir de su oficina se dirigía directamente a su casa. Allí, el manto de lo conocido lo envolvía con sus firmes pliegues, aunque a veces, por debajo de él, la sensación de vacío permaneciera agazapada, oscura y amenazante en su misteriosa irrealidad y la huella de los días que habían quedado atrás se mostrara entonces en toda su profundidad sin que nada le permitiera recuperarlos, mientras la vida o lo que antes ocultaba su vacío parecía pasar a su lado sin tocarlo, ardiente y helado, denso e indiferente, demasiado vago para reconocerlo, demasiado intenso para ignorarlo, dejándolo solo, desamparado y sin tener a quién recurrir para volver a encontrarse a sí mismo, hasta que un día, por casualidad, C se encontró otra vez en la plaza por la tarde. A su lado, la catedral descansaba pesadamente bajo el sol. La luz borraba su silueta haciéndola vibrar junto con la de los demás edificios como si de pronto todos se hubieran puesto en movimiento. Unas cuantas figuras indiferenciadas descansaban en los descuidados bancos de la plaza a la sombra de los laureles y al filtrarse entre las copas de éstos, la misma luz que vibraba implacable sobre los edificios formaba en el piso charcos de sombra que parecían comunicarse entre sí cuando el viento agitaba las ramas de los árboles. Desde la esquina en que se disponía a subir a su coche, C vio bajo los portales las pequeñas mesas de cubierta de mármol cercadas por los lineales respaldos de metal de las sillas y se dirigió a la antigua nevería. Al sentarse, su espalda reconoció el trazo del respaldo de metal grabándose en ella, como cuando era niño. El mesero lo saludó, reconociéndolo, igual que cuando algún domingo por la mañana había llegado a la nevería con su mujer y sus hijos; pero ahora C lo veía de una manera distinta. El rostro envejecido de pronto, lo llevaba hacia sus inmutables anhelos de infancia y sus nunca recordadas costumbres de estudiante, deteniéndose en un pasado vivo e inalterable en vez de mostrarle el camino del tiempo. Pidió un sorbete y se quedó mirando sin ver hacia la plaza con la sensación del que está a punto de entrar a una habitación en la que todo debe resultarle conocido aunque nunca ha estado en ella. Entonces, igual que cuando se reunía con su grupo de amigos y como durante todos los días siguientes durante su larga ausencia, la tarde empezó a ceder ante la noche y llegó ese momento en el que por un instante todas las cosas se mantenían suspendidas en sí mismas; pero ahora C seguía cada una de las imperceptibles transformaciones con el ánimo detenido en el punto más alto de una inexpresable elevación que rechazaba el movimiento de caída. Los pájaros empezaron a cantar, invisibles entre las ramas de los laureles, y luego las campanas dejaron escapar su seco y prolongado sonido sobre el canto como si no viniera de las torres de la iglesia sino de mucho más atrás, de un espacio distinto que se precipitó sobre C igual que una vasta ola, dulce, silenciosa y cada vez más grande, que se extendiera sin límites, oscura y envolvente como una noche hecha de luz en vez de sombras que lo cubriera con su callado manto. Por primera vez en mucho tiempo, como no lo había sentido en compañía de nadie ni ante ningún acontecimiento, C sintió una muda y permanente felicidad, y la plaza, a la que supo que regresaría ahora definitivamente todas las tardes, se quedó otra vez en su interior, encerrando todo en un tiempo que está más allá del tiempo y le devolvía a C durante un instante fugaz pero imperecedero toda su substancia.

JESUS GARDEA
(1939)

Nació en Ciudad Delicias, en el norteño estado de Chihuahua. Su libro *Los viernes de Lautaro*, finalista del Premio Nacional de Cuento y publicado en 1979, situó al autor entre las voces más certeras de la narrativa de los 70. Otros conjuntos de cuentos son *Septiembre y los otros días, De alba sombría* y *Las luces del mundo*. También ha publicado alrededor de diez novelas: *El sol que estás mirando, Soñar la guerra, Los músicos y el fuego...*

Los viernes de Lautaro

A Saúl Ibargoyen Islas

Lautaro Labrisa contempla al zopilote. Sin quitarle la vista, toma el miralejos. Ve primero las terrazas solares del aire. "Las terrazas —murmura— siempre serán las mismas: Puro reflejo de acá". Conforme se va acercando al pájaro, el aire azul se oscurece. De la bolsa del pantalón, Lautaro saca un pañuelo para limpiarse el sudor de la nuca. Hacia el mediodía ya no le bastará y tendrá necesidad de su tina de porcelana, con agua del pozo. Pero no todos los veranos la tina resulta suficiente. Hay estíos particularmente infernales, de cosas al rojo vivo. Por eso es bueno observar al zopilote: detecta lo tórrido mucho antes de que aparezca. Lautaro da un paso atrás y baja el miralejos. "Tanta negrura en las plumas —se queja a su gato echado en el fondo de la tina— me asusta". El gato al parecer no lo oye, feliz entre las paredes de la tina ornadas con pintados racimos de vid. "¡Talavera! —le grita—, te estoy hablando, despierta". El gato entonces abre los ojos de topacio y los fija en su

133

amo. "Te decía –continúa Lautaro– que cuando enfoco al zopilote siento un miedo grande; igual que si me abrazaran los muertos". Lautaro se guarda el pañuelo. "Por fortuna, Talavera –dice–, a ese hondón no vuelvo; he leído lo que tenía que leer. Habrá un verano benigno". El gato se pone a cuatro patas y salta, apoyándose apenas en el borde, fuera de la tina.

El pozo de Lautaro Labrisa tiene la boca a ras de tierra. Lautaro lo tapa con una lámina de asbesto, mantenida en su sitio por el pedrusco que obtuvo del chofer de un camión materialista. El hombre andaba perdido en los arenales, paseando nomás su montecito de piedras. Desde temprano Lautaro oyó el motor, pero no le hizo caso. Seguiría allí, sonando en el aire de la mañana, hasta que el camión entrara al último círculo de la espiral y topara con la casa del oasis. Como a las seis de la tarde, efectivamente, el camión se detuvo frente al pozo. Enfundado en un overol, de polvo dorado por el sol, el chofer dijo que se había quedado dormido al volante la noche anterior, sobre la carretera. Lautaro le extendió una vasija con agua. El chofer se bebió el agua de un trago. Lautaro, en silencio, se la volvió a llenar y un segundo antes de que terminara, le advirtió: "Esa es toda la que hay de filtro". "¿Qué tan retirado estoy de la carretera?", le preguntó el chofer regresándole la vasija. "No sabría decirle –le contestó Lautaro–. Yo trabajé allá, paleando grava hace muchos años. No sabría decirle ni siquiera hacia dónde está". El hombre lo miró incrédulo. Suspiró. "Bueno, ¿cuánto le debo por el agua?" Lautaro le señaló la caja del camión: "Una de esas piedras", dijo.

Lautaro Labrisa ha colocado, profundamente hincados junto al pozo, tres gruesos palos unidos por las puntas para aguantar una polea de madera. Una de sus tareas principales, cada mañana, consiste en revisar que la polea no tenga rajaduras, que su eje metálico, basto como canilla de pulsador, esté libre de arena. Hace girar la polea despacito. Le acaricia la canaladura lustrosa como si tuviera entre las manos el sexo de una mujer y piensa en el tiempo que lleva de prestarle servicio. Y también revisa, ya para ir al tejaván, el alambre que amarra la polea a los palos. En el tejaván, enroscada, tiene la soga con la que maniobra en el pozo. La probará cuando se halle corriendo por la canaladura de la polea, tensa, con el balde de agua en el extremo.

Lautaro mira de nuevo el cielo. El zopilote vuela ahora muy cerca de la línea del horizonte. Lautaro lanza un escupitajo a la sombra. "Ya se cansó el cabrón", piensa. Luego ve la hora en el reloj. Dando la una de la tarde deberá encontrarse, sin falta, tomando su baño diario.

Lautaro Labrisa suele dormirse en el agua. Sueña entonces con mujeres. Las posee mientras canta. Se embriaga de tocarlas y explorarlas, y no es raro que alguna le florezca entre las manos, arrancándole exclamaciones de alegría. Sueña que le brota esperma colorida. Un espasmo gigantesco, resonante, le avienta los huesos, la piel, la saliva, contra el cielo del mundo. La explosión lo despierta. Su sexo emerge de la superficie del agua, todavía pulsátil. Lautaro oye el tictac del reloj que ha dejado sobre una silla. Busca al gato con los ojos. Lo llama. Pero como no le responde, vuelve su mirada al sexo y lo empuña por la raíz. Brevemente lo tiene así, luego lo suelta, y se incorpora. "Talavera, ven, vamos a comer; son pasadas las cuatro". La comida de Lautaro es carne seca, maíz tostado, nueces y agua. A veces la acompaña con una tablilla de chocolate amargo. Lautaro no cena ni almuerza. Cree que los sueños de las tardes lo alimentan como si fueran un festín. Para probarse la verdad de esto, el día que no vienen mujeres al agua de la bañera, come doble ración, y aún por la noche, vuelve al saco del grano. Habitualmente Lautaro y el gato comen juntos; Lautaro sentado a la turca: encima de la cama.

A las cinco de la tarde, Lautaro Labrisa y su gato van ya de camino. Lautaro va haciendo el inventario de los objetos que quedaron en el tejaván y en la casa. Se mira emparejando la puerta, en la que puso un testigo, por si alguien entrara a robarlo. Otro tanto hizo con el pozo. Pero mientras sube y baja por las dunas y mira, su alma disuelta en profunda paz, la inmensidad que lo rodea, se mofa de sus propias medidas de seguridad, de la contabilidad de sus tristes prendas. Cinco años tiene dejando la casa sola una vez a la semana y nunca se le ha perdido nada. Quizá de lo único que debía cuidarse es de los hombres que lo aprovisionan; pero ellos vienen sólo los sábados. Los invita a pasar para que descansen tumbándose en la cama, en las sillas. Ellos se quitan los zapatos en la entrada para sacarles la arena y no se los vuelven a poner sino hasta el adiós. Son tres hombres de mediana edad. Y huelen a hierba del desierto, mil veces macerada por el sol. Transportan sus mercancías en mochilas de lona que lucen un techito protector. El nunca ha podido averiguar de dónde proceden. Ellos le dicen, escuetos: "Venimos del otro lado de las dunas, Labrisa". Le mienten. Pues del otro lado de las dunas no hay casas, hay un valle arenoso.

El gato lo precede varios metros, dando saltos como caballito. El viento de las soledades, cuando el animal llega a la cresta de la duna, le hace vibrar, como una jara, el rabo.

La faja de dunas –atrás de la casa– es angosta y se la atraviesa, a buen paso, en cuarenta minutos. La tumba de la mujer está después. En el valle donde los falaces sitúan quién sabe qué pueblo. La tumba de Ausencia Talavera, su mujer, es una especie de altarcito de huesos y cornamentas. Blanquea el aire y enreda al viento vespertino en su dura maraña. Los primeros tiempos venía él solo. Pero luego, el año pasado, con la provisión y las noticias que le inventan, los comerciantes le regalaron el gatito. "Labrisa –le dijeron, dándose masaje en los pies–, nosotros traemos al micho para el bien de usted".

Lautaro Labrisa se sienta en cuclillas frente a la tumba de su mujer. No la mira: de memoria sabe que es un árbol que él plantó para la defensa del cuerpo querido. Los huesos del árbol se habrán fundido ya a los de ella. Lautaro no se moverá en mucho rato. Se vacía para que los recuerdos, que empuja el viento, lo colmen, lo rebosen. Un sábado, los comerciantes le preguntaron por qué había pintado uvas en las paredes de la tina, y él les contestó: –Esa fue la fruta de Ausencia.

JORGE IBARGUENGOITIA
(1928 – 1980)

Nació en Guanajuato. Dos veces obtuvo el Premio Casa de las Américas. Primero con su notable novela humorística *Los relámpagos de agosto* y luego con la sátira histórica *El atentado*. Es autor también de la novela *Maten al león* y del conjunto de cuentos *La ley de Herodes*. Falleció trágicamente en un accidente aéreo que terminó también con la vida de los escritores Manuel Scorza (peruano), Marta Traba (colombiana) y Angel Rama (uruguayo).

La ley de Herodes

Sarita me sacó del fango, porque antes de conocerla el porvenir de la Humanidad me tenía sin cuidado. Ella me mostró el camino del espíritu, me hizo entender que todos los hombres somos iguales, que el único ideal digno es la lucha de clases y la victoria del proletariado; me hizo leer a Marx, a Engels y a Carlos Fuentes, ¿y todo para qué? Para destruirme después con su indiscreción.

No quiero discutir otra vez por qué acepté una beca de la Fundación Katz para ir a estudiar en los Estados Unidos. La acepté y ya. No me importa que los Estados Unidos sean un país en donde existe la explotación del hombre por el hombre, ni tampoco que la Fundación Katz sea el ardid de un capitalista (Katz) para eludir impuestos. Solicité la beca, y cuando me la concedieron la acepté; y es más, Sarita también la solicitó y también la aceptó. ¿Y qué?

Todo iba muy bien hasta que llegamos al examen médico... No me atrevería a continuar si no fuera porque quiero que se me haga justicia. Necesito justicia. La exijo. Así que adelante...

La Fundación Katz sólo da becas a personas fuertes como un caballo y el examen médico es muy riguroso.

No discutamos este punto. Ya sé que este examen médico es otra de tantas argucias de que se vale el FBI para investigar la vida privada de los mexicanos. Pero adelante. El examen lo hace el doctor Philbrick, que es un yanqui que vive en las Lomas (por supuesto), en una casa cerrada a piedra y cal y que cobra... no importa cuánto cobra, porque lo pagó la Fundación. La enfermera, que con seguridad traicionó la Causa, puesto que su acento y rasgos faciales la delatan como evadida de la Europa Libre, nos dijo a Sarita y a mí, que a tal hora tomáramos tantos más cuantos gramos de sulfato de magnesia y que nos presentáramos a las nueve de la mañana siguiente con las "muestras obtenidas" de nuestras dos funciones.

¡Ah, qué humillación! ¡Recuerdo aquella noche en mi casa, buscando entre los frascos vacíos dos adecuados para guardar aquello! ¡Y luego, la noche en vela esperando el momento oportuno! ¡Y cuando llegó, Dios mío, qué violencia! (Cuando exclamo Dios mío en la frase anterior, lo hago usando de un recurso literario muy lícito, que nada tiene que ver con mis creencias personales.)

Cuando estuvo guardada la primera muestra, volví a la cama y dormí hasta las siete, hora en que me levanté para recoger la segunda. Quiero hacer notar que la orina propia en un frasco se contempla con incredulidad; es un líquido turbio (por el sulfato de magnesia) de color amarillo, que al cerrar el frasco se deposita en pequeñas gotas en las paredes de cristal. Guardé ambos frascos en sucesivas bolsas de papel para evitar que alguna mirada penetrante adivinara su contenido.

Salí a la calle en la mañana húmeda, y caminé sin atreverme a tomar un camión, apretando contra mi corazón, como San Tarsicio Moderno, no la Sagrada Eucaristía, sino mi propia mierda. (Esta metáfora que acabo de usar es un tropo al que llegué arrastrado por mi elocuencia natural y es independiente de mi concepto del hombre moderno.)

Por la Reforma llegué hasta la fuente de Diana, en donde esperé a Sarita más de la cuenta, pues había tenido cierta dificultad en obtener una de las muestras. Llegó como yo, con el rostro desencajado y su envoltorio contra el pecho. Nos miramos fijamente, sin decirnos nada, conscientes como nunca de que nuestra dignidad humana había sido pisoteada por las exigencias arbitrarias de una organización típicamente capitalista. Por si fuera poco lo anterior, cuando llegamos a nuestro destino, la mujer que había traicionado la Causa nos condujo al laboratorio y allí desenvolvió los frascos ¡delante de los dos! y les puso etiquetas. Luego, yo entré en el despacho del doctor Philbrick y Sarita fue a la sala de espera.

Desde el primer momento comprendí que la intención del doctor Philbrick era humillarme. En primer lugar, creyó, no sé por qué, que yo era ingeniero agrónomo y por más que insistí en que me dedicaba a la sociología, siguió en su equivocación; en segundo, me hizo una serie de preguntas que salen sobrando ante un individuo como yo, robusto y saludable física y mentalmente ¿qué caso tiene preguntarme si he tenido neumonía, paratifoidea o gonorrea? Y apuntó mis respuestas, dizque minuciosamente, en unas hojas que le había mandado la Fundación a propósito. Luego vino lo peor. Se levantó con las hojas en la mano y me ordenó que lo siguiera. Yo lo obedecí. Fuimos por un pasillo oscuro en uno de cuyos lados había una serie de cubículos, y en cada uno de ellos, una mesa clínica y algunos aparatos. Entramos en un cubículo: él corrió la cortina y luego, volviéndose hacia mí, me ordenó despóticamente: "Desvístase". Yo obedecí, aunque ya mi corazón me avisaba que algo terrible iba a suceder. El me examinó el cráneo aplicándome un diapasón en los diferentes huesos; me metió un foco por las orejas y miró para adentro; me puso un reflector ante los ojos y observó cómo se contraían mis pupilas y, apuntando siempre los resultados, me oyó el corazón, me hizo saltar doscientas veces y volvió a oírlo; me hizo respirar pausadamente, luego, contener la respiración, luego, saltar otra vez doscientas veces. Apuntaba siempre. Me ordenó que me acostara en la cama y cuando obedecí, me golpeó despiadadamente el abdomen en busca de hernias, que no encontró; luego, tomó las partes más nobles de mi cuerpo y a jalones las extendió como si fueran un pergamino, para mirarlas como si quisiera leer el plano del tesoro. Apuntó otra vez. Fue a un armario y tomando algodón de un rollo empezó a envolverse con él dos dedos. Yo lo miraba con mucha desconfianza.

—Hínquese sobre la mesa —me dijo.

Esta vez no obedecí, sino que me quedé mirando aquellos dos dedos envueltos en algodón. Entonces, me explicó:

—Tengo que ver si tiene usted úlceras en el recto.

El horror paralizó mis músculos. El doctor Philbrick me enseñó las hojas de la Fundación que decían efectivamente "úlceras en el recto"; luego, sacó del armario un objeto de hule adecuado para el caso, e introdujo en él los dedos envueltos en algodón. Comprendí que había llegado el momento de tomar una decisión: o perder la beca, o aquello. Me subí a la mesa y me hinqué.

—Apoye los codos sobre la mesa.

Apoyé los codos sobre la mesa, me tapé las orejas, cerré los ojos y apreté las mandíbulas. El doctor Philbrick se cercioró de que yo no tenía úlceras en el recto. Después, tiró a la basura lo que cubriera sus dedos y salió del cubículo, diciendo: "Vístase".

Me vestí y salí tambaleándome. En el pasillo me encontré a Sarita ataviada con una especie de mandil, que al verme (supongo que yo estaba muy mal) me preguntó qué me pasaba.

—Me metieron el dedo. Dos dedos.

—¿Por dónde?

—¿Por dónde crees, tonta?

Fue una torpeza confesar semejante cosa. Fue la causa de mi desprestigio. Llegado el momento de las úlceras en el recto, Sarita amenazó al doctor Philbrick con llamar a la policía si intentaba revisarle tal parte; el doctor, con la falta de determinación propia de los burgueses, la dejó pasar como sana, y ella, haciendo a un lado las reglas más elementales del compañerismo, salió de allí y fue a contarle a todo el mundo que yo me había doblegado ante el imperialismo yanqui.

BARBARA JACOBS
(1947)

Nació en Ciudad de México. Autora de una novela, *Las hojas muertas*, que obtuvo el Premio Xavier Villaurrutia en 1987, y de varios conjuntos de cuentos: *Un justo acuerdo, Doce cuentos en contra* y *Escrito en el tiempo*. Es esposa del notable escritor guatemalteco Augusto Monterroso.

El séptimo día

Esto le ocurre de noche.

Lunes. Francisco se duerme, y en punto de las tres de la madrugada empieza a temblar, como si su cuerpo fuera un armazón electrificado y algo o alguien en ese instante oprimiera un botón o bajara una palanca que lo pusiera en marcha. Semidormido, se agita involuntariamente debajo de las sábanas durante uno o dos minutos.

Martes. A la misma hora, tiene un sueño. En él, camina por el parque de la esquina al que hasta la fecha nunca ha entrado. Es un paseo agradable, un parque bien cuidado, con árboles frondosos y verdes entre los que pasa un camino de tierra recién regada. El se ve recorrerlo casi de un extremo al otro pero no llega al final. Sin embargo le parece que al fondo algo o alguien lo espera.

No es una persona que encuentre en los sueños nada del otro mundo, y si alguna vez se ha detenido a pensar en ellos habrá sido para considerarlos a lo mucho un fenómeno más del organismo, como puede ser el de bostezar, algo en mayor o menor medida necesario pero sin importancia.

Por eso le extraña recordar el sueño, y más que recordarlo revivirlo. Le extraña y le gusta. Pero también le extraña que le guste, mientras contesta los teléfonos y atiende las quejas de los clientes, que por lo general son mujeres.

Su amigo Hernán le consiguió el empleo. Bueno, más bien es amigo de su mamá. Es más, en un principio a Francisco no le simpatizaba, le parecía "paternal", siempre atento a lo que le faltara, a lo que le molestara. Pero ahora lo considera casi su único amigo en la ciudad. En cuanto al empleo, no está mal. Se trata de una gran compañía de Gas, y él no puede ocultar su orgullo cuando, fuera de horas de trabajo, ve pasar por la avenida gris una de sus pipas: "*Nuestras pipas*", piensa, acostumbrado ya a las modalidades propias de la burocracia.

En particular, su empleo consiste en atender las quejas telefónicas. La oficina de quejas es chica, y los muebles, las cortinas, los libreros y las flores, verdaderos vejestorios, se encuentran en un estado decadente, decrépito, desastroso y deprimente. Amontonados, hay cuatro escritorios: el de Francisco y los de sus compañeros. Justo frente al suyo está el de Rosita. Los primeros días, esta Rosita, precisamente, provocaba que las mejillas de Francisco se ruborizaran. El vejestorio jefe (deprimente, desastroso, decrépito y decadente) tiene una oficina espaciosa en otro piso, igual que los muchos gerentes y sus muchas y particulares secretarias.

Con todo, Francisco asiste de buen humor, consciente de su responsabilidad. En invierno o en verano, con una bufanda a cuadros suelta sobre el pecho y el mismo par de zapatos Hush Puppies de color café claro, ahora medio sucios y medio gastados.

–Señor Ramírez: ¡hace *tres* días que no tengo gas! –le dice del otro lado de la línea alguna señora a la que sin querer imagina gorda y en bata.

–Su número de contrato por favor –pide, lápiz en mano.

–532 938-9V.

–Su dirección, su teléfono. Hoy mismo se lo suministramos –repite mecánicamente por una línea, por la otra, por la otra; hoy, ayer, antier, hoy, mañana, pasado mañana, a la misma gente. Es un empleado amable que trabajaría incluso los domingos, si le abrieran la oficina. Sus compañeros abusan un poco de él: con frecuencia quizás algo exagerada le piden, éstos, aquéllos, que tome su lugar.

–Panchito, no me tardo –le dice sonriente Rosita, y él cede, aunque se le acumule el trabajo y aunque no le guste que le digan ni Pancho ni Panchito. "Me llamo Francisco", dice en voz muy baja.

Entre una llamada y otra, a lo largo de este martes piensa en su sueño, lo revive. Y aunque a las seis en punto antes se iba a buscar a Hernán o hasta intentaba animarse a invitar a Rosita a un café, ahora tiene prisa por llegar a casa y meterse a la cama.

Acaba de cumplir veintiún años. Su mamá lo felicitó por carta, a pesar de que sabe que él no va a contestarle, y de que teme que incluso no vuelva a visitarla. "La mayoría de edad significa eso, mamá, que uno se va y no vuelve", le dijo él al despedirse. Sí piensa en ella, sin embargo, y lo que ahora se pregunta es cómo deshacer esa frase, cómo tomar el autobús y presentarse a su mamá sin que ni ella ni nadie piense, ni mucho menos diga, que él faltó a su palabra. Ultimamente ha tenido deseos de verla, de que, como cuando era niño, ella cuente ovejas –gordas y lanudas– para que él se duerma saltando con ellas la barda.

Miércoles. A las tres de la madrugada despierta y se da cuenta de que no está solo. Siente que al lado izquierdo de la cama hay algo o alguien. Pero, quizá temeroso, no hace el menor esfuerzo por cerciorarse. Sí alcanza a percibir que lo que está junto a él es una figura menuda, vestida de blanco, o en todo caso de un color claro que resalta en la penumbra.

Amanece de mal humor. En la oficina, este día deja que los aparatos de teléfono sobre su escritorio suenen y suenen. Tampoco está en la disposición de entregarse a las ensoñaciones del día anterior. Está inquieto, disgustado. Quiere recordar algo, pero no logra precisar qué.

Los teléfonos suenan más que nunca. Los otros tres empleados se desesperan sobre sus escritorios grises.

–¡Francisco: contesta! –le ordenan, con voz de fumadores, modales de fumadores; en medio del humo de los cigarros y de la ceniza de los cigarros. Ahora le molesta que no le digan Pancho.

De pronto le parece que de uno de los cajones de su escritorio sale o escapa una especie de hilo de vapor, que le huele a gas. Cierra bien todos los cajones, apoya los codos sobre el vidrio en la superficie del escritorio y no contesta los teléfonos que suenan.

Jueves. A la hora habitual de la madrugada, despierta. De pie junto a él está la figura, vestida de blanco.

Es una niña de unos seis o siete años de edad. El se fija en la expresión de su cara y no sabe si sonreír: está tan seria que él se conmueve; pero es tan joven, que si él sonríe tal vez ella se enoje. Lo único que hace la pequeña es verlo.

Por su parte, él asimismo se limita a mirarla. Y gracias a un hilito de luz que en esos momentos pasa ágil y sigiloso por la ventana, advierte que su visita es pelirroja.

Se levanta tarde, llega a la oficina tarde y sale a comer igualmente tarde. Se topa con Hernán y al saludarlo se da cuenta de que sus palabras se forman con demasiada lentitud; lo advierte, pero no puede remediarlo. Cuando Hernán le pregunta que le sucede, él tarda mucho en decirle que nada. Su bufanda a cuadros reposa contra su pecho en calma.

—Ven a verme, Pancho —le dice Hernán, a la vez que le da un par de palmaditas en la espalda. Trabajosamente, Francisco afirma con la cabeza, molesto porque percibe que su amigo estuvo a punto de llamarlo "hijo", pero incapaz de protestar.

Así transcurre este largo jueves. Francisco está fatigado y piensa que sin motivo. Al recordar que ya tiene veintiún años se avergüenza de su conducta, de la falta de control sobre sus acciones. Con pesadumbre se da la orden de no perder más tiempo.

Pero una cosa es darse la orden; otra es poder cumplirla. Y él no puede cumplirla. Algo o alguien lo está atrayendo, se lo está llevando. El quisiera desprenderse, pero no tiene muy claro de qué: si de "eso" que lo atrae, o de la oficina de quejas, que le abre sus puertas de nueve a seis, de lunes a sábado.

A pesar de él mismo, mucho antes de que den las seis, se ve forzado a regresar a su casa. Deja todos y cada uno de sus inacabables pendientes, que se reproducen espontáneamente día con día, apilados uno encima de otro sobre el escritorio, así

144

como los pendientes, también inagotables y fértiles, que sus compañeros le habrán dejado encargados a él, este día, el de ayer, el de antes. En lugar de polvo, los cubre una red de hilitos de vapor que le huelen a gas.

El jefe accede, en el centro de su espaciosa oficina, y le da permiso de irse.

—Que sea la última vez —lo amonesta, con un gesto que a los ojos de Francisco significa: "Enmiéndate o te vas a volar".

—Sí —le asegura él, y sale de espaldas, y cierra la gran puerta de la oficina del jefe con respeto y buenos propósitos.

Los cambios son así. Rebeldes, siguen su propio patrón. Los cambios desconciertan, pero el desconcierto no los detiene. El cambio, sea cual fuere, se mueve y lo lleva en su corriente.

Desde hace cuatro días Francisco está sujeto a leyes que no comprende, y alrededor de sus jóvenes ojos ha empezado a formarse una expresión que todo adulto reconocería, llámese de duda, de incredulidad, de desamparo.

Viernes. En punto de las tres de la madrugada, abre los ojos y vuelve la vista instintivamente hacia su lado izquierdo.

De pie junto a la cama, la niña vestida de blanco lo mira. A su vez, él la ve a ella y se siente contento. Pero es incapaz de hablarle. Tampoco puede estirar la mano y tocarla. Después de un par de minutos que él no sabría decidir si le parecieron infinitos, ella se va.

De nuevo, Francisco duerme más de la cuenta, pero a diferencia del día anterior, amanece lleno de vigor.

Esta vigorizada normalidad, sin embargo, empieza a interrumpirse, a resquebrajarse, a intervalos por completo irregulares a medida que avanza el tiempo. El tiempo. En estas interrupciones, Francisco permanece quieto, con el auricular o el lápiz suspenso en el aire.

Uno o varios hilitos de vapor que le huelen a gas escapan de los agujeros de la bocina, se le enredan entre los dedos, alrededor de las muñecas.

—¿Me oye? ¿Me oye? ¡Oiga! ¡Oígame! —chilla con desesperación la cliente que del otro lado de la línea quiere quejarse por la falta de gas.

Sábado. Despierta a las tres en punto y ahí está ella, de pie a su lado.

Sentado en la oficina frente a tres o cuatro o cinco aparatos de teléfono que suenan sin parar de nueve de la mañana a seis de la tarde, de lunes a sábado; rodeado por tres empleados que no por haber dejado de preocuparse por él han dejado de pasarle el trabajo que a ellos les corresponde, llega a pensar que la niña tiene algo en mente que se niega a comunicarle; percibe que también ella quiere algo de él. Y, en tanto que cientos y miles de hilitos de vapor que le huelen a gas se le enredan en el pelo, alrededor del cuello, y atan sus pies a las patas de la silla, otros invaden las ventanas de su nariz y se azotan contra sus lagrimales.

Cuando este sábado sale de la oficina y se topa con Hernán, acepta ir con él a un café. Ahí, en sillones color naranja, agitando sin ganas un jugo color amarillo, sin detenerse, le cuenta a su amigo lo que le sucede.

—¿Cuántos años tienes, hijo? —le pregunta Hernán, pero él hace un ademán de impaciencia y se cubre la cara con las manos.

Hernán lo acompaña a su departamento. Sube con él los siete pisos del edificio y lo ayuda a desvestirse.

—Te hace falta dormir —le dice paternalmente en tanto que lo cubre con una manta.

Domingo. A las tres de la madrugada una niña despierta y lo ve, de pie al lado izquierdo de su cama.

ETHEL KRAUZE
(1954)

Nació en Ciudad de México. En 1982 publicó su primer libro de cuentos, *Intermedio para mujeres*, que se mostró precursor de una literatura femenina audaz y agresiva frente a ciertos valores tradicionales de la relación familiar y de pareja. Le conocemos otros dos libros de cuentos, *Niñas* y *El lunes te amaré*. También es autora de las novelas *Donde las cosas vuelan* y *Mujeres en Nueva York*, su obra más reciente.

Hasta que la muerte nos separe

Amada y Leopoldo se casaron con azahares, coros, chambelanes y copas de champaña. Hasta hace algunas décadas aquí debería terminar la historia, según los cánones literarios. Pero la historia de Amada y Leopoldo apenas ha empezado. Sin embargo, seremos fieles a algunos de aquellos cánones y haremos una breve introducción, es decir, "crearemos el contexto", como se dice hoy día:

Amada fue al concierto de Avándaro, allá en los albores de los setentas. Se embarazó entre crujidos de rock a mil decibeles y una estela de mariguana rancia. Abortó felizmente. Después de eso se liberó de la tutela de los padres. Se dejó crecer los alborotados cabellos y se puso un blusón de manta que no se quitó ni para hacer el amor. Lo hacía apasionadamente, donde cayera la noche.

Se aburrió de pronto, y se le ocurrió recorrer el sureste vendiendo pulseras de piedritas que ella misma hacía. Vivió de lleno entre los chamulas y se embelesó con esa cultura de copal, cánticos y santos enrebozados, mucho más auténtica que la innoble civilización de la ciudad cocacola.

Durante una época se lió con un escultor juchiteco por el que sintió el gran amor de su vida y aprendió con él a esculpir las piedritas de sus pulseras, hasta que el escultor se hartó y la echó. Vino otro amor de la vida, bronco y tropical, que corrió con suerte semejante. Amada se emborrachaba con ron y lloraba cantando hasta la madrugada. Despertaba profundamente feliz de estar viviendo intensamente y sin ataduras. Un día se encontró a Leopoldo.

Leopoldo estuvo desde la adolescencia en sicoanálisis. A ratos creía que era homosexual, a ratos que era un genio; intentó suicidarse por lo menos una vez al año. Cuando el 68, estuvo preso por cargar pancartas injuriosas que él no había siquiera escrito. Salió a encerrarse de inmediato en el estudio de la semántica otomí. Se graduó con honores. Iba solo al cine y regresaba a su cueva: un cuarto lleno de libros y tazas de café apiladas sin lavar. Un día conoció a Amada en una conferencia sobre las etnias: "¿Civilización o barbarie?".

Se enamoraron como deben enamorarse los amantes en la literatura: perdidamente. Ella habló de los chamulas y él de los otomíes. Y eso bastó para que en la noche Leopoldo se instalara en el departamento de ella. Ella ya había puesto una boutique de pulseras de piedritas y no le iba del todo mal. El daba clases en una universidad privada.

Amada lloró contándole su vida. Leopoldo bebía lentamente en la penumbra de la recámara. No eran celos. Era una profunda envidia. Mientras él quería matarse, ella vivía de lleno al sol, sus treinta y nueve años tirados a la basura en el roñoso ostracismo y una que otra cucaracha que aparecía entre los libros de etimologías. Nunca una relación de pareja de veras cuajada, sólo tumbos acá y allá. La tumbó en la cama. La poseyó febrilmente.

—¡Dime que me amas, Leopoldo, dímelo!

Leopoldo alzó la cara, sorprendido.

—Por favor, dime que me amas —repitió Amada en un hilo de voz casi infantil que resaltó en su rostro a punto ya de madurar.

¿Por qué no?, se preguntó Leopoldo. Sí, la amo, desde este momento. Pero no podía decirle. No pudo.

Amada se dejó hacer, sollozante. El no entendía qué pasaba, pero su cuerpo trabajó afanosamente. Cuando terminaron, dijo Amada:

—Yo soy virgen, ¿sabes? Puedo serlo porque nunca he sido de veras tocada.

Y él lloró apaciblemente. Le contó lo de su sicoanálisis. Ella le acarició los cabellos.

—Eres hermoso —le dijo.

Volvieron a hacer el amor. Esta vez al desnudo. Con soles y suicidios, con hambre y rock, con ardor de almas desamparadas y gemelas.

¡Se habían encontrado! No podían creerlo. Y una semana después decidieron casarse. ¿Para qué esperar? Sólo faltaba firmar un papel. ¿Qué es un papel? Sería divertido y hasta novedoso.

—Una ceremonia íntima —dijo Leopoldo, no sin susto.

—¿Qué tal si nos casamos también por la Iglesia? —sondeó sonriente Amada.

—¿Tú crees en eso? —preguntó Leopoldo, ya con cierto terror.

—Eso qué importa. ¡Sería divertidísimo!, ¿te imaginas? Si ya nos decidimos, ¿por qué no lanzarnos con toda la parafernalia? ¡Como en las películas viejas! ¡De frac y con chambelanes! ¡Y hasta con hielo seco y pétalos de rosa!

Leopoldo se estremeció. Frac, hielo seco... Le dio una punzada en el estómago. Pero rápidamente recordó sus exasperadas idas al cine, solo como poste, y las cucarachas que lo acompañaban mientras estudiaba el origen de la gramática otomí y su relación con el náhuatl. ¡No!, se dijo. Y le dijo a Amada que sí, como ella quisiera, hasta con pétalos de rosa y querubines.

Desde ese momento Amada se encargó de los preparativos con inusitado frenesí.

—¡Te dije que revisaras el texto de las invitaciones! ¡Te lo dije! Mira nada más le pusieron morado en vez de lila al moño del sobre.

—¿Morado?, ¿lila?, ¿sobre...? —murmuraba Leopoldo.

—¡Y no has ido al florista! Te lo he pedido quinientas veces, pero tú parece que no sales de tus libros sobre indios babosos.

¡Cómo van a estar las mesas sin sus arreglos de flores! ¿Qué clase de boda crees que voy a tener?

—Ah, es tu boda. Pues felicidades. Pero no voy a poder asistir —dijo por fin Leopoldo.

Ella se quedó petrificada unos segundos.

—¡No me digas eso! —gimió, cayó en sus brazos, temblorosa.

Los preparativos siguieron sin demasiados contratiempos. Amada hacía berrinches con el modelo del vestido que no acababa de levantarle el busto como ella quería. Y Leopoldo se hundía en sus libros de semántica, y cada vez que podía zafarse, corría a refugiarse en su penumbrosa cueva diciéndose que el matrimonio era efectivamente la mejor elección de su vida. Los padres de ella se mostraron recelosos ante la súbita boda de su única hija; hacía ya mucho habían desechado esa posibilidad y les costaba un verdadero esfuerzo aceptar a estas alturas las dichas largamente esperadas: yerno y nietecitos. Los padres de él, divorciados décadas atrás, ni siquiera se aparecían en el panorama del feliz acontecimiento. Y Amada sufría por ese desdén, pero lejos de deprimirse, la retaba, y con renovado brío iba y venía arreglando esponsales, actas, coros, sermones, despedidas de soltera, canapés, listas de invitados, presupuestos para las bebidas.

Por las noches llegaba exhausta a la casa, y se desahogaba con Leopoldo; le enumeraba con pormenores cada uno de los desasosiegos de la jornada: el diseño del ramo no sirvió porque es demasiado grande y la achaparra, le roba cintura; siempre sí hay que poner toldo para la fiesta porque los horóscopos dicen que va a llover; los laboratorios de los prenupciales son unos ladrones; ya está decidido que los chambelanes vayan vestidos de gris oxford y rayitas de las que son casi invisibles... Mientras la oía, Leopoldo hacía nerviosamente cuentas en su cabeza: el dinero que ganaba no alcanzaría ni para los entremeses del banquete. Y repasaba casi con angustia todas sus alternativas para obtener algún extra de inmediato. Pero decía que sí a todo, para tranquilizar a Amada, para tener un momento de silencio amoroso con ella, acariciarse tumbados en medio de la sala como las primeras veces, viviendo el momento sin tantísimas complicaciones, saboreándolo, nada más. Pero ella estaba muy cansada y le dolía la cabeza. No tenía humor ni entusiasmo. Quería su piyama de franela y echarse a dormir. Mañana tendría un día pesadísimo: la quinta prueba del vestido.

Un día, ya próximo a la boda. Amada despertó de excelente humor. Leopoldo dejó a un lado su cuarto volumen de lingüística y le ayudó comedidamente a preparar el desayuno.

—¿Qué te gustaría más: niño o niña? —dijo Amada echando los huevos en la sartén.

Leopoldo derramó el jugo de naranja en el saco que ella acababa de mandarle a hacer; era la primera vez en su vida que se ponía un saco.

—No, no estoy embarazada... todavía. Pero ya lo tengo totalmente planeado. A cierta edad, pues más vale de una vez.

—Pero... —balbuceó Leopoldo—. No lo hemos hablado, digo, hay que pensar, o sea que yo no sé si estoy preparado todavía. Mi analista decía...

—Ya sé qué decía: que tú sigues siendo un niño. Pero con uno de verdad vas a crecer, ya verás. No puedo pasarme la vida sentada pensando y hablando. Se me va mi tren.

Leopoldo se levantó velozmente mirando el reloj.

—¡Mi clase! Ya llegué tarde... —le dio a Amada un relámpago beso en la frente y salió corriendo.

La víspera de la boda los dos soñaron, cada uno en su respectiva orilla de la cama; porque para entonces Amada ya se había posesionado del lugar derecho donde está la lámpara, la televisión y el teléfono, y a Leopoldo le había tocado el extremo opuesto con su mesita de libros y el reloj despertador.

Ella llegaba al templo con el vestido roto y el velo deshilachado. Mil pares de ojos se reían carcajeantes. El sacerdote hablaba sin emitir sonido alguno. Parecía mono de cilindro haciendo una mímica grotesca. De pronto advirtió que había entrado sola: el novio no estaba por ninguna parte. Despavorida y roja de vergüenza se echó a correr hacia el altar que era un abismo sin fin y ahí despertó.

El manejaba por una carretera solitaria y hermosísima hasta que después de una curva encontró un letrero de desviación, pero no entendía qué decía el letrero y mientras trataba de descifrarlo el coche desapareció y él tuvo que seguir andando por escarpadas cuestas, ahogándose en la tiniebla que descendía irremediable.

Despertaron sudorosos, cada uno en su orilla. No podían mirarse de frente. Pero el día era tibio y azul, y no sucedió nada de eso.

Los padres desfilaron abriendo la procesión. Leopoldo iba de frac, tensas las quijadas, impecables los brillantes zapatos que nunca supo quién había pagado, prestado o alquilado. Amada lució un diseño original, confeccionado en raso puro color champaña y encajería en cuello y puños, y un vaporoso velo alrededor de una discreta corona de azahares que le enmarcaba la frente. Entró radiante como una virgen sahumada, aunque algo entrada en años. Sonreía eléctricamente comprobando la asistencia de cada uno de los invitados y contando simultáneamente los arreglos florales. No faltaron las lágrimas, los abrazos, el brindis. El hielo seco fue el pórtico del primer vals. Y una fragante lluvia de pétalos amenizó la pista de baile durante el banquete. Los canapés estuvieron regios. Pero Leopoldo no pudo ni probarlos siguiendo a Amada de mesa en mesa para las fotografías oficiales. Los invitados bebían eufóricos lanzando vivas a los novios. Todo salió tal como se había planeado.

La fiesta ha terminado. Son las cuatro de la mañana. Leopoldo tiene agruras y un pie torcido. A Amada se le ha corrido el rímel hasta las sienes y lleva los tacones en la mano, bosteza aparatosamente. Solos por fin, están a punto de entrar en el cuarto del hotel donde pasarán su noche de bodas. Se detienen un momento. Se miran uno al otro, con asombro. Y aquí empieza la verdadera y consabida historia.

HERNAN LARA ZAVALA
(1946)

Nació en Ciudad de México. Estudió letras inglesas en la Universidad Autónoma, donde en la actualidad desempeña el cargo de Director de la División de Literatura. Su primer libro de cuentos, *Zitilchén*, le ganó la simpatía y admiración de buena parte del medio literario y lo colocó en un lugar privilegiado de su generación. Autor de una novela, *Charras*, de varios ensayos literarios, entre los que destacamos *Las novelas en el Quijote*, es en el cuento donde su pluma ha puesto mayor insistencia. Sus libros además del ya citado: *Flor de nochebuena y otros cuentos, El mismo cielo* y *Tuch y Odilón*.

A la caza de iguanas

A E. Y.

Por aquel entonces salíamos muy temprano en la mañana para cazar en el monte. Yo había venido de la ciudad a Zitilchén de vacaciones, visitaba a mis abuelos y ya me había hecho de algunos amigos. Desde arriba, desde la loma que por el sur se alza junto al pueblo, allí donde la vegetación ya es muy tupida, bajaba caminando Chidra el maya en busca de Crispín. Al llegar lanzaba un solo y largo chillido para que Crispín saliera, chiquito, avispado, nervioso. Juntos iban por mí y en el camino se ocupaban de buscar las piedras que más tarde servirían para la caza. Eran piedras escogidas, casi redondas, piedras que retumbando en los bolsillos marcaban el ritmo de nuestro caminar. Al llegar a casa, el silbido de Chidra serpenteaba de nuevo por el pueblo y mi abuelo –invariablemente– salía hacia el portal de nuestra pequeña granja para invitarlos a pasar. Chidra venía desde muy lejos, posiblemente sin desayunar. Su partida debía iniciarse desde antes de despuntar el sol. No así Crispín, que vivía sólo a unas cuantas casas de distancia y que llegaba bien comido. Ambos, sin embargo, aceptaban el chocolate con agua y los bizcochos que la abuela les ofrecía. Mientras comíamos, mi abuelo, largo y desgarbado, con ese aire de seriedad que lo caracterizaba, aprovechaba para bromear con nosotros; con Crispín en particular; el viejo tuvo siempre un especial afecto por él. Lo llamaba "don Crispín" y a cada momento le proponía seguir alguna de las muchas profesiones que el carácter y el tamaño de mi amigo le inspiraban. Así le dijo alguna vez: "Don Crispín, ¿por qué no te dedicas a militar? Tu estatura es un punto a tu favor". Y él contestaba con una carcajada que le hacía mostrar el pan entre los dientes. Mientras tanto, Chidra, marginado, parecía no darse cuenta sino de los bizcochos y el chocolate que engullía sin ningún recato. Eran pocas las ocasiones en que mi abuelo se dirigía a él. Me acuerdo, sin embargo, de uno de sus comentarios. Hablaba del padre García diciendo que desvariaba en sus sermones del domingo y comentaba con Crispín: "No, tú servirás para muchos oficios, pero no para el de cura. Estás demasiado cerca de este mundo. Para ello habría que pensar en alguien como Chidra..." No recuerdo qué respondió Chidra; seguramente ni siquiera lo tomó en cuenta.

Cuando salíamos, siempre un poco retardados, mi abuelo nos iba a despedir hasta la puerta. Allá íbamos: Chidra con los pantalones cortos, recortados de los que su hermano mayor dejaba de usar y Crispín, el más pequeño, con sus acostumbrados pantalones largos, provocando todo tipo de bromas a sus costillas.

Hablábamos de cazar iguanas como pudimos haber hablado de cualquier otra cosa, porque lo mismo buscábamos horquillas en los árboles que pudieran servir para hacer nuevas resorteras –tirahúles les decíamos– que robábamos pedazos de panal de las cajas de miel abandonadas en medio del campo. Muchas veces, en el camino, mientras nos alejábamos del pueblo, saltábamos la verja de alguna quinta para robar naranjas o bien para nadar en algún tanque. Entonces llegaba a casa con mis calzones en la mano a la hora de la cena. La abuela me interrogaba:

–¿Otra vez nadaron en la quinta de Tomás? El día que los pille ya verán lo que les va a hacer. Ese día no quiero saber de ustedes. Muchas veces cazábamos, pero hay que reconocer que la iguana era una pieza difícil. El colorido de la naturaleza las cobijaba como felices cómplices. Raramente cobrábamos alguna. Cuando lo hacíamos regresábamos al pueblo, jubilosos, a vendérsela a un famoso comedor de iguanas conocido como *Jana-Jú*. Más fácil era cazar tórtolas, lagartijas y en alguna ocasión hasta un armadillo que Chidra logró atrapar por la cola. Mientras avanzábamos haciendo disparos aquí y allá, guiados tan sólo por el movimiento de las matas, Chidra, que delante de los mayores parecía no proferir palabra, no cesaba de narrar las aventuras que, según él, le habían ocurrido en su acostumbrado camino de regreso a casa. Estos relatos normalmente provocaban la burla y la desconfianza de Crispín. Nos hablaba, por ejemplo, de que una tarde, regresando del pueblo, había visto una manada de elefantes:

–Grité por todo el monte pidiendo auxilio –dijo– sin que nadie me ayudara.

–Fue el día que tomaste café por primera vez en tu vida. Bebiste más de tres tazas de un jalón. Te pusiste medio loco –dijo Crispín, irritado.

Pero a Chidra nadie lo apartaba de su idea. También solía contar que algunas noches, cuando regresaba solo del cine hacia su casa en el monte, poco antes de las doce, escuchaba que alguien lo llamaba con insistencia: "psst... psst..." Pero él no volteaba, no volteaba porque estaba seguro de que la que hacía esos ruidos era la Xtabay. Nos explicó que quien la veía no resistía su llamado porque, a excepción de sus pies, era de una belleza arrebatadora. Que se ocultaba tras el tronco de una ceiba y que los hombres que respondían a sus provocaciones amanecían enredados entre matas de espinos.

Nosotros conocíamos la leyenda, pero cuando Chidra hablaba de ella lo hacía en un tono, y con tan firme creencia, que todos los chicos del pueblo, salvo Crispín, guardábamos silencio para escucharlo. Así era Chidra: a veces platicaba que adentrándose en el monte había un hoyo que daba hasta el centro del infierno. Otras, nos contaba acerca de un indio errante, conocido con el nombre de Zintzinito, que se aparecía en los lugares más extraordinarios.

Fue una de esas mañanas cuando Chidra nos contó que el día anterior, mientras buscaba a su padre, chiclero de oficio, había visto a una mujer desnuda bañándose en una aguada. Crispín, con tono mitad burlón, mitad serio, le dijo:

—Dirás que fue la Xtabay.

—Pues no sé —respondió Chidra— porque dicen que la Xtabay tiene patas de gallo y la mujer que yo vi tenía los pies más blancos y bonitos que he visto en toda mi vida. Tenía el pelo largo y rubio.

—Miente otra vez —dijo Crispín.

—Te juro por Dios que no —alegó Chidra besando la señal de la cruz.

—¿Cuándo dices que fue eso? —pregunté.

—Ayer, a mediodía.

—A esa hora no sale la Xtabay.

—Ahora le quitamos lo hablador —me interrumpió Crispín—: a ver, vamos, vamos a verla.

—Si quieres vamos, pero les advierto que está muy lejos.

—Ya está, ya se rajó —dijo Crispín.

—Vamos —dispuso serio Chidra—, si quieren vamos.

Lo cierto es que Chidra conocía bien los alrededores del pueblo, no sólo por el hecho de vivir en las afueras sino por el oficio de su padre, a quien le llevaba comida y otros menesteres de vez en cuando. Por eso, al adentrarnos en el monte, él se convertía en el guía obligado.

Salimos del pueblo. Atravesamos como siempre la región de las quintas, la de las cajas de miel, y nos internamos plenamente en el monte. Caminábamos entre las brechas, abriéndonos paso entre los arbustos y matorrales. Andábamos con cuidado. Chidra, atento para reconocer el terreno, movía la cabeza como animal salvaje, repitiendo a cada rato: "por aquí, es por aquí".

Había algo extraño en todo esto. Por esa región los días son regularmente claros, muy azules y calurosos. Aquel día estaba nublado. Nos hallábamos en la sección más abrupta y verde cuando nos encontramos ante unas ruinas. Crispín y yo nos quedamos asombrados. Se trataba de un pequeño pueblo maya abandonado pero tan bien conservado que parecía como si aún tuviera moradores. Nos quedamos mudos, observando, embelesados.

—Por aquí, ya estamos cerca —dijo Chidra.

Crispín me miró. Adiviné que le pasaba lo mismo que a mí: teníamos miedo y, sin embargo, estábamos fascinados.

Chidra salió de nuevo por delante, quitando a manotazo la maleza que se interponía en nuestro camino. Entonces nadie se acordó de las iguanas, nadie se ocupó de los tirahúles. Sólo deseábamos descubrir si lo que Chidra contaba era verdad. Finalmente, nos hallamos bordeando una extensa aguada. Su color verde acerado y su agua mansa nos tranquilizaron. No había nadie alrededor. Encontramos un pequeño claro y nos escudamos tras los manglares. Discutimos qué hacer. No sólo no había nadie; tal vez nunca lo había habido salvo en la imaginación de Chidra. Crispín quería regresar y no dejaba de repetir que Chidra era un mentiroso. Un despreciable mentiroso. Tuvieron un largo altercado. Estaban a punto de liarse a trompadas cuando me pareció ver a alguien del otro lado de la aguada.

Rápidamente guardamos silencio y, curiosos, observamos: a unos cuantos metros de donde estábamos apareció, por donde había dicho Chidra, un hombre de barba entrecana y rubia. Usaba lentes, fumaba pipa; vestía al estilo explorador. Llevaba una sartén en la mano. Se acercó a la orilla, puso un poco de tierra en la sartén y se inclinó a enjuagarla. Ya se retiraba cuando apareció una mujer, vestida de modo semejante al hombre, con algunos utensilios. Desde donde estábamos los veíamos perfectamente, aunque no alcanzábamos a oír lo que decían.

—¡Esa es, ahí está! —dijo Chidra en voz baja.

Y en efecto, tal como lo había descrito, aquella era una mujer alta, blanca y rubia. La vimos fugazmente, ya que tan pronto terminaron de lavar abandonaron la aguada. Aún tras los manglares, esperando, Crispín exclamó:

—Cóño, qué comezón, ¿qué tengo aquí? —al tiempo que se ponía de pie alzándose la camisa para mostrarnos la espalda.

—Garrapatas —respondió Chidra.

—¡Ah su madre! —dijo Crispín mientras se desabrochaba la camisa.

—Todos debemos estar igual —dijo Chidra mirándose los tobillos, rascándose. Se levantó y, como Crispín, se quitó la camisa.

Yo los imité sin pensarlo mucho. Nos desvestimos para sacudir nuestras ropas que, como nuestros cuerpos, se hallaban llenas de garrapatas. Chidra tenía alimañas hasta en los sobacos, enmarañadas en su vello incipiente. Estábamos cundidos: en la espalda, en las piernas, en el cuello. Desnudos, Chidra nos sorprendió al volver a hablar de la mujer que acabábamos de ver, sabiendo que nos había demostrado la veracidad de cuanto contaba. De nueva cuenta nos relató cómo el día anterior, mientras vagaba por los manglares, había visto a una mujer, alta, blanca, rubia, bañándose en la aguada. Chidra la describió meticulosamente: la había visto íntegra, bella, desnuda, casi divina. Embebidos en las palabras de Chidra noté, primero con pudor, y luego con alivio, que los tres experimentábamos la misma sensación.

Con el cuerpo lleno de garrapatas, muy cansados, regresamos al pueblo ya entrada la noche. Llegamos a la granja de mi abuelo. Me despedí de Crispín y de Chidra. Sentía los ojos pesados. Mis amigos continuaron su camino calle arriba. Pensé en la mujer rubia. Sentí las garrapatas en mi cuerpo. Espinos. Consideré a Chidra. Yo estaba rendido y a él todavía le esperaba un largo trecho.

Una vez en casa fui con la abuela:

—Estoy lleno de garrapatas —le dije—. Ayúdame a quitármelas.

Rió de buena gana al verme tan angustiado.

—Son garrapatas —dijo bromeando—, no viudas negras. Anda, desvístete y acuéstate en la cama. Voy a calentar un poco de cera para quitarte esos bichos —agregó dirigiéndose a la cocina.

Boca abajo, con los brazos extendidos sintiendo la cera caliente con la que mi abuela presionaba mi cuerpo, la oí preguntar:

—Mira nada más cuántas garrapatas, ¿pues dónde demonios te andas metiendo?

—Es que hoy conocimos a la Xtabay —confesé yo satisfecho.

HECTOR MANJARREZ
(1945)

Nació en Ciudad de México. Su inquietud literaria lo ha llevado a incursionar en diversos géneros. Como ensayista, es autor de *El camino de los sentimientos*. Dos libros de poesía enriquecen su currículum: *El golpe avisa* y *Canciones para los que se han separado*. Su obra narrativa consta de dos novelas, *Lapsus* y *Pasaban en silencio nuestros dioses*, más dos libros de cuentos, *Acto propiciatorio* y *No todos los hombres son románticos*, que obtuvo el premio Xavier Villaurrutia en 1983.

Noche

Para Paloma Villegas

Supón que yo fuera el médico y viniera un paciente, me mostrara su mano y dijera: "Esta cosa que parece una mano no es sólo una imitación magnífica, es realmente una mano" y prosiguiera hablando acerca de su herida; ¿consideraría yo, realmente, esto, como un fragmento de información, aun cuando superflua?

WITTGENSTEIN: *Sobre la certidumbre*, 461.

A mediados de los setentas, en Mixcoac, en una callecita oscura –a causa de tres enormes árboles vetustos que acentuaban la extraña penumbra que también afecta a Tacubaya y San Pedro de los Pinos–, en una casa vieja y grande, vivían Renata y Darío y su hija e hijo. Se habían querido mucho; seguían queriéndose mucho, aunque las diferencias de carácter eran cada vez más enconadas y desesperantes.

Darío y Renata se habían separado dos veces y ahora vivían juntos de nuevo, con más personas. De planta, Moira y Luz, que intentaban formar una pareja homosexual más ideológica que emotiva. Luz, por lo demás, proseguía sus confusas relaciones con dos hombres. Moira, que soportaba mal la soledad, se encamaba con aquellos, sobre todo hombres, que salían sobrando en el riguroso ajedrez de parejas y triángulos. La casa además tenía una población flotante que consistía en exiliados sudamericanos y en habitantes del sur del DF que no creían mucho ni en la droga ni en la política, pero sí en algún cambio profundo que les resultaba muy difícil definir. Las mujeres, en su mayoría, eran feministas; los hombres, más bien dulces y complicados, llevaban el cabello muy corto o muy largo.

En la noche, generalmente, pasaban cosas. Nunca estaban previstas, aunque a veces las propiciaban los habitantes de esa casa llena de recovecos –sobre todo Moira y Darío–; a ese hogar de un solo hombre fijo llegaban muchas mujeres a complotar, grillar y soñar, y venían hombres en pos de ellas. Una vez llegó una veracruzana de cuerpo bellísimo. Otra cosa no tenía aún; era provinciana y muy joven. Moira y Darío compitieron por sus favores, haciendo gala de todo su ingenio y encanto. Hora con hora, la muchacha se sentía más subyugada por la locura, aparentemente calculada, de los dos personajes. Darío la condujo a las escaleras. En el descanso, la muchacha le metió la lengua en la oreja y se trenzaron en un abrazo que empezó tentativo y acabó violento. Moira venía bajando. Darío la tomó de la mano y la unió a ellos; los tres, abrazados, llegaron al lecho. Allí estaba Luz durmiendo la siesta, pero al sentirlos llegar los dejó solos. Ese instante propició que la muchacha reaccionara contra Moira, quien se retiró a su vez. Darío la hizo venirse tres veces, con la boca y las manos, porque ella no se dejó penetrar. Luego Moira la consoló, le dijo que todos los hombres eran horribles, pero tampoco tuvo mucha más suerte. Ambos esperaban que volviera algún día.

Ningún amor era pleno en esos momentos; ningún amor podía serlo. Todas las raíces andaban al aire. La intensa unión entre todos –a veces también profunda– resultaba del encuentro entre seres descarnados que necesitaban poner todo en duda. Las emociones eran enloquecedoras, para bien y para mal. Muchas mujeres andaban con el pelo al ras. Muchos hombres aprendían por fin a hablarse y tocarse los unos a los otros, aunque fuera a veces por el intermedio de una mujer que amaran dos; difícilmente, pero con avidez, iban aprendiendo a romper con las enajenadas reglas masculinas. La nueva complicidad entre varones se fundaba en una crítica feroz, que luego aprendieron a hacer más humana, del envaramiento de su sexo. Los niños eran lo único que unía a unos y otras, tanto en los sentimientos como en las ideas, cuando sus radicalismos e intereses los hacían enfrentarse. Los niños, siete u ocho, cuyos padres no siempre podían con la vida, cuyas familias se venían abajo, cuyos deseos de afecto y ejemplo sólo podía satisfacer pasajeramente esa comunidad fluctuante de individuos que ensayaban ideas, cumplían deseos y buscaban ser felices.

Moira y Darío eran los que tramaban los hilos del deseo, no necesariamente de manera consciente. Tal vez sólo ellos dos podían compartir cosas esenciales: el deslumbrante objeto del deseo —como la veracruzana—, la bienintencionada intriga, la risa, la angustia, la ironía, la ternura, la disposición de durar hasta el fin de la noche y de la representación. Habían sabido desde el principio que entre ellos dos no se planteaba ninguna de las confusiones que los atareaban con los demás.

Una noche se encontraba en casa cierto número de gente desconocida, además de varios de los familiares. Los que fumaban, bebían, bailaban, platicaban, reían, daban de gritos y se disfrazaban no eran todo el tiempo los mismos. Unos se iban, otros llegaban. La veracruzana llegó, sola, hacia medianoche cuando los otros ya habían olvidado el trasfondo de angustia sobre el cual habían construido, risa sobre risa, baile sobre baile, la alegría. Ni Moira ni Darío le hicieron gran caso a la muchacha, cuya belleza y juventud sedujeron de inmediato a los demás. La noche se volvía cada vez más fantasmagórica y más real.

Moira y Darío alimentaban el espectáculo: los disfraces, los juegos, la música, el make-believe. Los niños dormían hacía mucho rato, y Renata también. Luz a su vez acabó por irse. Moira y Darío eran los anfitriones, los representantes de esa casa de cuartos amplísimos y decimonónicos recovecos. Los deseos se hacían cada vez más fuertes. Los miedos se olvidaban. Cómo, dónde, cuándo, con quién. Todos juntos, juntos en las risas y los bailes, buscando cada quien lo suyo. "And in the end, the love you take is equal to the love you make", como Moira decía. Esas mujeres hambrientas, insatisfechas, intolerantes, deseosas, radicales, montoneras, que se tocaban, se besaban, se ayudaban y se cuidaban entre sí. Esos hombres que recordaban la infancia que les había hecho desconfiar de su sexo, y que ahora, porque eran o se querían románticos, les hacía seguir a las hembras en el deseo de cambio, aun si tenían que destrozarse un tanto. Los hombres que vivían con esas mujeres sufrían mucho; los hombres que andaban con ellas sufrían menos y disfrutaban más. A veces eran los mismos hombres.

Lidia, vieja amiga, con cara de pubertad y ojos muy brillantes negros, le hacía segunda a Moira y Darío. Les ayudaba en la representación. Cada vez pasaba más tiempo en esa casa, con sus hijos y sin su compañero, que era un creyente en que las transformaciones necesitaban del fortalecimiento de los partidos de izquierda, en particular el suyo. Moira parecía un hombre, con su pelo cortísimo y sus pantalones y chaleco. Lidia a veces parecía un muchachito de gran melena. Darío, por su parte, se había disfrazado de mujer de plenos y bellos senos y una larga y hermosa peluca rubia. Los tres jalaban los hilos que le daban forma al caos del espectáculo. Del baúl de Renata, donde guardaba sus ropas de otros tiempos, habían sacado los disfraces. La veracruzana, sin disfrazarse, no perdía detalle. Se sonreía a veces, bebiendo mucho del barato ron Matusalén que a las tres de la mañana era todo lo que quedaba.

En un momento imprecisable, los diez o doce cuerpos se conglomeraron en la alfombra, entre los cojines. Por un largo rato, entre los letrados frenesíes del rock, se demoraron los besos, se prolongaron las chupadas, se repercutieron los fajes, se adensaron las caricias, se encontraron los huesos y los músculos, los clítoris y glandes se hincharon de sangre, los rostros se estrujaron, se hicieron hondas las risas. Juntos, como aves jóvenes, se movían por el suelo, con la felicidad de un clan recién formado por un juramento de amor físico. Nadie poseía a nadie; todos se entregaban a todos. Era una delicia. Moira, que no deseaba desear a nadie en particular, iba y venía por el enjambre, impidiendo en lo posible que se formaran parejas. Seguía oficiando, la que más participación tenía de ambos sexos. La luz, entonces, se fue. Todos oyeron cómo se levantaban los vientos de marzo. Los viejos árboles crujían espantosamente. Una ventana se azotaba desesperadamente. Una maceta cayó a la calle. Oyeron gritos de susto y alborozo de gente que trataba de llegar a su coche. Todos se juntaron más. Moira tarareó las últimas notas que había exhalado el tocadiscos. Algunos estaban abandonados al placer. Algunos iban tras de él determinadamente. Unos jadeaban, unos gruñían, unos suspiraban.

Darío llevaba largo rato de besar una sola boca en aquella dulce y perfecta confusión de cuerpos. Quiso, ahora, estar a solas con esa boca tan loca, tan móvil y tan húmeda. Buscando su oído, le susurró que fueran al cuarto de Luz y Moira, el aledaño, donde sabía que no se hallaba Luz. Tardaron en extricarse. Para no perderse, mantenían las caras juntas en la oscuridad casi total; si tenía que separarse, Darío ya sabía reconocer el aliento. El otro cuerpo le metió la lengua en la oreja y lo abrazó fuertemente. Darío se sintió emocionado.

No dijeron palabra. Se desvistieron embarulladamente, no del todo, e hicieron el amor un buen rato, largo o corto, conmovidos y abandonados, sin hablarse y sin imaginarse que durante meses habían de tener una relación apasionada y dura.

–Te voy a comer, te voy a comer –dijo la voz, que Darío ahora reconoció.

–Y yo a ti... –pero Darío no pudo decir su nombre.

Moira abrió la puerta del cuarto:

–¡Lidia! Rodrigo está aquí. ¿Qué hacemos?

Se oía la voz de Rodrigo:

–¡Lidia! ¡Lidia! ¡Abran, carajo!

–Córrele a vestirte arriba. Yo lo detengo un momento. Tú, Darío, métete en el clóset.

Lidia se esfumó. Darío recogió su ropa y se metió, empapado del olor de ella, al clóset, donde se dobló sobre sí mismo para reponerse de esa separación brutal. Allí, poco a poco, sintió cada vez más furia. Encerrado en un clóset en su propia casa. Y risa. Todavía todo excitado.

–¡Ahorita te abrimos, Rodrigo! Le voy a pedir la llave a Renata.

Ya no se oía el viento. Sólo los pasos de Lidia en el piso superior y de Moira y otros en la planta baja. Abrieron la puerta y Darío oyó entrar a Rodrigo:

–¿Dónde está Lidia?

–Se sintió mal, está arriba, estaba vomitando, no subas, no despiertes a Renata y a los niños y a Darío.

De pronto la puerta del clóset se abrió de par en par y Darío, sobresaltado, titubeó entre el ridículo de taparse el sexo o el de explicarse con Rodrigo.

–Papacito, ya te podías haber vestido. La fiesta se acabó. Métete hasta el fondo, por lo menos –dijo Moira–. Ten, un recuerdito.

Y cerró la puerta y Darío se quedó con los calzones de Lidia en las manos y estuvo escuchando voces. Sobre todo la de Lidia que mentía y hablaba de vómitos. "Justamente no se trata de eso, de mentiras y de adulterios", se dijo Darío con furia. Por otro lado, maldita la gana que tenía de encontrarse con Rodrigo. Le empezó a dar un ataque de risa. Se sumió en el fondo del clóset, sobre unos trozos de hule espuma, presa de una risa extravagante que cobraba un tono histérico cuanto más intentaba reprimirla. Recordó que en ese rincón había un agujero de ratones; sintió más furia, más risa.

–Pendejo –dijo Moira después–, te oyó Rodrigo. Tuvimos que inventar que estabas borrachísimo. Vístete o te vas a morir de frío... Ay, hermanito. Qué desmadre. Ay, querido.

La planta baja estaba desierta. Moira, en la penumbra, parecía temblar. Darío la abrazó con cariño.

–Qué susto me llevé. Qué pinche susto del carajo –dijo Moira.

–Nunca he oído voces tan mentirosas como la tuya y la de Lidia.

–Sí. Qué feo. Qué difícil. Encima, cuando regresé de verte en el clóset, me estaba muriendo de la risa.

–¿Y los demás?

–Huyeron detrás de la pareja. De todas formas la situación ya no daba para mucho.

Moira y Darío se pusieron a recoger los vasos, ceniceros, discos. Empotraron una vela en una botella de ron, sobre la mesa; cada uno llevaba una vela en un platito. Parecían peregrinos, fieles, como no tardaron en notar. Moira se puso de hinojos. La cara de Matusalén en la botella hacía visajes cómicos y solemnes al vaivén de la vela. Había vuelto el desasosiego. ¿Cómo hacer para que la felicidad durara y no fuera tan sólo esa embriagante avalancha de placer y lucidez situada entre el trabajo y la angustia? Darío se puso de rodillas también. La cara en la etiqueta estaba seria, pero les guiñaba los ojos.

–Venerable viejito –musitó Moira–, haz que dejemos de sufrir todos tanto.

–Ya no podemos más, Matusalén.

–Haz que Darío y yo, por lo menos, seamos felices.

Quedaron de hinojos, lado a lado, en silencio, y se tomaron de la mano. El viento subió de tono otra vez, repentinamente; las velas se apagaron. Del edificio aledaño, donde había una fiesta, salieron gritos de júbilo. El aire rugía en el exterior. Darío y Moira se abrazaron. Se dieron un largo beso, apretándose con fuerza.

–Qué rica éstas.

–Usted también, compañero.

–Duerma bien, hermanita.

–Ya no puedo más, Darío.

–Aguante, aguante usted.

–¿Dónde está Luz, tú sabes?

–¿No está con Renata? –preguntó Darío.

–No. Renata está sola.

Darío volvió a abrazarla.

–Me voy a acostar, flaca.

–Que estés bien.

Los dos todavía permanecieron unos instantes mirando la botella con el rostro de Matusalén. Empezaba a entrar algo de luz por las ventanas. Una tristeza insidiosa, y las ganas de hacerla añicos, los estremecía a pesar de la fatiga. Darío acarició la nuca de su amiga mientras se ponía en pie. La acompañó a su cuarto, la desvistió –de súbito estaba perfectamente borracha– y la metió en la cama; también cerró el clóset. Cuando

Moira dejó de gemir y agitarse, él salió de la habitación. Al subir las escaleras, en el descanso, recordó a la veracruzana; ahora sí que nunca volvería. Le dio pena, no porque la siguiera deseando, sino por lo que pensaría de ellos: de Moira, de Luz, de Darío, de Lidia, de Rodrigo y de Renata.

Darío estaba exhausto. Fue a ver a los niños, que dormían; les dio un beso y quiso quedarse a dormir con ellos, en el saco de dormir. Pero lo ocupaba Luz, que abrió los ojos, lo miró sin simpatía y volvió a dormirse.

Entonces entró en su cuarto. Se desvistió y desnudo, frente a la cama, suspiró profundamente y se rió de su suspiro. Encendió un cigarro, acaso torpemente, pues Renata hizo ruidos y se agitó. Darío se preguntó cómo podía dormir cuando pasaban tantas cosas y la gente hacía, además, tanto ruido. Sabía que Renata era así, lo entendía; al mismo tiempo le costaba entender que alguien pudiera situarse tan al margen.

—Tuve una pesadilla —dijo Renata—. Soñé que nadie quería hablarme. ¿Cómo estás?

—Bien, Renata.

—¿Es tarde?

—Es temprano. Son las seis.

Renata se durmió. Darío caminó a la ventana. Detrás de las cortinas había una luz inmóvil, entre rosada y amarillenta. Inhaló con placer el humo de su cigarro. Antes de llegar a la ventana, lo sorprendió su silueta desnuda en el espejo de cuerpo entero que estaba en la pared. Colgaban collares y una pañoleta de Renata. Se estuvo mirando un rato, sin crítica ni admiración, procurando formarse el estado de ánimo para pensar en la vida y el trabajo.

ANGELES MASTRETTA
(1949)

Nació en la ciudad de Puebla. Su primera novela, *Arráncame la vida*, tuvo un éxito meteórico y convirtió a la escritora en un fenómeno de taquilla semejante al de Isabel Allende y Luis Sepúlveda. Su volumen de cuentos, *Mujeres de ojos grandes*, ha encontrado también una gran acogida entre los lectores del continente y en la crítica periodística. Sus tres libros (el tercero es *Puerto libre*) son ampliamente divulgados en nuestro continente y han sido traducidos también a una docena de idiomas.

De *Mujeres de ojos grandes*

Cuento 1

Cuando la tía Carmen se enteró de que su marido había caído preso de otros perfumes y otro abrazo, sin más ni más lo dio por muerto. Porque no en balde había vivido con él quince años, se lo sabía al derecho y al revés, y en la larga y ociosa lista de sus cualidades y defectos nunca había salido a relucir su vocación de mujeriego. La tía estuvo siempre segura de que antes de tomarse la molestia de serlo, su marido tendría que morirse. Que volviera a medio aprender las manías, los cumpleaños, las precisas aversiones e ineludibles adicciones de otra mujer, parecía más que imposible. Su marido podía perder el tiempo y desvelarse fuera de la casa jugando cartas y recomponiendo las condiciones políticas de la política misma, pero gastarlo en entenderse con otra señora, en complacerla, en oírla, eso era tan increíble como insoportable. De todos modos, el chisme es el chisme y a ella le dolió como una maldición aquella verdad incierta. Así que tras ponerse de luto y actuar frente a él como si no lo viera, empezó a no pensar más en sus camisas, sus trajes, el brillo de sus zapatos, sus pijamas, su desayuno, y poco a poco hasta sus hijos. Lo borró del mundo con tanta precisión, que no sólo su suegra y su cuñada, sino hasta su misma madre estuvieron de acuerdo en que debían llevarla a un manicomio.

Y allá fue a dar, sin oponerse demasiado. Los niños se quedaron en casa de su prima Fernanda quien por esas épocas tenía tantos líos en el corazón que para ventilarlo dejaba las puertas abiertas y todo el mundo podía meterse a pedirle favores y cariño sin tocar siquiera.

Tía Fernanda era la única visita de tía Carmen en el manicomio. La única, aparte de su madre, quien por lo demás hubiera podido quedarse ahí también porque no dejaba de llorar por sus nietos y se comía las uñas, a los sesenta y cinco años, desesperada porque su hija no había tenido el valor y la razón necesarios para quedarse junto a ellos, como si no hicieran lo mismo todos los hombres.

La tía Fernanda, que por esas épocas vivía en el trance de amar a dos señores al mismo tiempo, iba al manicomio segura de que con un tornillito que se le moviera podría quedarse ahí por más de cuatro razones suficientes. Así que para no correr el riesgo llevaba siempre muchos trabajos manuales con los que entretenerse y entretener a su infeliz prima Carmen.

Al principio, como la tía Carmen estaba ida y torpe, lo único que hacían era meter cien cuentas en un hilo y cerrar el collar que después se vendería en la tienda destinada a ganar dinero para las locas pobres de San Cosme. Era un lugar horrible en el que ningún cuerdo seguía siéndolo más de diez minutos. Contando cuentas fue que la tía Fernanda no soportó más y le dijo a tía Carmen de su pesar también espantoso.

—Se pena porque faltan o porque sobran. Lo que devasta es la norma. Se ve mal tener menos de un marido, pero para tu consuelo se ve peor tener más de uno. Como si el cariño se gastara. El cariño no se gasta, Carmen —dijo la tía Fernanda—. Y tú no estás más loca que yo. Así que vámonos yendo de aquí.

La sacó esa misma tarde del manicomio.

Fue así como la tía Carmen quedó instalada en casa de su prima Fernanda y volvió a la calle y a sus hijos. Habían crecido tanto en seis meses, que de sólo verlos recuperó la mitad de su cordura. ¿Cómo había podido perderse tantos días de esos niños? Jugó con ellos a ser caballo, vaca, reina, perro, hada madrina, toro y huevo podrido. Se le olvidó que eran hijos del difunto, como llamaba a su marido, y en la noche durmió por primera vez igual que una adolescente.

Ella y tía Fernanda conversaban en las mañanas. Poco a poco fue recordando cómo guisar un arroz colorado y cuántos dientes de ajo lleva la salsa del *spaguetti*. Un día pasó horas bordando la sentencia que aprendió de una loca en el manicomio y a la que hasta esa mañana le encontró el sentido: "No arruines el presente lamentándote por el pasado ni preocupándote por el futuro". Se la regaló a su prima con un beso en el que había más compasión que agradecimiento puro.

–Debe ser extenuante querer doble –pensaba, cuando veía a Fernanda quedarse dormida como un gato en cualquier rincón y a cualquier hora del día. Una de esas veces, mirándola dormir, como quien por fin respira para sí, revivió a su marido y se encontró murmurando:

–Pobre Manuel.

Al día siguiente, amaneció empeñada en cantar *Para quererte a ti*, y tras vestir y peinar a los niños, con la misma eficiencia de sus buenos tiempos, los mandó al colegio y dedicó tres horas a encremarse, cepillar su pelo, enchinarse las pestañas, escoger un vestido entre diez de los que Fernanda le ofreció.

–Tienes razón –le dijo–. El cariño no se gasta. No se gasta el cariño. Por eso Manuel me dijo que a mí me quería tanto como a la otra. ¡Qué horror! Pero también: qué me importa, qué hago yo vuelta loca con los chismes, si estaba yo en mi casa haciendo buenos ruidos, ni uno más ni menos de los que me asignó la Divina Providencia. Si Manuel tiene para más, Dios lo bendiga. Yo no quería más, Fernanda. Pero tampoco menos. Ni uno menos.

Echó todo ese discurso mientras Fernanda le recogía el cabello y le ensartaba un hilo de oro en cada oreja. Luego se fue a buscar a Manuel para avisarle que en su casa habría sopa al mediodía y a cualquier hora de la noche. Manuel conoció entonces la boca más ávida y la mirada más cuerda que había visto jamás.

Comieron sopa.

Cuento 3

Un día Natalia Esparza, mujer de piernas breves y redondas chichis, se enamoró del mar. No supo bien a bien en qué momento le llegó aquel deseo inaplazable de conocer el remoto y legendario océano, pero le llegó con tal fuerza que hubo de abandonar la escuela de piano y lanzarse a la búsqueda del Caribe, porque al Caribe llegaron sus antepasados un siglo antes, y de ahí la llamaba sin piedad lo que nombró el pedazo extraviado de su conciencia.

El llamado del mar se hizo tan fuerte que ni su propia madre logró convencerla de esperar siquiera media hora. Por más que le rogó calmar su locura hasta que las almendras estuvieran listas para el turrón, hasta que hubiera terminado el mantel de cerezas que bordaba para la boda de su hermana, hasta que su padre entendiera que no era la putería, ni el ocio, ni una incurable enfermedad mental lo que la había puesto tan necia en irse de repente.

La tía Natalia creció mirando los volcanes, escudriñándolos en las mañanas y en las tardes. Sabía de memoria los pliegues en el pecho de la Mujer Dormida y la desafiante cuesta en que termina el Popocatépetl. Vivió siempre en la tierra oscura y el cielo frío, cocinando dulces a fuego lento y carne escondida bajo los colores de salsas complicadísimas. Comía en platos dibujados, bebía en copas de cristal y pasaba horas sentada frente a la lluvia, oyendo los rezos de su mamá y las historias de su abuelo sobre dragones y caballos con alas. Pero supo del mar la tarde en que unos tíos de Campeche entraron a su merienda de pan y chocolate, antes de seguir el camino hacia la ciudad amurallada a la que rodeaba un implacable océano de colores.

Siete azules, tres verdes, un dorado, todo cabía en el mar. La plata que nadie podría llevarse del país: entera bajo una tarde nublada. La noche desafiando el valor de las barcas, la tranquila conciencia de quienes las gobiernan. La mañana como un sueño de cristal, el mediodía brillante como los deseos.

Ahí, pensó ella hasta los hombres debían ser distintos. Los que vivieran junto a ese mar que ella imaginó sin tregua a partir de la merienda del jueves, no serían dueños de fábricas, ni vendedores de arroz, ni molineros, ni hacendados, ni nadie que pudiera quedarse quieto bajo la misma luz toda la vida. Tanto habían hablado su tío y su padre de los piratas de antes, de los de ahora, de don Lorenzo Patiño abuelo de su madre, al que entre burlas apodaron Lorencillo cuando ella contaba que había llegado a Campeche en su propio bergantín. Tanto habían dicho de las manos callosas y los cuerpos pródigos que pedían aquel sol y aquella brisa; tan harta estaba ella del mantel y del piano, que salió tras los tíos sin ningún remordimiento. Con los tíos viviría, esperó su madre. Sola, como una cabra loca, adivinó su padre.

No sabía por dónde era el camino, sólo quería ir al mar. Y al mar llegó después de un largo viaje hasta Mérida y de una terrible caminata tras los pescadores que conoció en el mercado de la famosa ciudad blanca.

Eran uno viejo y uno joven. El viejo, conversador y marihuano; el joven, considerando todo una locura. ¿Cómo volvían ellos a Holbox con una mujer tan preguntona y bien hecha? ¿Cómo podían dejarla?

—A ti también te gusta —le había dicho el viejo— y ella quiere venir. ¿No ves cómo quiere venir?

La tía Natalia había pasado toda la mañana sentada en la pescadería del mercado, viendo llegar uno tras otro a hombres que cambiaban por cualquier cosa sus animales planos, de huesos y carne blanca, sus animales raros, pestilentes y hermosos como debía ser el mar. Se detuvo en los hombres y el paso, en la voz afrentada del que no quiso regalar su caracol.

—Es tanto o me lo regreso —había dicho.

"Tanto o me lo regreso", y los ojos de la tía Natalia se fueron tras él.

El primer día caminaron sin parar, con ella preguntando y preguntando si en verdad la arena del mar era blanca como el azúcar y las noches calientes como el alcohol. A veces se sentaba a sobarse los pies y ellos aprovechaban para dejarla atrás. Entonces se ponía los zapatos y arrancaba a correr repitiendo las maldiciones del viejo.

Llegaron hasta la tarde del día siguiente. La tía Natalia no lo podía creer. Corrió al agua empujada por sus últimas fuerzas y se puso a llorar sal en la sal. Le dolían los pies, las rodillas, los muslos. Le ardían de sol los hombros y la cara. Le dolían los deseos, el corazón y el pelo. ¿Por qué estaba llorando? ¿No era hundirse ahí lo único que deseaba?

Oscureció despacio. Sola en la playa interminable tocó sus piernas y todavía no eran una cola de sirena. Hacia un aire casi frío, se dejó empujar por las olas hasta la orilla. Caminó por la playa espantando unos mosquitos diminutos que le comían los brazos. No muy lejos estaba el viejo con los ojos extraviados en ella.

Se tiró con la ropa mojada sobre la blanca cama de arena y sintió acercarse al anciano, meter los dedos entre su cabello enredado y explicarle que si quería quedarse tenía que ser con él porque todos los otros ya tenían su mujer.

—Con usted me quedo —dijo y se durmió.

Nadie sabe cómo fue la vida de la tía Natalia en Holbox. Regresó a Puebla seis meses después y diez años más vieja, llamándose la viuda de Uc Yam.

Tenía la piel morena y arrugada, las manos callosas y una extraña seguridad para vivir. No se casó nunca, nunca le faltó un hombre, aprendió a pintar y el azul de sus cuadros se hizo famoso en París y en Nueva York.

Sin embargo, la casa en que vivió estuvo siempre en Puebla, por más que algunas tardes, mirando a los volcanes, se le perdieran los sueños para írsele al mar.

—Uno es de donde es —decía, mientras pintaba con sus manos de vieja y sus ojos de niña—. Por más que no quieras, te regresan de allá.

172

LEO EDUARDO MENDOZA
(1958)

Nació en Oaxaca. Desde muy joven manifestó un interés especial por la literatura. Trabajó en el departamento de Difusión Cultural de la Universidad de Sinaloa y posteriormente siguió estudios de letras en la Universidad Nacional Autónoma de México y en el Centro de Capacitación Cinematográfica. Actualmente se dedica al periodismo cultural. Su libro de cuentos *Relevos australianos* obtuvo el Premio Nacional de Cuento San Luis Potosí en 1989. El autor de esta selección se honra de haberlo tenido como alumno en un taller de narrativa que coordinó en Ciudad de México, 1982.

Náufragos

...barcos fantasmales que
jamás han de zarpar,
náufragos del mundo que
han perdido la ilusión.

Niebla del riachuelo (tango)

—¿No hay putas?

Las palabras se le apelotonaban en la garganta. Para no acobardarse, había soltado la pregunta en cuanto hubo empujado la puerta.

El hombre se incorporó, somnoliento.

—¡Las putas están en la calle! Aquí es un hotel —llevaba en la mano una tosca cachiporra.

—Y... ¿No andará una por ahí? —insistió creyendo saber que cada pensión guardaba una mujer de planta.

—¡No, señor! —el hombre agitaba la cachiporra—. A las putas hay que traerlas.

Salió a la calle. Por un momento, había olvidado el calor. Lo sintió de golpe, estallándole en la cara como mil diminutas agujas. De nuevo, en su frente, el sudor corría.

Le habían dicho que se fuera a la casa de su hermano. No quiso. Les dijo que sí, que iba a tomar un taxi, pero entró a otra cantina. Cuando le fueron apagando las luces, caminó rumbo al anuncio que brillaba en la esquina.

Reemprendió su andar tambaleante. Reconoció algunos de los sitios donde la infancia se le fue quebrando, pero no quiso detenerse, ni en la escuela, el parque o la casa de su padre.

Caminaba por uno de esos barrios que habían crecido junto al río; por callejones que nunca antes había pisado. El calor se quedó detenido en la noche; en la breve calma que antecede a los nortes.

—Pinche laberinto —murmuró.

Las calles lo acorralaban. Avanzó rumbo a una puerta iluminada.

Era una fonda: mesas de lámina, dos clientes, el centellear de un foco y, en el aire, el olor de las frituras y las moscas.

La mujer se acercó, era gorda y joven.

—¿Qué le sirvo?

—Enchiladas con pollo y cerveza.

"Enchiladas con pollo", repitió para sí el nombre del platillo y pidió más de beber. Por un momento creyó oír la risa de las madrugadas en que, junto con sus amigos, bajaba a desayunar en el mercadito. Ahora todo era tan diferente: estaba solo, más solo que el ventilador de aspas traqueteantes que se empeñaba en arrojar sobre la mesa un viento cargado de presagios de lluvia.

Los otros clientes se levantaron para pagar. La mujer se movía con presteza entre las sillas. Amontonaba cuidadosamente los platos y los restregaba ruidosamente con el estropajo, en el fregadero; en sus andares había algo de suavidad, como si estuviera haciendo algo más allá de una simple obligación. El le miró los brazos desnudos, fuertes, gruesos. Ordenó otra cerveza.

—¿Se le ofrece algo más?

—Una cerveza para usted.

—No gracias, no puedo.

El no llegó a formular una interrogación.

—Estoy embarazada.

Pensó que la gordura escondía su estado. Pero ella le atajó los pensamientos.

—Tengo apenas tres meses.

—¿Cómo se llama?

—Alicia... ¿por qué no...?

—¿Sí...?

—Mejor págueme la cerveza. Déme el dinero.

—Está bien, pero le invito otra.

La mujer lo miró con desconfianza.

—Sólo estoy de paso —dijo casi con arrepentimiento—. Me voy mañana.

—¿Sabe? No vaya a creer que esto lo hago todo el tiempo. Es que tengo necesidad.

—Ah... entiendo.

—No, no entiende nada —estaba a punto de llorar—. Mi marido me dejó.

El aire estaba cargado de frescura. Primero fue el olor; después, los tímidos dedos de la lluvia golpearon la noche. Ella estaba acomodando las sartenes en el escurridor. Trajo otras dos latas.

—Ya me tengo que ir...

—¿Por qué?

—¿Por qué, qué?

—¿Por qué se fue su marido?

—Dijo que iba a buscar trabajo. Al norte. No he sabido de él, ni me ha mandado recado. Sé que está bien porque mi compadre me dijo que lo había visto trabajando en la pizca. Pero a mí no me ha escrito. Teníamos un año de casados. ¿Usted es casado?

—No... nunca.

—Se ve tan joven... Usted debería de... —se echó a llorar. El llanto estaba dibujado por el temblor de su cuerpo. Era como un estremecimiento que le crecía desde muy hondo, de las entrañas, y que hacía su respiración entrecortada, angustiosa.

Levantó la mano para llevarla hasta la mano de Alicia. Ella la detuvo en el camino y, amorosamente, la condujo hasta su pecho. Afuera arreciaba la lluvia.

Cuando pusieron candado era una débil serpentina la que seguía cayendo. El se dejó mojar. Alicia se había puesto una bolsa de plástico en la cabeza. En una esquina ella apretó su cuerpo contra él, como quien se protege de una amenaza incierta y recayó en el llanto.

—Roberto... yo... —dijo.

En la ribera ya no llovía. Del otro lado brillaban las luces del alumbrado. El agua parecía contar sueños. Caminaron junto a las vecindades que desembocaban en el río. Troncos y tablas de los muelles caseros, que habían sido arrancados por entero, flotaban, arremolinándose junto con la basura, dejándose arrastrar por la crecida. Roberto se detuvo y contempló aquella agua revuelta.

—Una vez, cuando estaba en la escuela, vinimos de pinta. Veníamos a nadar. El río estaba igual de crecido. Apostamos a ver quién lo cruzaba. Yo me di la vuelta bien pronto y me quedé temblando en la orilla; uno de mis amigos se ahogó...

Subieron por uno de los callejones. Al fondo, cerraba el paso una estrecha puerta. Tres hombres parecían esperar a alguien jugando a las cartas.

—Buenas noches —saludó Alicia.

El más alto de los hombres se incorporó.

—¿A poco piensas pasar con éste? —preguntó, señalando a Roberto con un ademán que era, sobre todo, un reto. A su lado descansaba la botella.

—Déjame en paz, Arturo. No te metas en mi vida. No te metas en lo que no te importa.

—Pinche puta —dijo, dejando que las palabras silbaran hirientes—. ¿Qué te has creído? ¿Qué voy a dejar que andes de puta por ahí? ¡Ni madres!

Mientras hablaba hacía caer el peso de su mirada sobre un asustado Roberto. El hombre alto se tambaleó.

—¡Ni madres! Si va a entrar que pague.

—Arturo, no te metas en mis asuntos.

—¡Qué pague! —repitió, mientras los dos amigos se movían a sus espaldas como sombras. Arturo se llevó la mano a la cintura. En la oscuridad pudo oírse el chasquido de una navaja que se abría.

—¡Que pague...!

—Déjalo en paz, Arturo.

—¡Que pague...!

De pronto, los dos hombres se acercaron para sujetar a Arturo por la espalda.

—Orale... ¡Pásenle!

Arturo se debatía inmovilizado por unos brazos tan fuertes como los suyos. Seguía gritando.

—¡Que pague el hijo de la chingada que pague!

Las sombras se lo llevaron arrastrando callejón abajo.

El patio se extendía con innumerables casuchas, todas iguales.

—¿Quién era?

—Mi hermano...

Alicia lo llevó hasta una de las puertas. Detrás se encontraba una sola y pequeña habitación con un abanico de techo, un hornillo de gas, un radio, un ropero, la cama y una mesa en donde se acumulaban latas y cajas de cereal.

Roberto escarbó entre la mesa.

—¿Qué buscas?

—Quiero abrir mi cerveza —dijo mientras sacaba una botella de la canastilla que había estado sosteniendo todo el tiempo. Se dio vuelta y la encontró desnuda, morena, el vientre abultado y la piel lisa, tensa a pesar de la gordura. Ella le sonrió.

—Está encima del radio. Pero ya vente a acostar.

Abrió la cerveza, apagó la luz y comenzó a desnudarse. Lo hizo con cuidado, doblando cada una de sus húmedas prendas y dejándolas sobre el respaldo de la silla. Levantó las sábanas y sintió el cuerpo de Alicia, vuelto de espaldas. La rodeó con fuerza y pudo sentir cómo giraba hacia él sin perder el abrazo y cómo su mano iba perdiéndose en aquella piel que lo esperaba. Entonces se besaron.

La mañana llegó fría, lluviosa. La humedad se acomodaba en los rincones del cuarto.

Roberto despertó. Alicia estaba a su lado, el brazo descansando en su pecho. Su sueño era tranquilo. Nuevamente recorrió su desnudez, acariciándole las nalgas con ternura.

—¿Quieres café?

—Me voy...

—¿Me buscas en la noche?

—Me largo o, a lo mejor, regreso.

—Ya me lo habías dicho.

Empezó a vestirse. Sobre la mesa alcanzó a ver el retrato de Alicia junto a un hombre joven. Estaban abrazados y, atrás de ellos, se extendían los árboles y un pequeño lago.

—Tu marido va a volver.

—Si vuelve me mata.

El silencio lo envolvió mientras metía una pierna por el tubo del pantalón.

—Mi marido se fue hace seis meses.

Roberto sacó unos billetes de la cartera y los depositó sobre la mesa.

—Adiós y gracias.

Alicia no respondió.

Ya no llovía aunque estaba nublado. El viento frío levantaba el agua de los charcos y se iba tragando los reflejos.

—¡Qué jodido norte! —murmuró.

Llegó al río y se acuclilló para echarse un poco de agua en la cara, lo que le provocó escalofrío. Algunos chamacos pescaban en la orilla y otros nadaban tímidamente en los remansos que la crecida había formado.

Se quitó la ropa y la amarró a la espalda con el cinturón.

Empezó a nadar.

DAMASO MURUA
(1933)

Nació en el pueblo de Escuinapa, Sinaloa, un estado de hermosos balnearios frente al Mar de Cortés y de muchos conflictos entre narcotraficantes. Creó un personaje que nos recuerda, por lo fantasioso, al famoso Barón de Münchhausen, que podía lacear una punta de la luna creciente. El *"Guilo Mentiras"* es capaz de convencernos de que un alacrán se le va subiendo por el chorro de la orina. Entre sus libros figuran *El mineral de los caciques, Tiempo regiomontano* y *Amor en el Yanqui Stadium.*

El misterio del cuarto 729

Las palmeras se impregnaban por la turbosina quemada del jet, mientras Luis Suárez limpiaba sus lentes obscuros, que tenían aros de carey. El avión se detuvo y eructó el último rugido mientras los empleados de la compañía aérea arrimaban la escalerilla. Horacio Collazo bajó por la puerta trasera y luego sintió el viento del trópico, calentándole el rostro, mientras apretaba las asas del veliz negro que traía consigo. El hombre del gabán que lo había identificado desde el restaurante del aeropuerto, no lo perdió desde entonces de vista. Iba provisto de un viejo catalejo que le vendieron en los muelles, un par de cuijes asaltantes de barcos extranjeros. ¿El catalejo de Nelson? ¿O el de Errol Flynn, cuando filmó El Bucanero?

Dicen en el puerto que quien protege la tranquilidad es Chumino Oceguera, porque las seis antenas de su coche no sólo lo conectan con Houston, pues presume que se palabreó dos veces con Hoover el del F.B.I. cuando el caso del gringo avioneta, quien se cayó desparramando ron, desde el segundo piso del Hotel Emporio y se quebró el cuello en las losetas de

179

mármol que conforman el edificio. Desde ese caso, Chumino ganó fama internacional y en la procuraduría local lo llaman para instruirse con sus opiniones sobre los asesinatos o con piedras o con machete filoso. Pero su investigación más célebre es la del vodka holandés, marca Aterruchinich, mito que escuché en la cantina llamada La Flor de León. Este asunto lo acreditó como agente 007 costeño.

—Quihubo, Luis.

—Quihubo, Horacio.

—¿Nos vamos a Jalapa?

—No. No. (Recordando aprisa que Vida Blue estaba trenzado tirándole balazos a los Doggers, vía la TV que desde San Francisco, ahí en el puerto jarocho, con cerveza y langostinos, es pura vida. Sobre todo, por el par de ponchetes que antes de venirse al aeropuerto, ya le habían propinado a Steve Garvey, que tiene antebrazos como de pelotari vasco.) Te tengo reservado un cuarto en el Emporio y mañana nos vamos a Jalapa.

—¿Y por qué no me separaste cuarto en El Veracruz?

—Hay mucho turismo, Horacio, no hay cuartos en ese hotel ni en El Colonial, tampoco.

Se subieron al coche y detrás iba el del gabán, saliéndole el catalejo como si llevara alcayata en la bolsa trasera del pantalón. Dieron arranque al motor y comenzó el palique intrascendente; luego Luis metió el acelerador porque tal vez el juego ya estaría por el quinto episodio. Llegando al Emporio, frenó rechinando llantas. Detrás, en un Fearmont color cereza, iba el alto y flaco hombre del gabán, espía de la constructora.

Horacio se negó a ir a ninguna parte, lo que aprovechó Luis para volver al coche pues tiene ansiedad por sentarse frente al ojo multicolor de la TV de la cantina Las Glorias del Roncacho, donde la clientela se da a la erudición partidista, favoreciendo al sepia Vida Blue. Lo acompañó al cuarto el mozo de la administración, quien le cargó la maleta negra y encendió el aire acondicionado del cuarto, cuya ventana oriente echaba un ojo al muelle de desembarque. El mozo se rió estúpidamente porque Collazo le dio un billete de diez pesos que sacó de su cartera, alcanzando a verle las tarjetas de nylon que dan dinero y que eran tres, debajo de un billete quinientón y otros carrancistas que traía Collazo. Sacó el libro de Solyenitzin y se puso a imaginarse canceroso con los enfermos del sepulturero tema. Cuenta ahora, que apagó la luz a las once de la noche y dejó el veliz cerca de la puerta exterior sin ponerle el seguro de fierro. El pantalón negro con cartera lo estibó en una silla, cerca de la puerta del baño.

Encontraron al muerto, aquel año de 1928, cuando la recesión secó bolsas de dinero en todo el orbe. Tenía el rostro como de santo, estaba sin camisa vestido con un viejo pantalón de mezclilla fajado con cinto negro hebillado y zapatos Domit, sin bolear y desamarrados. El rostro de cuije sindicalizado lo descubría profesional de la farra y el empareje porque en la Aduana Marítima todos le dan al ujule atemorizante, con tenacidad y fiereza de tigre. Yacía tirado en la esquina de las calles de Agustín Lara y Miramar. Las olas, indiferentes al borlote que provocaba el difunto, seguían brisando con frescura el ambiente. A la garra de la mano derecha, tenía firmemente adherida una botella de vodka holandés, enteramente vacía.

Entonces no se acostumbraba practicar autopsias. Se llevaron el cadáver del cuie en un rechinante camión de redilas, entre cañas recién cortadas, para que lo expusieran dos horas en la cárcel, porque a las tres apestaría por el calorón del verano. Después de cuatro, nadie resolvía el caso. Diez minutos después, se apareció Chumino Oceguera con su cachucha inglesa de investigador, llevando del brazo al productor del vodka holandés, licor que era destilado en el Barrio de la Huaca, falsificado desde el líquido, el vidrio, el lacre y las etiquetas pomposas de Roterdam. El falsificador, cubriendo de gloria al 007 de Paso del Macho –la tierra de Chumino–, dijo:

–Este cuie se murió porque bebió toda la botella. Nadie aguanta más de dos copas de este vodka veracruzano, que vende como si fuera holandés.

Ordorica sabía que enfrente de su casa, el viejo Chinchurreta falsificaba el licor de fama en todo el puerto. Festinaban en el Café La Parroquia, que en 1908 hizo beber a toda la Casta Divina de Yucatán, en las fiestas de Don Porfirio, whisky falsificado como legítimo escocés, que nunca descubrieron los tarugos de la highlife yucateca. El pueblo entero sabía que el nombre del vodka holandés era, vocales más o menos, el nombre alrevesado del falsificador. Chumino después de enterrar al cuie, se regresó a cachetearse con la fama y dicen que se paseó por los portales del zócalo, quemando un gigantesco habano y gargajeando muy sólido en las banquetas.

El ladrón está registrado con misterio en los anales de Scotland Yard y archivos veracruzanos anexos. Una sombra larga con andares juveniles se trepó al elevador, marcó el piso deseado, sacó la media negra que olía a carne de su amante, aquella muchacha tabasqueña y caderona de la casa de citas del puto llamado Jorge. Se bajó en el séptimo nivel porque ya iba enmascarado con dos hoyos haciendo ademanes hedonistas y nerviosos, mientras aspiraba los olores conocidos y disfrutados.

Se acercó caminando a brincos como de pantera rosa. Probó a descubrir si el roncador había terminado de joderse con los cancerosos del ruso y si también no tenía puesto el seguro de la puerta. Comprobó que no. Se puso a gatas, respiró hondo, encomendándose a la mujer de las medias y se metió a robar con puntería de Teodolito, los pantalones que traían cartera y tarjetas adineradas del Banamex. Salió triunfante con el trofeo, no tocó el maletín, cerró otra vez, mientras el erudito de Solyenitzin roncaba hasta siete notas musicales, soñando con las bandas de música de Sinaloa.

—Me salí porque oí el zumbido de la sirena de Chumino, rumbo al mercado. Carajo, a lo mejor en el maletín dejé algo más valioso.

En el puerto saben que Chuminoso bebe café lechero desde las cuatro de la mañana y que manda al chofer de la patrulla a que le traiga un termo con seis tazas espumeantes, que compran en el puesto del Gordo Zapiain, un especialista en esa bebida y chocomilero profesional de gran renombre.

Cuando Horacio fue a denunciar el atraco en las oficinas de la policía, ni lo pelaron. Iba cubierto con una sábana desde el ombligo para abajo. En el maletín no echó otro pantalón previsor y a los tres días le pegó un resfriado que le causó ojeras de recién casado. Los policías lo gozaron.

—Otro chilango pendejo, mira nomás.

—Fue alguna vieja que metió al Emporio, que no le haga al misterioso.

—Estos que tienen ansias de padrote y ni a ser jotos se resignan.

Horacio muy molesto, reclamó justicia digna y federal. El mecanógrafo que se escarmenaba los dientes por el desayuno, escuchó con sorna y escribió con mala leche los hechos del robo. Todavía le dijeron que esperara, lo que era un retraso intencional, pues querían exprimirlo de toda su taruguez e imprudencia. Lo convidaron a leer el periódico mientras llegaba el presidente a enterarse, que ya no tardaba.

Luis Suárez apenado y burlesco sin demostrarlo, se fue a conseguir unos pantalones fiados, porque el prestigio de los Collazo ya llegaba a burla y cachondeo. Rememoró, camino de los topeka, que al negro Vida Blue le habían atizado un garrotón para ganarle el juego por dos carreras de diferencia.

Mientras, Horacio se armó de paciencia porque Beto Avila no llegaba. Extendió las hojas grandes del periódico Notiver, fechado el 6 de junio, encontrándose con la nota de un abogado que andaba por Mocambo persiguiendo a las turistas. Después, leyó estupefacto la noticia escandalosa: ¡Otra de Domecq! Invitan a las yeguas a una espectacular orgía. Con el fin de ayudar a todos los criadores de caballos finos, los espectaculares cuacos de Domecq estarán los días diez y once, en disponibilidad de todas las yeguas que estén listas para el cruce sin el menor costo. Lo anterior nos fue informado esta mañana por el representante de la Compañía Vitivinícola, Enrique Ocaña, agregando que esta colaboración es completamente gratuita con el fin de que todos los criadores asistan con sus yeguas en estado de nerviosismo. Los caballos educados a la alta escuela, dijo el agente, invitan a las yeguas. De la empresa vienen con el objeto de presentar el Espectacular Domecq este domingo a las doce del día en el Lienzo del Charro completamente gratuito;

con ellos actuarán también Juan El Potosino, el campeón del floreo a pie y montando Martín Díaz. Lo que sí dijo nuestro entrevistado: "sería bueno que todos los criadores de caballos finos que tengan las bestias listas o en brama, que las apunten para irles reservando su turno, ya que únicamente los seis caballos estarán disponibles durante las mañanas".

–Ay carajo, malditos jarochos. Con razón.

Estaba Horacio tan confundido leyendo las orgías que superarían al caballo-cónsul de Calígula, que no se dio cuenta de la llegada del presidente y cuando le avisaron, entró al despacho, y le dijo a Beto: te vengo a felicitar porque ganaste el campeonato de bateo con los Indios de Cleveland.

–Pero eso fue en 1954, hace dos docenas de años.

–Sí, pero más vale tarde que nunca. Horacio ya no quiso quejarse y se salió de las oficinas de la policía, encalzonado y antiestético.

Beto Avila lo dejó irse porque sabe el surrealismo del puerto, conoce a todos los veracruzanos y si se visten de mujeres en el carnaval, ¿qué se puede esperar de un asaltado en el hotel Emporio? Nomás sonrió, comprensivo.

–Oye Luis, ¿no te apellidas Suárez?

–Sí.

–¿Que don Manuel Suárez no es el dueño del Emporio?

–No. Oye, ya sé por donde vas. Te aseguro que yo no tengo nada que ver con el robo.

–¿Y los de la constructora que nos querían robar el proyecto? ¿No estaban enterados de que venía al puerto?

–Quién sabe. No lo sé.

–No te hagas.

–No me hago. No seas fregón. A ti te fue menos mal. Al otro que vino de la compañía, el mes pasado, le fue peor. Lo desvalijaron hasta del coche.

–Consuelo de tarugos.

–Oh, no te pongas furioso.

—Nomás me falta que me pidas que baile por el robo, ahora que ando sin pantalones.

Chumino Oceguera no entró en acción policiaca, porque las reumas lo traían cojeando desde la semana pasada. Su fama perdió la oportunidad de ser más ancha y alta, con el caso del cuarto 729.

Cuando la azafata del avión de regreso le sirvió bacardí y cantaron los hielos, Horacio Collazo ya se había olvidado del asalto y sólo se preguntaba si Domecq, el de los caballos, seguiría promoviendo el cruce de animales en pos de una mejor historia hípica, por sugerencia de algún morboso caballerango.

JORGE ARTURO OJEDA
(1943)

Nació en Ciudad de México. Estudió letras hispánicas en la Universidad Autónoma y literatura alemana en Munich. Escritor multifacético, ha publicado ensayos, como *Documentos sentimentales* y *La lucha con el ángel,* acerca del gran narrador mexicano Juan José Arreola; también un libro de viajes, *Cartas alemanas,* y las novelas *Como la ciega mariposa* y *Muchacho solo.* Le conocemos un solo libro de cuentos, *Personas fatales.*

Lorenzo

—¡Compañeros! Nosotros los estudiantes somos la minoría pensante del país. Aquel que dijo "Primero es México" al recibir la noticia de los movimientos de disensión con el régimen, se engaña con una ilusoria solidez y se olvida de que ni el campesino ni el obrero tienen conciencia política, mucho menos la clase media de amas de casa y burócratas. La burguesía que detenta los bienes de producción es la única que tiene conciencia y se arma por todos los medios para perpetuar su bonanza. Durante las últimas décadas nuestro país ha progresado en todos los aspectos: las estadísticas muestran riquezas en gran número, pero los pobres son cada vez más y junto a los millonarios contamos más terrible la miseria. ¿Dónde están los caudales? Unas cuantas manos de industriales y financieros dirigen nuestro destino, y son ellos los que venden la patria para que el extranjero multiplique su dinero y nosotros creamos en una apariencia de progreso. Importante es el campesino desposeído, importante es el obrero explotado, pero más importante somos nosotros los estudiantes, porque somos los dueños de las ideas que deben trasformar al país. Centros superiores públicos y privados forman una sola voz de protesta: la Universidad Nacional, el Politécnico, la Ibero, la de las Américas, La Salle, más de treinta universidades de distintos Estados; las vocacionales y las preparatorias se han unido. Todos nosotros le pedimos cuentas al gobierno.

Lorenzo hablaba con los brazos en alto, erguido el cuerpo, de pie sobre un autobús incautado que tenía un letrero: *¡Asesinos!* Los estudiantes formaban muchedumbre sobre la explanada de piedras de basalto bajo el cielo despejado y azul.

Lorenzo tenía la palabra más sincera y elocuente, sustentada en ideales ortodoxos y prístinos. Fue uno de los que subieron a empujones a un camión militar en Tlatelolco. Cuando los soldados levantaban los cadáveres, él vio que una niña sólo estaba herida, y gritó: "¡Está viva!" Un soldado la echó sobre el montón de muertos y sobre ella cayeron otros más.

En el trayecto al Campo Militar número uno, la soldadesca comenzó a desnudar a los muchachos, tironeando cinturones, rasgando camisas, zafando botones. Cuando llegaron, el general ordenó que desfilara uno por uno de los noventa y tantos. Con un faro al lado izquierdo, miró el general el rostro gemebundo de cólera de Tito, uno de los principales del Comité de Huelga.

—¡General, usted no me puede responder como hombre! —gritó Tito.

El faro iluminó a Martín, quien se aproximó con un paso seco y echó un gargajo en la cara del general. Pero el general conservó el rostro de plomo, inmutable tomó un rebenque entre las manos, lo apretó conteniendo la furia, lo alzó a la altura del pecho haciendo fuerza, y dijo:

—A ti te voy a dar tu Che Guevara.

A Martín le cortaron un testículo. A Margarita le cortaron un pezón. A muchos muchachos los usaron como fundas sexuales.

Muy de mañana sacaron a los presos y los alinearon frente al paredón. El pelotón de fusilamiento se agrupó; a las órdenes marciales, levantaron los soldados el fusil mosquetón, lo apoyaron en el hombro, estuvieron así diez segundos y se retiraron a una nueva orden del comandante. Las presuntas víctimas volvieron a la prisión conteniendo vómitos, llorando entre mareos. El simulacro de fusilamiento se repitió varias veces.

Después de veintiocho semanas, Lorenzo fue mandado a la bartolina. El cuarto es de un metro setenta centímetros por un metro setenta; una fosa pequeña basta para las necesidades fisiológicas, un palmo libre sobre el suelo, por donde pasa la comida, es la única iluminación. No se sabe si es de día o de noche, pues en el pasillo exterior están las bombillas eléctricas y el ruido es idéntico a todas horas. En ese cubo se pierde la noción del tiempo. Lorenzo contó los remaches metálicos de la puerta tantas veces que cayó rendido, gritando y llorando. Después volvió a contarlos en forma inversa y a pares y nones.

Cuando salió de la bartolina, cerró los ojos ante la luz que lo golpeaba. Sus compañeros se acercaron, pero él no pudo reconocer a nadie: masas difusas como aproximación de cabezas y cuerpos, puntos oscuros como ojos en un resplandecer y opacarse que se enchuecaba y hundía. Solamente el ruido era idéntico: voces y rechinidos que ahora se percibían con nitidez.

Lorenzo salió libre de la prisión después de nueve meses. A pesar de la matanza en la Plaza de las Tres Culturas de Nonoalco-Tlatelolco, seguía firme en su pecho la idea de que la revolución estudiantil aún vivía. Una tarde, conversando en el café, les confesó a Carlos y a Luis:

—Conocí a Manuel Rivas. Es un sicoanalista muy respetado. Se ofreció a tratarme gratuitamente. Soy impotente sexual. Mi impotencia no es *generandi:* a veces tengo una polución nocturna y una gota de semen marca la piyama. Nada me provoca lo suficiente, nadie me excita bien. Pero me queda la inteligencia.

—Pero es más importante la vida —dijo Carlos.

—No —respondió Lorenzo.

Entonces llegó Paco a la mesa del café y tomó asiento.

—Mira —dijo Paco con voz declamatoria—, a todos nos ha ido de un modo o de otro, pero siempre mal. A ti te tocó el Campo Militar; a mí me tocó el palacio negro de Lecumberri. La comida era suficiente y a veces bien sazonada. Tuve tiempo de escribir mis mejores versos. Si yo ya gozaba de fama a los quince años y mi poesía era leída en Europa, imagínate cómo será ahora mi celebridad, ahora que Ginsberg comenta mi obra en Marruecos.

Luis lo interrumpió:

–Paco, te equivocas en la expresión. Debes decir: "Mi poesía, que irrigó al Viejo Continente..."

–Da lo mismo. Yo ya no debo preocuparme por el éxito, sólo por la inmortalidad. Mi poesía, que, escrita a los quince años, irrigó al...

Paco se levantó repentinamente de la silla para hablar con un amigo que cruzaba la puerta y se fue con él.

–Quiero ser sincero –dijo Lorenzo–. Nunca había sentido la necesidad de ser padre. Pienso que tener un hijo sería algo muy hermoso, pero ya perdí esa esperanza.

–Pero si todo es puro trauma mental, te puedes curar –dijo Carlos.

–Sí. Es mental. También físico: me dieron toques eléctricos en los testículos. No saben qué atrocidad es eso, qué cosa.

–Pero no te quedó dañado nada –dijo Luis.

–No, nada. Todo es mental –concluyó Lorenzo.

Hacía mucho tiempo que Lorenzo no deambulaba por los campos de la universidad. Los edificios altos tomaban justa medida en los desniveles del terreno. El mural de la torre de la rectoría, deteriorado, en lo alto. Allá, la cara extraña en rojo y blanco sobre la escuela de medicina. El pequeño refugio de árboles en el centro de la extensión de pasto y piedras de basalto. El viento comenzó a soplar más fuerte conforme declinaba el día. Ese domingo no hubo concierto de música de cámara, así que la cantidad de gente era casi nula. Nadie bajo el cielo gris de la tarde se cruzó con él, que insistentemente andaba por veredas y daba vueltas. Se sentó en los escalones de la entrada sur de la biblioteca, dando la espalda a los famosos colores de sus muros. Bajó la cabeza, y el cabello se volcó sobre la cara.

Lorenzo se reincorporó y fue a tomar un autobús hacia el centro de la ciudad. En una tienda de ultramarinos compró un coñac, y enfrente, en un hotel modesto, pidió una habitación. Abrió la botella y comenzó a beber. Todos los compañeros habían abandonado el movimiento. Los únicos fieles eran los que habían sufrido vejación y dolor, pero ésos ya eran inservibles, como desechos de guerra; todos ellos y él mismo eran chatarra humana. Siguió bebiendo de la botella tragos pequeños y espaciados. Y al fin de cuentas qué vale sacrificarse, adónde nos lleva tener un ideal. Somos unos idiotas, nosotros los que nos dejamos arrastrar por las palabras ardientes de catedráticos que no sintieron ni el menor rasguño en la piel. Nosotros, al inicio de la juventud, somos los cándidos que sirven de bulto para recibir los embates. Siempre han utilizado los traidores y los canallas la generosidad juvenil. Nuestra fe en el bien y en la justicia nos condujo en manada a ofrendarnos inútilmente. Estoy equivocado: he creído en mentiras... ha sido todo un error.

Lorenzo echó un grito lamentoso, tomó la botella por el cuello, la volteó bocabajo, estrelló la base, sacó con la mano izquierda el pene macilento y con las puntas de vidrio comenzó a raspar entre los pelos del pubis; con saña volvió a encajar y mover hasta que cayó de espaldas, desmayado sobre la colcha.

Al día siguiente, el conserje del hotel abrió la puerta autorizando a la sirvienta para que hiciera el aseo, y en lugar de preguntar por el pago pendiente, miró en silencio el cuerpo del muchacho y una gran mancha de sangre absorbida por las telas de la cama.

Por la Zona Rosa camina Juan José del Real, joven ejecutivo de una empresa semicentralizada, en compañía del director de la misma y un industrial extranjero. Tendrán en el Focolare una comida de negocios, pero realmente amistosa, según le afirmó Juan José al industrial.

—Oye, oye, ¿no me recuerdas? —dijo una voz tipluda, acercándose.

Una persona madura pero bastante bien conservada, sonreía. El pelo recogido en forma de cola de caballo, la boca roja, unos aretes de color lila en las orejas, muy frecuentes en las sirvientas, los ojos vivos y parpadeantes, volvieron a ser marco para otra sonrisa que con sorpresa hizo que Juan José reconociera a Lorenzo.

—¿No me recuerdas? De la facultad... en la universidad... compañeros en el curso de historia de las ideas políticas... Préstame cincuenta pesos.

Juan José del Real se ruborizó súbitamente, metió la mano al saco buscando la cartera, pero la mano se le engarrotó al mirar al director de su empresa y al industrial.

–No tengo –dijo volviéndose de espaldas para seguir su camino.

–Está bien –respondió con un gesto de prostituta rogona, haciendo torceduras de charamusca con la boca.

En la Zona Rosa, en recuerdo de la actriz italiana, le dicen la Loren.

a Gustavo Sainz

JOSE EMILIO PACHECO
(1939)

Nació en Ciudad de México. Desde sus primeras publicaciones, los libros de cuentos *La sangre de la medusa* –al que más tarde se agregó el subtítulo de "cuentos marginales"– y *El viento distante*, se destacó como una de las plumas importantes de su país. Notable poeta, se manifiesta en los libros *Los elementos de la noche, Irás y no volverás, Islas a la deriva, Jardín de niños* y *Los trabajos del mar*. Conocemos sus novelas *Morirás lejos* y *Batallas en el desierto*, y también su tercer libro de narraciones cortas, *El principio del placer*. Se trata de uno de los más considerados intelectuales mexicanos y viaja permanentemente a dictar cursos y conferencias en diversas universidades del mundo. Su obra general ha sido motivo de múltiples estudios por parte de críticos y académicos.

La zarpa

Padre, lo que habrá oído en el confesionario y aquí en la sacristía... Usted es joven, es hombre. Será difícil entenderme. Me apena quitarle tiempo con mis problemas: ¿a quién más puedo confiarme?... De verdad no sé cómo empezar. Es pecado alegrarse del mal ajeno. Todos lo cometemos ¿no es cierto? Fíjese en la alegría que sienten los demás al ver un accidente, un crimen, un incendio. Al menos no fue para ellos una entre tantas desgracias de este mundo.

Usted no conoció a México cuando era una ciudad pequeña, preciosa, muy cómoda, no la monstruosidad que padecemos en 1971. Entonces uno nacía y moría en el mismo sitio sin cambiarse nunca de barrio. Eramos de San Rafael, de Santa María, de la colonia Roma. Nada volverá a ser igual... Perdone, le estoy quitando el tiempo. No tengo a nadie con quién hablar y cuando hablo... Ay Padre, qué vergüenza, si usted supiera, jamás me había atrevido a contar esto... Bueno, ya estoy aquí. Después me sentiré más tranquila.

Mire, Rosalba y yo nacimos en edificios de la misma calle, con apenas tres meses de diferencia. Nuestras madres eran muy amigas. Nos llevaban juntas a la Alameda y a Chapultepec. Juntas nos enseñaron a hablar y a caminar. Desde que entramos en la escuela de parvulitos Rosalba fue la más linda, la más graciosa, la más inteligente. Le caía bien a todos, era amable con todos. En primaria y secundaria lo mismo: la mejor alumna, la que llevaba la bandera en las ceremonias, bailaba, actuaba o recitaba en los festivales. "No me cuesta trabajo estudiar", decía: "Me basta oír algo para aprendérmelo de memoria".

Ay Padre, ¿por qué las cosas están mal repartidas? ¿Por qué a Rosalba le tocó lo bueno y a mí todo lo malo? Fea, gorda, bruta, antipática, grosera, díscola, malgeniosa. En fin... Ya se imaginará lo que pasó al entrar en la Preparatoria cuando pocas mujeres llegaban a esos niveles. Todos querían ser novios de Rosalba. A mí ni quién me echara un lazo: nadie se iba a fijar en la amiga fea de la muchacha guapa.

En un periodiquito estudiantil publicaron una nota. Aquí tiene el recorte: "Dicen las malas lenguas de la Prepa que Rosalba anda en todas partes con Zenobia para que el contraste haga resplandecer aún más su belleza única, extraordinaria, incomparable". Desde luego no tiene firma. Pero sé quién la escribió. No lo perdono aunque haya pasado medio siglo y ahora sea muy famoso y muy importante.

Qué injusticia ¿no cree? Nadie escoge su cara. Si alguien nace fea por fuera la gente se las arregla para que también se haga fea por dentro. A los quince años, Padre, ya estaba amargada. Odiaba a mi mejor amiga y no podía demostrarlo porque ella era siempre buena, amable, cariñosa conmigo. Cuando me quejaba de mi aspecto me decía: "Qué tonta eres, Zenobia, cómo puedes creerte fea con esos ojos y esa sonrisa tan bonita que tienes". Era sólo la juventud, Padre. A esa edad a nadie le falta una gracia. Mi madre se había dado cuenta del problema. Para consolarme hablaba de cuánto sufren las mujeres hermosas y qué fácilmente se pierden...

Yo quería estudiar Derecho, ser abogada, aunque entonces daba risa que una mujer anduviera metida en trabajos de hombre. Habíamos pasado juntas toda la vida y no me animé a entrar en la Facultad de Leyes sin Rosalba. En cuanto salimos de la Prepa se casó con un muchacho bien de la colonia Juárez que se había enamorado de ella en una kermés. Se la llevó a vivir al Paseo de la Reforma en una casa elegantísima que demolieron hace mucho tiempo.

Tanta ilusión que tuve y desde los diecisiete años me vi obligada a trabajar en El Palacio de Hierro. Por supuesto Rosalba me invitó a su boda pero no fui: le dije que no tenía nada que ponerme. Pasamos mucho tiempo sin vernos. Me quedé arrumbada en el departamento donde nací, en las calles de Pino. Santa María empezó a venirse abajo, a perder su elegancia de comienzos de siglo. Para entonces mi madre ya había muerto en medio de sufrimientos terribles, mi padre estaba ciego por sus vicios de juventud, mi hermano era un borracho que tocaba la guitarra, hacía canciones y ambicionaba la gloria de Agustín Lara. Pobre de mi hermano: murió asesinado en un tugurio de Nonoalco.

Un día Rosalba llegó a mi sección de ropa íntima, me saludó como si nada y me presentó a su nuevo esposo, un extranjero que apenas entendía el español. Estaba, Padre, más linda y elegante que nunca, en plenitud como suele decirse. Me sentí tan mal que me hubiera gustado verla caer muerta a mis pies. Y lo peor, lo más doloroso, era que Rosalba con toda su fortuna y los años vividos en Europa y en no sé cuántas partes, seguía tan amable, tan sencilla de trato como siempre.

Prometí visitarla en su nueva casa de Las Lomas. No lo hice jamás. Por las noches rogaba a Dios no volver a encontrármela. Me decía a mí misma: Rosalba nunca viene a El Palacio de Hierro, compra su ropa en los Estados Unidos, yo no tengo teléfono, no hay ninguna posibilidad de que nos veamos de nuevo. A esas alturas casi todas nuestras amigas se habían alejado del barrio. Las que permanecieron en Santa María estaban gordas, llenas de hijos, con maridos que les gritaban y les pegaban y se iban de juerga con mujeres de ésas. Para vivir así mejor no casarse. No me casé aunque oportunidades no me faltaron. Para todo hay gustos y por más amolados que estemos siempre viene alguien a nuestra espalda recogiendo lo que tiramos a la basura.

Se fueron los años. Una noche yo esperaba el tranvía bajo la lluvia cuando la vi en su gran Cadillac, con chofer de uniforme y toda la cosa. El automóvil se detuvo ante un semáforo. Rosalba me descubrió entre la gente y se ofreció a llevarme. Se había casado por cuarta o quinta vez, aunque parezca increíble. A pesar de tanto tiempo, gracias a sus esmeros, seguía siendo la misma de la Preparatoria: su cara fresca de muchacha, su cuerpo esbelto, sus ojos verdes, su cabello precioso, sus hoyuelos, sus dientes perfectos...

Me reclamó que no la buscara, aunque ella me mandaba cada año tarjetas de Navidad. Me dijo que el próximo domingo el chofer iba a ir a recogerme para que cenáramos en su casa. Cuando llegamos, por cortesía la invité a pasar. Y aceptó, Padre, imagínese: aceptó. Ya se figurará la humillación que fue mostrarle el departamento a ella que vivía entre tantos lujos y comodidades. Por limpio y arreglado que lo tuviera aquello era el mismo cuchitril que conoció Rosalba cuando andaba también de pobretona. Todo tan viejo y miserable que por poco me suelto a llorar de rabia y de vergüenza.

Rosalba se entristeció. Nunca antes había regresado a los lugares de su niñez y de su adolescencia. Hicimos recuerdos de aquellas épocas. De repente se puso a contarme qué infeliz se sentía. Por eso, Padre, y fíjese en quién se lo dice, no debemos envidiar a nadie: nadie se escapa, la vida es igual de terrible con todos. La tragedia de Rosalba era no tener hijos. Los hombres la ilusionaban un momento. En seguida, decepcionada, aceptaba a algún otro de los muchos que la pretendían. Pobre Rosalba, nunca la dejaron en paz, lo mismo en Santa María que en esos lugares tan ricos y elegantes que conoció más tarde.

Se quedó poco tiempo. Iba a una fiesta y tenía que vestirse. El domingo se presentó el chofer. Estuvo toca y toca el timbre. Lo espié por la ventana y no le abrí. Qué iba a hacer yo, la fea, la gorda, la quedada, la solterona, la empleadilla, en ese ambiente de riqueza. Para qué exponerme a ser comparada de nuevo con Rosalba. No seré nadie pero tengo mi orgullo.

Ese encuentro se me grabó en el alma. Si iba al cine o me sentaba a ver la televisión o a hojear revistas siempre encontraba mujeres hermosas que se me parecían a Rosalba. Cuando en el trabajo me tocaba atender a una muchacha que tuviera algún rasgo de ella, la trataba mal, le inventaba dificultades, buscaba formas de humillarla delante de los otros empleados para sentir que me vengaba de Rosalba.

Usted me preguntará, Padre, qué me había hecho Rosalba. Nada, lo que se llama nada. Eso era lo peor y lo que más furia me daba. Insisto, Padre: siempre fue buena y cariñosa conmigo. Pero me hundió, me arruinó la vida, sólo por existir, por ser tan bella, tan inteligente, tan rica, tan todo.

Yo sé lo que es estar en el infierno, Padre. Sin embargo no hay plazo que no se cumpla ni deuda que no se pague. Aquella reunión en Santa María debe de haber sido en 1950. De modo que esperé más de veinte años. Y al fin hoy, Padre, esta mañana la vi en la esquina de Madero y Palma. Primero de lejos, después muy de cerca. No puede imaginarse, Padre: ese cuerpo maravilloso, esa cara, esas piernas, esos ojos, ese pelo color caoba, se perdieron para siempre en un tonel de manteca, bolsas, manchas, arrugas, papadas, várices, canas, maquillaje, colorete, rimel, dientes falsos, pestañas postizas, lentes de fondo de botella.

Me apresuré a besarla y abrazarla. Había acabado lo que nos separó. No importaba lo de antes. Ya nunca más seríamos una la fea y otra la bonita. Ahora Rosalba y yo somos iguales. Ahora la vejez nos ha hecho iguales.

SERGIO PITOL
(1933)

Nació en la ciudad de Puebla. Ha vivido muchos años
fuera de México –Alemania, Italia, Austria, China Popular– cumpliendo cargos diplomáticos. Entre sus libros de
cuentos destacamos *Tiempo cercado, El infierno de todos, Los climas, Nocturno de Bujara,* que obtuvo el Premio Xavier Villaurrutia, y *Asimetría.*

Victorio Ferri cuenta un cuento

Para Carlos Monsiváis

Sé que me llamo Victorio. Sé que creen que estoy loco
(versión cuya insensatez a veces me enfurece, otras tan sólo
me divierte). Sé que soy diferente a los demás, pero también
mi padre, mi hermana, mi primo José y hasta Jesusa, son
distintos, y a nadie se le ocurre pensar que están locos; cosas
mucho peores se dicen de ellos. Sé que en nada nos parece-
mos al resto de la gente y que ni siquiera entre nosotros existe
la menor semejanza. He oído comentar que mi padre es el
demonio y aunque hasta ahora jamás haya llegado a descubrir-
le algún signo externo que lo identifique como tal, mi convic-
ción de que es quien es se ha vuelto indestructible. No obstante que en ocasiones me enorgullece, en general ni me place ni
me amedrenta el hecho de formar parte de la progenie del
maligno.

Cuando un peón se atreve a hablar de mi familia dice que
nuestra casa es el infierno. Antes de oír por primera vez tan

199

rotunda aseveración yo imaginaba que la morada de los diablos debía ser distinta (pensaba, es claro, en las tradicionales llamas), pero cambié de opinión y di crédito a sus palabras, cuando luego de un arduo y doloroso meditar se me vino a la cabeza que ninguna de las casas que conozco se parece a la nuestra. No habita el mal en ellas y en ésta sí.

La perversidad de mi padre de tanto prodigarse me fatiga: le he visto el placer en los ojos al ordenar el encierro de algún peón en los cuartos oscuros del fondo de la casa. Cuando los hace golpear y contempla la sangre que emana de sus espaldas laceradas muestra los dientes con expresión de júbilo. Es el único en la hacienda que sabe reír así, aunque también yo estoy aprendiendo a hacerlo. Mi risa se está volviendo de tal manera atroz que las mujeres al oírla se persignan. Ambos enseñamos los dientes y emitimos una especie de gozoso relincho cuando la satisfacción nos cubre. Ninguno de los peones, ni aun cuando están más trabajados por el alcohol, se atreve a reír como nosotros. La alegría, si la recuerdan, otorga a sus rostros una mueca temerosa que no se atreve a ser sonrisa.

El miedo se ha entronizado en nuestras propiedades. Mi padre ha seguido la obra de su padre, y cuando a su vez él desaparezca yo seré el señor de la comarca: me convertiré en el demonio: seré el Azote, el Fuego y el Castigo. Obligaré a mi primo José a que acepte en dinero la parte que le corresponde, y, pues prefiere la vida de la ciudad, se podrá ir a ese México del que tanto habla, que Dios sabe si existe o tan sólo lo imagina para causarnos envidia; y yo me quedaré con las tierras, las casas y los hombres, con el río donde mi padre ahogó a su hermano Jacobo, y, para mi desgracia, con el cielo que nos cubre cada día con un color distinto, con nubes que lo son sólo un instante para transformarse en otras, que a su vez serán otras. Procuro levantar la mirada lo menos posible, pues me atemoriza que las cosas cambien, que no sean siempre idénticas, que se me escapen vertiginosamente de los ojos. En cambio, Carolina, para molestarme, no obstante que al ser yo su mayor debería guardarme algún respeto, pasa ratos muy largos en la contemplación del celaje, y en la noche, mientras cenamos, cuenta, adornada por una estúpida mirada que no se atreve a ser éxtasis, que en el atardecer las nubes tenían un color oro sobre un fondo lila, o que en el crepúsculo el color del agua sucumbía al del fuego, y otras boberías por el estilo. De haber alguien verdaderamente poseído por la demencia en nuestra casa, sería ella. Mi padre, complaciente, finge una excesiva atención y la alienta a proseguir, ¡como si las necedades que en esos momentos escucha pudieran guardar para él algún sentido! Conmigo jamás habla durante las comidas, pero sería una necedad que me resintiera de ello, ya que por otra parte sólo a mí me está concedido disfrutar de su intimidad cada mañana, al amanecer, cuando yo apenas regreso a la casa y él, ya con una taza de café en la mano que sorbe apresuradamente, se dispone a lanzarse a los campos a embriagarse de sol y brutalmente aturdirse con las faenas más rudas. Porque el demonio (no me lo acabo de explicar pero así es) se ve acuciado por la necesidad de olvidarse de su crimen. Estoy seguro de que si yo ahogara a Carolina en el río no habría de sentir el menor remordimiento. Tal vez un día, cuando pueda librarme de estas sucias sábanas que nadie, desde que caí enfermo, ha venido a cambiar, lo haga. Entonces podré sentirme dentro de la piel de mi padre, conocer por mí mismo lo que en él intuyo, aunque, desgraciada, incomprensiblemente, entre nosotros una diferencia se interpondrá siempre: él amaba a su hermano más que nada en el mundo; más que a la palma que sembró frente a la galería, y que a su yegua alazana y a la potranca que parió su yegua; mientras Carolina es para mí sólo un peso estorboso y una incómoda presencia.

En estos días, la enfermedad me ha llevado a rasgar más de un velo hasta hoy intocado. A pesar de haber dormido desde siempre en este cuarto, puede decirse que apenas ahora entrega sus secretos. Nunca había, por ejemplo, reparado en que son diez las vigas que corren al través del techo, ni que en la pared frente a la cual yazgo hay dos grandes manchas producidas por la humedad, ni en que, y este descuido me resulta intolerable, bajo la pesada cómoda de caoba anidaran en tal profusión los ratones. El deseo de atraparlos y sentir en los labios el pulso y el latir de su agonía me atenaza. Pero tal placer por ahora me está vedado.

No se crea que la multiplicidad de descubrimientos que día tras día voy logrando me reconcilia con la enfermedad, ¡nada de eso! La añoranza, a cada momento más intensa, de mis correrías nocturnas es constante. A veces me pregunto si alguien estará sustituyéndome, si alguien cuyo nombre desconozco usurpa mis funciones. Tal súbita inquietud se desvanece en el momento mismo de nacer; me regocija el pensar que no hay en la hacienda quien pueda llenar los requisitos que tan laboriosa y delicada ocupación exige. Sólo yo que soy conocido de los perros, de los caballos, de los animales domésticos, puedo acercarme a las chozas a escuchar lo que el peonaje murmura sin provocar el ladrido, el cacareo o el relincho con que tales animales denunciarían a cualquier otro.

Mi primer servicio lo hice sin darme cuenta. Averigüé que detrás de la casa de Lupe había fincado un topo. Tendido, absorto en la contemplación del agujero pasé varias horas en espera de que el animalejo apareciera. Me tocó ver, a mi pesar, cómo el sol era derrotado una vez más, y con su aniquilamiento me fue ganando un denso sopor contra el que toda lucha era imposible. Cuando desperté, la noche había cerrado. Dentro de la choza se oía el suave ronroneo de voces presurosas y confiadas. Pegué el oído a una ranura y fue entonces cuando por primera vez me enteré de las consejas que sobre mi casa corrían. Cuando reproduje la conversación mi servicio fue premiado. Parece ser que mi padre se sintió halagado al revelársele que yo, contra todo lo que esperaba, le podía llegar a ser útil. Me sentí feliz porque desde ese momento adquiría sobre Carolina una superioridad innegable.

Han pasado ya tres años desde que mi padre ordenó el castigo de la Lupe, por maledicente. El correr del tiempo me ha convertido en un hombre, y, gracias a mi trabajo, he sumado conocimientos que no por serme naturales dejan de parecerme prodigiosos: he logrado ver a través de la noche más profunda; mi oído se ha vuelto tan fino como lo puede ser el de una nutria; camino tan sigilosa, tan, si se puede decir, aladamente, que una ardilla envidiaría mis pasos; puedo tenderme en los tejados de los jacales y permanecer allí durante larguísimos ratos hasta que escucho las frases que más tarde repetirá mi boca. He logrado oler a los que van a hablar. Puedo decir, con soberbia, que mis noches rara vez resultan baldías, pues por sus miradas, por la forma en que su boca se estremece, por un cierto temblor que percibo en sus músculos, por un aroma que emana de sus cuerpos, identifico a los que una última vergüenza, o un rescoldo de dignidad, de rencor, de desesperanza, arrastrarán por la noche a las confidencias, a las confesiones, a la murmuración.

He conseguido que nadie me descubra en estos tres años; que se atribuya a satánicos poderes la facultad que mi padre tiene de conocer sus palabras y castigarlas en la debida forma. En su ingenuidad llegan a creer que ésa es una de las atribuciones del demonio. Yo me río. Mi certeza de que él es el diablo proviene de razones más profundas.

A veces, sólo por entretenerme, voy a espiar a la choza de Jesusa. Me ha sido dado contemplar cómo su duro cuerpecito se entreteje con la vejez de mi padre. La lubricidad de sus contorsiones me trastorna. Me digo, muy para mis adentros, que la ternura de Jesusa debía dirigirse a mí, ya que somos de la misma edad, y no al maligno, que hace mucho cumplió los setenta.

En varias ocasiones ha estado aquí el doctor. Me examina con pretensiosa inquietud. Se vuelve hacia mi padre y con voz grave y misericordiosa declara que no tengo remedio, que no vale la pena intentar ningún tratamiento y que no hay más que esperar pacientemente la llegada de la muerte. Observo cómo en esos momentos el verde se torna más claro en los ojos de mi padre. Una mirada de júbilo (de burla) campea en ellos y ya para esos momentos no puedo contener una estruendosa risotada que hace palidecer de incomprensión y de temor al médico. Cuando al fin se va éste, el siniestro suelta también la carcajada, me palmea la espalda y ambos reímos hasta la locura.

Está visto que de entre los muchos infortunios que pueden aquejar al hombre, los peores son los que provienen de la soledad. Siento cómo ésta trata de abatirme, de romperme, de introducirme pensamientos. Hasta hace un mes yo era totalmente feliz. Las mañanas las entregaba al sueño; por las tardes correteaba en el campo, iba al río, o me tendía boca abajo en el pasto, esperando que las horas sucedieran a las horas. Durante la noche oía. Me era siempre doloroso pensar, y por eso constantemente evitaba hacerlo. Ahora, con frecuencia inusitada se me ocurren cosas y eso me aterra. Aunque sé que no voy a morir, que el médico se equivoca, que en El Refugio necesita haber siempre un hombre, pues cuando muere el padre el hijo ha de asumir el mando: así ha sido desde siempre y las cosas no pueden ya ocurrir de otra manera; por eso mi padre y yo, cuando se afirma lo contrario, estallamos de risa. Pero cuando solo, triste, al final de un largo día comienzo a pensar, las dudas me acongojan. He comprobado que nada sucede fatalmente de una sola manera. En la repetición de los hechos más triviales se dan las variantes. Las excepciones, los matices. ¿Por qué, pues, no habría de quedarse la hacienda sin el hijo que sustituyera al patrón? Una inquietud más lacerante aún ha venido a incrustárseme en los últimos días, al pensar que es posible que mi padre crea que voy a morir y su risa no sea, como he supuesto, de burla hacia la ciencia, sino producida por el gozo que la idea de mi desaparición le produce, la alegría de poder librarse al fin de mi voz y mi presencia. Es posible que los que me odian le hayan llevado al convencimiento de mi locura...

En la capilla que los Ferri poseen en la iglesia parroquial de San Rafael hay una pequeña lápida donde puede leerse:

"VICTORIO FERRI.
Murió aún niño.
Su padre y hermana lo recuerdan con amor".

ELENA PONIATOWSKA
(1933)

Nació en París, pero llegó a México siendo niña, en 1942. Debutó con la novela *Naranja dulce, limón partido*. Vivamente interesada siempre en los sucesos sociales y políticos, así como en los personajes singulares de nuestra época, tiene dos notables novelas testimoniales. *Hasta no verte, Jesús mío* y *La noche de Tlatelolco* (acerca de la trágica masacre ocurrida en 1968 en la Plaza de las Tres Culturas) y dos textos de carácter biográfico, el epistolario *Querido Diego, te abraza Quiela* (sobre un amor de Diego Rivera) y la reciente novela *Tinísima*, basada en la apasionante vida de la fotógrafa italiana Tina Modotti.

Esperanza número equivocado

Esperanza siempre abre el periódico en la sección de sociales y se pone a ver a las novias. Suspira: "Ay, señorita Diana, cuándo la veré a usted así". Y examina infatigable los rostros de cada una de las felices desposadas. "Mire, a esta le va a ir de la patada..." "A esta otra pue'que y se le haga..." "Esta ya se viene fijando en otro. Ya ni la amuela. Creo que es el padrino..." Sigue hablando de las novias obsesiva y maligna. Con sus uñas puntiagudas –me las corto de triangulito, para arañar, así se las había de limar la señorita"–, rasga el papel y bruscamente desaparece la nariz del novio, o la gentil contrayente queda ciega: "Mire niña Diana, qué chistosos se ven ahora los palomos". Le entra una risa larga, larga, larga, entrecortada de gritos subversivos: "¡Hi! ¡Hi! ¡Hi! ¡Hiiii!", que sacude su pequeño cuerpo de arriba abajo. "No te rías tanto, Esperanza, que te va a dar hipo".

A veces Diana se pregunta por qué no se habrá casado Esperanza. Tiene un rostro agradable, los ojos negros muy hundidos, un leve bigotito y una patita chueca. La sonrisa siempre en flor. Es bonita y se baña diario.

205

Ha cursado cien novios: "No le vaya a pasar lo que a mí, ¡que de tanto me quedé sin ninguno!". Ella cuenta: "Uno era decente, un señor ingeniero, fíjese usted. Nos sentábamos el uno al lado del otro en una banca del parque y a mí me daba vergüenza decirle que era criada y me quedé silencia".

Conoció al ingeniero por un "equivocado". Su afición al teléfono la llevaba a entablar largas conversaciones. "No señor, está usted equivocado. Esta no es la familia que usted busca, pero ojalá y fuera". "Carnicería 'La Fortuna'" "No, es una casa particular pero qué fortuna..." Todavía hoy, a los cuarenta y ocho años, sigue al acecho de los equivocados. Corre al teléfono con una alegría expectante: "Caballero yo no soy Laura Martínez, soy Esperanza..." Y a la vez siguiente: "Mi nombre es otro, pero ¿en qué puedo servirle?" ¡Cuánto correo del corazón! Cuántos: "Nos vemos en la puerta del cine Encanto. Voy a llevar un vestido verde y un moño rojo en la cabeza"... ¡Cuántas citas fallidas! ¡Cuántas idas a la esquina a ver partir las esperanzas! Cuántos: "¡Ya me colgaron!" Pero Esperanza se rehace pronto y tres o cuatro días después, allí está nuevamente en servicio dándole vuelta al disco, metiendo el dedo en todos los números, componiendo cifras al azar a ver si de pronto alguien le contesta y le dice como Pedro Infante: "¿Quiere usted casarse conmigo?" Compostura, estropicio, teléfono descompuesto, 02, 04, mala manera de descolgarse por la vida, como una araña que se va hasta el fondo del abismo colgada del hilo del teléfono. Y otra vez a darle esa negra carátula de reloj donde marcamos puras horas falsas, puros: "Voy a pedir permiso", puros: "Es que la señora no me deja...", puros: "¿Qué de qué?" porque Esperanza no atina y ya le está dando el cuarto para las doce.

Un día el ingeniero equivocado llevó a Esperanza al cine, y le dijo en lo oscuro: "Oiga señorita, ¿le gusta la natación?" Y le puso una mano en el pecho. Tomada por sorpresa, Esperanza respondió: "Pues mire usted ingeniero, ultimada y viéndolo bien, a mí me gusta mi leche sin nata". Y le quitó la mano.

Durante treinta años, los mejores de su vida, Esperanza ha trabajado de recamarera. Sólo un domingo por semana puede asomarse a la vida de la calle, a ver a aquella gente que tiene "su" casa y "su" ir y venir.

Ahora ya de grande y como le dicen tanto que es de la familia, se ha endurecido. Con su abrigo de piel de nutria heredado de la señora y su collar de perlas auténticas, regalo del señor, Esperanza mangonea a las demás y se ha instituido en la única detentadora de la bocina. Sin embargo, su voz ya no suena como campana en el bosque y en su último "equivocado" pareció encogerse, sentirse a punto de desaparecer, infinitamente pequeña, malquerida, y respondió modulando dulcemente las palabras: "No señor, no, yo no soy Isabel Sánchez, y por favor, se me va a ir usted mucho a la chingada".

MARIA LUISA PUGA
(1936)

Nació en Ciudad de México y actualmente radica en un rancho cerca del lago Pátzcuaro, en el estado de Michoacán. Viajó durante años por países europeos y residió un tiempo en Nairobi, Kenya. Ingresó a las letras con una novela que de inmediato la puso en órbita y mereció admiración de la crítica, *Las posibilidades del odio*. Tiene otra novela, *Cuando el aire es azul*, y algunos libros de cuentos como *Inmóvil sol secreto* y *Accidentes*.

El viaje

Que estamos hechos de contradicciones, dijo en el momento en que nos cruzábamos con un camión y sentíamos un golpe de viento que estremecía nuestro pequeño volkswagen. La carretera era estrecha y ninguno de los dos vehículos había aminorado la velocidad. Quedó flotando un segundo la palabra: contradicciones. Pensé: estamos hechos de eso. Pero cómo, cómo lo ves tú, pensé al mismo tiempo que percibía que sobre la carretera ya no estábamos, sin embargo seguíamos la trayectoria delineada por ella con perfecta tranquilidad.

–¿Y cómo? –pregunté.

–Pues así –y seguíamos flotando ya no tan sobre la carretera, charlando, cansados por el calor del mediodía, pacientes ante los kilómetros que nos faltaban para llegar a México–, las aceptas y ya.

¿Sí? ¿Sería cosa sólo de aceptarlas? Reconocerlas, identificarlas, dejarlas estar. Tomarlas en serio, prestarles atención..., bueno, parecía posible en ese momento en que francamente volábamos hacia los montes verdes y yo no entendía por qué E. se molestaba en tomar curvas o meter segunda si estábamos flotando tan plácidamente.

—Qué raro ¿no? —dijo L. atrás—. Nos salimos de la carretera.

—Lo mejor en estos casos —recomendó A.— es no pensar. Dejarte ir. Si no, te pueden salir mucho peor las cosas.

Yo no le creí. Su tono. No lo creí. Era frío, no ecuánime. Yo sabía que estaba tan consternado como yo. Como los demás también, a lo mejor.

—Claro —dijo E.—, no es tan grave. Sencillamente no te colocas en ningún punto en particular. Te dejas flotar y ya.

—Así como ahora —dijo L., más preguntando que afirmando.

—Normal —puntualizó A.—. Por lo demás, no se puede hacer otra cosa.

—Bueno, si ustedes dicen, así ha de ser, pero no dejo de sentir que hay algo anormal en todo esto —insistí, mirando por la ventanilla.

E. manejaba sin prisa, escuchando y pensando quizás en sus cosas. Cada cual tenía algo que hacer en la ciudad, y nos dejábamos llevar tranquilos, sin ansiar demasiado llegar.

Sólo L. parecía seguir extrañándose de que hubiéramos dejado la carretera.

—No sé ustedes, pero a mí me parece raro. Es que los árboles nos van quedando tan cerca.

—Es lo bonito —dijo E.—. ¿A poco no les gusta?

—Si uno los mira bien —señaló A.—, se da cuenta de que tienen expresiones muy distintas ¿no se han fijado? Allá está uno solemne, por ejemplo.

No lo vi. No lo busqué. No era el paisaje lo que me llamaba más la atención, sino esa nueva naturalidad que parecía querer decirme algo que tenía que ver con las contradicciones. Al mismo tiempo, era imposible ignorar que nos estábamos alejando de todo punto de referencia, a saber: la carretera.

—¿Y adónde se llega por aquí? —quiso saber L., y sonó totalmente fuera de lugar.

—Adonde queramos ir —aseguró E.—. Ustedes dicen.

—Yo estoy bien —dijo A.—. Por mí puedes seguir.

—Yo también —acepté mintiendo.

—¿Y tú, L.? —preguntó E.

–Me siento medio mal, mareada, pero como ustedes quieran.

–¿Y en dónde estábamos, entonces? ¿Alguien se acuerda?

–Las contradicciones –dije–. ¿De qué color son?

–Rojas, por supuesto, aunque a veces tienen unas tonalidades marrón ¿no?

–Azules –corrigió L.

–Esas afirmaciones categóricas de los piscis. No le hagas caso –dijo A.

–Azules francamente no puedo aceptar –dije mirando el horizonte–. No me dice nada.

–No, entonces sí, rojas y marrones. Pedazos, pues. Nada es nada –se rió un momento–, digo, ninguna es completamente todo ¿sí?

–De acuerdo. Yo sí –dijo A.

–La estoy tratando de reconocer –dije dudosa–. ¿O es posible que no las haya conocido antes? ¿Cómo te sientes L.?

–Pues... no muy bien. Quisiera bajar un momento. ¿Se podría?

E. miró por el espejo retrovisor para estudiarle la cara. Luego miró a su izquierda, disminuyó la velocidad y estupefacto, dijo: no sé si se pueda uno parar aquí.

–No sé si se pueda parar, punto –dije yo.

–Aguanta un poco L., es demasiado complicado detenerse ahora –dijo A.

–Bueno, pero ¿ya no falta mucho?

–Yo ya ni sé –dijo E.

–No sé por qué no podríamos detenernos al pie de aquel monte. ¿Por qué no tratamos E.?

–Sí, a mí también me gustaría estirar las piernas.

–Qué bueno –dijo L.

El auto comenzó a descender suavemente. E. lo conducía con una mano, mientras con la otra se acariciaba el bigote, pensativo. Lo detuvo al lado de un árbol y apagó el motor. No abrió la puerta de inmediato sino que se quedó inmóvil un momento.

–Bueno –dijo con un bostezo–. Aquí estamos. ¿Quién quiere bajar?

Todos.

Qué sensación extraña ponerse de pie. Estirar las piernas, sentirse caminar, ver en torno. Yo temblaba, pero no era desagradable, era sólo nuevo.

–¿Y qué hora es, a todas éstas? –preguntó A.

Tuve que pensar un momento en el significado de la pregunta. Para eso tuve que tratar de imaginar qué podía estar queriendo A., qué lo obligaba a formular algo tan extraño como "¿qué hora es?" Vi que E. miraba su reloj y fue entonces como si recordara un gesto mío. L. se apoyaba en la parte trasera del coche y miraba abstraída, sin parecer haber escuchado a A. E. y yo dijimos al mismo tiempo:

–Mi reloj está parado.

–Qué raro porque el mío también, por eso yo preguntaba...

–¿Dónde estamos? –preguntó en ese momento L.

–A qué altura exacta, no sé, pero yo diría que es más o menos la mitad del camino ¿no creen? ¿Hace cuánto que salimos de Cuautla?

Todos guardamos silencio igualmente asombrados. Cuautla. ¿Cuándo habíamos estado en Cuautla?

–Yo iba a Cuautla de niña... una vez fui con mis papás, me acuerdo –dije.

–Yo voy más seguido –dijo E.–, porque mis padres tienen una casa allá, pero ya hace meses que no he ido.

–Fuiste tú el que lo dijo –le recordó L.–. Yo es la primera vez que oigo la palabra "Cuautla".

–No, L., claro que sí has oído hablar de Cuautla. Acuérdate. Para ir a Cuernavaca se pasa por ahí.

–"Para quienes conocen ya... la forma... de lo que vendrá, aquí en WFM" –suspiró el radio.

–Pero a Cuernavaca fuimos hace como seis meses. En el otro viaje ¿no?

–No, hace más...

–Qué sitio más extraño éste –murmuró L.

–¿Por qué? –le pregunté.

–Siento que faltan los tallos. Algo. Fíjate en la yerba, en los árboles.

Me fijé y vi verde. Verde por todos lados, amorfo, compacto, vasto.

–¿Cómo los tallos? No entiendo.

–Sí, fíjate en la yerba. Crece a ras del suelo. Fíjate en la frondosidad de los árboles. Nunca había visto una cosa así.

Los árboles, a lo lejos, parecían suntuosamente frondosos, ricos, pesados casi. Abultando verdemente en las faldas del monte. La yerba, L. tenía razón, parecía una capa musgosa sobre la tierra. Nada se erguía, era cierto. Todo parecía yacer inerte aunque con una fuerza e intensidad de color bastante inusitadas. La tierra toda parecía acolchonada. Y de pronto noté otra cosa extraña: no había horizonte. Nos rodeaba esa especie de llanura verde que a la distancia se veía rodeada por montes también verdes.

—Oye —le dije a E.–, qué sitio más raro ¿ya viste? —quise señalar a la distancia, volviéndome consciente de que buscaba la raya divisoria con el cielo, y mi gesto salió circular, invitando a mirar en torno, cosa que E. naturalmente hizo, y dijo:

—Es lindo.

A. procedió a su vez a examinar los alrededores y observó qué lindo color. ¿Ya viste L.?

L. estaba boquiabierta.

—Yo quisiera ya irme —musitó.

E. la miró y pareció ensombrecerse. Me miró a mí y dijo:

—¿Por qué no podemos llegar nunca al mismo sitio los cuatro? Cuando no es uno es otro, pero siempre hay alguien que quiere irse, que marca un final del momento...

—Y eso que no somos más que cuatro. Imagínate una sociedad.

Nos reímos todos, pero ya habían cambiado nuestras expresiones. Yo sentí el cambio en la mía al ver la cara de los otros. Estaban pálidos, angustiados. Miraban cohibidos en torno. Yo los miraba a ellos (sin valor, probablemente, para ver lo que pudieran estar viendo). Por sus caras me daba una idea de lo que me estaba pasando a mí.

—¿Qué hacemos? —le pregunté a E.

—Irnos, supongo, qué más.

Tan simple, claro, meterse al coche y arrancar. Pero de pronto, al menos yo, no pude pensar en el coche o en irnos. Resultaba tan delirantemente absurdo. Como preguntarse ya en la cama ¿a qué hora nos acostamos? Pensé que era un juego de los otros, y me reí. Y de inmediato ellos comenzaron a reírse también, se reían como locos, doblándose, apoyándose en el coche, dejándose caer en la yerba, limpiándose las lágrimas de risa (lo que redoblaba la mía), y me dejé caer junto a ellos, dejándome ir en una hilaridad incontenible que no se alimentaba de nada más que del eco de la risa de los otros. Creo que por un segundo pensé en el futuro y sentí que había dejado pasar mi última oportunidad de conocerlo, pero la risa abultaba demasiado pesada en mi pecho y con tristeza dejé caer, al mismo tiempo que reía, todo un manojo de intenciones frescas. Sólo que ese momento de recostarme fue delicioso. Fue un verdadero llegar adonde pertenecía. A mi sitio.

—Oigo voces. Alguien viene —dije E.

La risa nos impedía erguirnos.

—Pero sí —dijo A.—, es cierto, yo también.

Y entonces oí rumores lejanos, como de multitud contenta. Recordé una época en que vivía en una casa cerca de un teatro. El rumor a las dos de la mañana cuando la gente salía de la última función. Yo despertaba y sentía las risas, las voces, los sonidos de motor que me sobresaltaban dulcemente, como alguien que me viniera a arropar.

—Ah, sí —dije tranquila—, vienen del teatro.

Se rieron más de lo normal.

—Pero no se rían así —dije—, van a pensar que estamos de fiesta o algo.

Lo que hasta a mí me sonó absurdo. Los otros ya se revolcaban por las carcajadas.

—Cállense, caramba, ni que fuéramos qué.

Insoportables. Lloraban de risa. Y la gente se acercaba. Ellos venían con su ruido, por su lado. Y de pronto me sentí angustiada:

—Por favor —les dije—, no hagan tanto ruido, se van a dar cuenta de que estamos aquí.

—Pero si vienen para acá precisamente por eso, porque nos vieron.

—Pero no —dije cada vez más angustiada—. E., hay que hacer algo, están llegando.

—No importa. Van a entender —dijo calmándome.

Y entonces, confiando, me quedé quieta, con el cosquilleo de la risa pero sin el placer. Esperando oír simplemente:

—Sí, se mataron todos, pobres.

214

RAFAEL RAMIREZ HEREDIA
(1942)

Nació en el estado de Tamaulipas, al norte de México por el lado del Golfo. Sus amigos le dicen el "Rayo Macoy", debido al título de un cuento que le valió el Premio Internacional Juan Rulfo. Autor de una veintena de obras, entre conjuntos de cuentos y novelas, ha cultivado también –como Paco Ignacio Taibo II– el género policíaco. Su primera incursión en la "novela negra" fue *Trampa de metal*, donde presenta a su vital y humano detective Ifigenio Clausel (If para los amigos). De sus novelas destacamos *El sitio de los héroes, Camándula* y *La jaula de Dios*. De sus libros de cuentos, *De viejos y niños, Paloma negra, Los territorios de la tarde*.

La media vuelta

Si fuera como las otras veces, llegaría el momento del regreso, pero miles de frases no dichas le indicaban que ahora era diferente. Lo supo desde que entró en la habitación y miró los trapos en el suelo, la muñeca sobre una silla, el aire caliente revoloteado por el abanico del techo, con las aspas despintadas y el desnivel de su marcha.

Entonces Yordan sintió la verdad y la comprobó, sin necesidad, al recorrer el ropero, los muebles y los cajones donde sólo se miraban los recortes que Elisa acostumbraba asentar en el fondo y así el cajón tuviera matices de ríos, niños sonriendo o páginas anunciantes de tierras montañosas.

–Es que el cajón así solito, pelón, no me gusta, me da la idea de que me voy a ir para adentro sin tener dónde quedarme –le había dicho Elisa cuando la halló recortando figuras y acomodándolas en el asiento de la madera.

Por un momento pensó en salir a buscarla donde seguro se encontraba pero pensó que los gritos de las otras mujeres, los chasquidos de los borrachos, le iban a dificultar los susurros.

Era necesario buscar la manera, la forma, y en la casona de las fueras, con las defensas que siempre interponía Elisa, con los ruidos de la música, iba a ser inútil tratar de regresarla.

—Odio estar encerrada todo el día, ¿no lo entiendes?

Y por más que Yordan, con mímica, le explicó lo de su trabajo, ella sólo torció el gesto para acostarse de nuevo.

Al tenderse, Yordan miró al abanico, sus vueltas, sus aspas viejas, y escuchó, acompasada al giro del aire removido, la respiración de Elisa quien a poco rato volvió el cuerpo y le untó las manos a los vellos del tórax, le dijo en susurros que la perdonara: son los nervios del encierro, que sus costumbres no se podían cambiar de un momento a otro, y él se dejó llevar por las manos y las palabras y se apecharon de sí mismos con el ruido del abanico haciendo la segunda a los quejidos.

Al sentarse en la silla de bejuco, Yordan se repitió el:

—Ahora sí que se la lleve el demonio.

Pateó en el suelo al trapo, arrugado como guante sin mano, se olió los dedos en busca de los recuerdos del último cigarrillo fumando unos minutos antes de entrar al cuarto y mirar el silencio.

No era tarde, pero él sabía que desde las seis, los hombres llegaban a la casona, y en las habitaciones altas, jugaban al paco. Yordan se imaginaba las risas y el retintín de los vasos y el rodar mullido de las monedas sobre las camas, aún olorosas a cuerpos y deshechas por el sueño del día.

Trató de hacer oír su voz junto a él mismo, pero la ronquera, cada día más intensa, y el tartamudear de siempre, le impidieron echar al aire las palabras.

—Habla bien, apenas te entiendo —siempre le decía ella, pero Yordan no tenía la culpa de su apenas voz, y con ademanes y letras desunidas, expresaba felicidad y del nuevo momento que vivía al tenerla cerca. La mujer reaccionaba como niño regañado, bajaba la cabeza y la metía entre las manos largas del hombre quien se unía a Elisa para sentir más caliente el aire de la noche.

Yordan se levantó, caminó de una pared a la otra. Moviendo la boca como un actor sin público, ensayó las veces que en ese mismo sitio habían estado juntos. Se contó, con palabras mudas, todas las veces que Elisa y él habían trazado planes para cuando él terminara el pozo. A veces salían a la calle, sacaban las sillas de mimbre y se sentaban a ver pasar a la gente. Le gustaba el puerto atarragado de ruidos. Le gustaba sentirse acompañado y que ella le acariciara las manos y le hablara de sus viajes y de sus tiempos de niña. El sonreía y hasta se animaba a decirle una o dos palabras que sonaban rasposas y atrabancadas. Pero eso era lo de menos, ella le entendía la mirada y los gestos. Se hablaban en el lenguaje de la mujer y él ripostaba con los ojos alegres y parpadeados de continuo. Si la charla de Elisa se alargaba, entonces Yordan se iba más allá de los sonidos y se imaginaba otros hombres y los gritos en la casona encendida, y a poco le cambiaba la mirada, por más que intentara disimular ese momento. Ella se daba cuenta y se iniciaba la reclamación:

—¿No lo puedes olvidar, eh? Lo traes metido siempre, y nada más estás esperando ver cómo me lo echas en cara.

Y de ahí la turbulencia. Los gruñidos. Los arranques hasta que Elisa sacaba sus cosas y se largaba a la casona para dejarlo a él tendido en la soledad con los ruidos de la calle y de su casa.

Al regresar, ella sin decir algo, se vestía de niña y lo rondaba como gato. El cerraba los ojos y fingía no saber que Elisa estaba cerca. La mujer se entretenía en sobarle los muslos como si deseara meterse en las venas. Después ella cantaba la misma canción de siempre, esa que ahora Yordan escucha dentro, esa que contaba las historias de las sirenas, hasta que el hombre abría los ojos y preguntaba, a señas, dónde había estado. Elisa ronroneaba y terminaban tirados en la cama frotándose con perfumes para que los olores de la casona se confundieran con el mismo abrazo.

Las ocasiones que Elisa se había marchado lo dejaban como ahora, sólo que esta vez, algo le decía: de no ir a buscarla, ella no iba a regresar como siempre. Y es que ahora se trataba de romper el juego de las presencias y desapariciones. Nada, dentro de su código silencioso, marcaba que Yordan atravesara la ciudad, se internara en los barrios de la orilla, y llegara a la casa grande a tratar, con esa maldita voz sin letras, de cambiar las reglas de lo establecido en normas invisibles o silabarios demostrativos. Y entonces le entraba la angustia de las horas y se imaginaba lo que pasaría con los otros, y se llenaba de imágenes de ella, riendo, con los pechos atisbados por ebrios, con las caderas sumidas en la música, y le entraban las ganas de tener voz y garganta para lanzar de gritos y éstos sobrevolaran la ciudad colándose dentro de los muros, y jalaran a Elisa hasta los dominios del hombre, silencioso, que se sienta de nuevo, se mete el cigarrillo entre los labios, como si tratara de recomenzar el juego que ella utilizaba para acariciarle los labios, irle dibujando cada una de las estrías hasta que las manos se atornillaban en la cara, y los dedos se hacían flores y brumas y cantos y paquebotes movidos por la marea y las bocas buscaban nuevas posiciones hasta que las esencias de ellos mismos se deslizaban por los labios aplastados, salivados, configurados al empuje de los otros hechos igual como bajorrelieve sobre espejo.

Sin decidirse, igual que si tomara nuevas trincheras en la batalla, Yordan salió a la calle y subió al auto que Elisa tanto festejó cuando lo llevó a casa. El asiento contrario al volante insinuaba la figura de la mujer y sin quererlo, repasó la tela y trató de obstinarse en las fibras de la ausencia. Olía su cuerpo y a momentos, mientras manejaba por las calles apretadas de tráfico, creyó escuchar su canto.

De pronto estuvo frente a la casona: alta, con las rejas semidestruidas en algunos trechos, con las plantas creciendo en desorden en el jardín largo, con las luces en las ventanas, con el pulular de hombres y con los ruidos de la música estrellada en los vidrios del auto, de su auto, mismo al que Yordan acalla el motor y el hombre se queda inmóvil en espera de algo que él mismo no determina en circunstancia ni en tiempo.

—No te creo.

Yordan, con su apenas voz, y con los ademanes que le habían dado los años, le explicó que sí era cierto, sí era cierto. Llevaban apenas unas semanas de estar juntos y él sabía que eso no era igual a lo sucedido otras veces. Otras muchas que nada se le recoló en los adentros. Con ella era diferente y Elisa también lo dijo:

–No te lo puedo explicar, pero es diferente, contigo me siento más mujer.

Aunque al terminar, repitió eso de: no te creo.

Durante la noche ella contó que ya otros le habían dicho lo mismo y Yordan no la dejó acabar porque prendió la luz y se le quedó mirando a la cara, sin mover nada, sólo mirando y mirando, con la respiración fatigosa, silbante, hasta que ella movió la cabeza para decir sí, y se abrazaron, recorrieron mutuamente una geografía de novedades y una sensación de tibieza en el reclamo de los músculos.

Abrió la puerta, salió y se detuvo en la orilla del automóvil. Fumó sin sentir lo rasposo del humo. Ella nunca le había dicho cómo era la casona pero se la imaginaba con sus cuartos monótonos y sus olores falsos. El pórtico iluminado le mostró las caras de los demás. Nadie se fijó en su presencia cuando cruzó el dintel y se detuvo al frente de la sala iluminada. Con los muebles forrados en rojo y las duelas brillantes.

Ella hizo que le comprara tres vestidos de niña. Con uno de ellos lo esperaba, o lo acosaba cuando el trabajo le cerraba los ojos. Una muñeca sobre el tocador y a veces, no siempre, ella la movía como una extensión más de su propio cuerpo; le fingía los caminados, el levantar de los brazos, la voz que decía de colinas suaves, viejas nanas arrulladoras y pasadizos guardadores de fantasmas. Entonces él besaba a la muñeca hasta que Elisa simulaba celos y la arrojaba a un rincón, se deshacía de los moños y los calcetines para caer sobre Yordan y bailar por toda la habitación al compás de la música que ella entonaba en canto tímido y bien pegado a su oído.

Diferente a la música de la casona. El echó la mirada por todos los sitios y no la vio. Tomó hacia la escalera y al final de ésta, un pasillo largo lo detuvo. La mujer gorda, sentada frente a una mesa pequeña, lo miró extrañada pero los ojos de Yordan callaron cualquier reclamo. Las puertas iguales, alineadas rítmicamente, dibujaban contornos al pasillo. Muchas puertas que custodiaban habitaciones y dentro de una de ellas, eso lo sabe Yordan, pero no en cuál, estará Elisa. Tras una de esas puertas se encontrará la mujer. La mirará dentro de un momento y al pensar en eso, su casi voz no podrá salir y se quedará callado mientras ella lo sorprenderá con su sorpresa de verlo ahí, dentro, en ese sitio que no es de él y que ella usa para resguardarse de los brazos de Yordan, y de la idea de quedarse apachurrada, sola, para siempre, con el hombre silencioso que la amarra a su sensibilidad eterna.

—Estaremos juntos hasta que tú quieras —dijo Elisa una tarde que salieron del cine. Cenaron en un restaurant del centro y comieron con los ojos pegados a los ojos del otro. Ella a veces sonreía y le apretaba la mano desde la orilla de la mesa. Al salir, Yordan la tomó de la cintura y así se fueron hasta el auto. Dentro, se besaron con el sabor de la comida, y entonces empezó a llover para empañar los cristales.

Yordan miró la primera puerta y puso sus manos en la madera y con ello tratar de recibir lo que estaba adentro. Las palmas le sudaban en el esfuerzo de atraer las figuras con las yemas. Repasó las hojas de la puerta sin que nada le indicara la presencia de Elisa. Entonces se agachó y miró por la cerradura. El cuarto, distorsionado por el ángulo de posición, mostró una cama. La cara de la mujer de adentro no era la de Elisa. Eso mismo hizo en las cerraduras de otras puertas hasta que, por el pequeño hoyo, la vio. Estaba tendida de espaldas, sola. Por el agujero de la cerradura nada se escuchaba pero él supo que la mujer cantaba y decía de sirenas y playas de algas deshiladas. El tocó la puerta, la arañó, la azotó con los puños y después de cada golpe se agachaba a mirar por la cerradura. Elisa seguía en la misma posición. Nada indicaba que los golpes la hubieran inquietado. Trató de gritar pero su voz, nula, llegó apenas a la puerta y se asentó, sin fuerza, para escurrirse por la madera. Entonces puso la boca junto al hoyo de la cerradura y empezó, casi en silencio, a decir su nombre, el de ella:

—Elisa, Elisa, Elisa, Elisa, Elisa, y así hasta que las palabras empujaron unas a otras, unas a otras, se fueron dando valor y se arremetieron, se congestionaron de sus propias letras, fueron trecho a trecho por la habitación, toda pintada de blanco, hasta que encallaron en la cama, se treparon por la piesera, camina-ron de puntillas por el edredón y llegaron, atosigadas por las otras Elisas, que seguían cruzando la frontera de la cerradura, al cuerpo de ella quien se encogió, por primera vez, sin que

Yordan se enterara, pues su boca era la pegada al hoyo de la cerradura, y no sus ojos.

Las palabras, manipuladas por la configuración del agujero, moldeadas por la llave ausente, se clavaron en los labios de ella quien se levantó de la cama y caminó hacia la puerta. Puso el ojo en la cerradura y le miró a él los labios. Sintió el peso de la palabra hecha eco, salida de la garganta sin voz, y en silencio vio cómo de los labios, la cerradura se hacía también de ojo, y los dos, como cíclopes de batallas viejas, se miraron por la cerradura que para entonces cobró su derecho de peaje en Elisa Elisa Elisa y la palabra se deshizo más allá de la cama de cabecera dorada.

Abrió la puerta, tiró la bolsa de pedrería brillante, y los dos, con las palabras en cortejo olvidado, recorrieron el pasillo de regreso.

BERNARDO RUIZ
(1953)

Nació en Ciudad de México. Hasta hace poco ejerció el cargo de Director del Departamento de Literatura del Instituto Nacional de Bellas Artes. Ha indagado en diversos géneros. Ensayo: *Los mitos y los dioses: Adolfo Bioy Casares*; poesía: *La noche y las horas, Controversia de sombras*. Su obra narrativa comprende las novelas *Olvidar tu nombre* y *Los caminos del hotel* más los conjuntos de cuentos *Viene la muerte. La otra orilla* y *Vals sin fin*.

Regreso

A Humberto Martínez

Le pareció regresar a algún sitio, como si atrás de aquella barda por donde acababa de atravesar pudiera contemplar los lejanos lugares de su infancia: el pequeño jardín en forma de L, los juegos de su hermano y del hijo de la sirvienta con una canica transparente, que mucho le gustaba, los columpios de colores y todo el río de recuerdos (*as poet says*) que debe contemplar un hombre en el instante previo al abismo de la muerte.

Prefirió el presente: aquel sendero, que no era el de la felicidad –se dijo– pero para ser obra humana no estaba mal; el brazo y el andar firme de Verónica; el sirviente con apariencia (oh, Platón) de esclavo señalando el camino (precaución inútil, como si no se viera el inmenso mausoleo) hacia la casa (tan correctamente definida como mansión por los cronistas de sociales); la sirvienta que los hizo pasar hacia la sala donde fueron despojados de pertenencias inútiles: paraguas, gabardinas y bolso de Verónica. El presente. El presente que tanto lo reconfortaba cada vez que el arsenal de su memoria amenazaba con incendiarse.

—Me emociona que se reconozcan tus méritos —le dijo Verónica. Quería averiguar cuál era el estado de ánimo de Raúl.

Ella lo conocía bien aunque no tenían más de ocho años de casados (los abuelos de Verónica afirmaban que nadie se conoce bien, aproximadamente bien, hasta después de transcurridos veinte años de diaria o frecuente convivencia). Opinión de aristócratas, decía Raúl, que no alcanzaba bien a explicarse la lucidez ilimitada de Verónica después de todo ese tiempo en que vivió con aquel par de viejos tan bien intencionados como imbéciles. Ella contestaba que, a fin de cuentas, para no mezclarse con gente de otra extracción, tanto nobleza como aristocracia (ya que el término burgués en esos casos era tan impreciso) gestaban en su seno, con el mismo cariño y cuidados, tanto a sus detractores como a sus más impolutos ejemplares.

Si él trataba de oponer algún argumento (como mencionar que había *miles de millones* de "contraejemplos", para decirlo en sus términos, Raúl sabía que Verónica le respondería con lógica incontrovertible: "los miles de millones de que hablas no tienen elementos tan poderosos, como otro aristócrata los tendría, para odiar a la aristocracia. Los miles de millones, seamos realistas, sí, tienen motivos para el odio; de otro modo no serían humanos ni merecerían los derechos de nuestra especie. Sin embargo", y un leve matiz de ira se revelaba en el tono de su voz, "sólo un aristócrata sabe cuán perfectamente justificado puede ser este odio"), la discusión no tardaba en llegar a su fin.

—Todo fue accidental. Prefiero quedarme en casa o en el cubículo. Qué tan harto o ansioso me habré sentido al entrar, que no quería creer que estaba aquí; tuve una visión de vértigo. Quizá debí estudiar psicoanálisis. Por un momento, recién entrados, tuve la certeza de que atrás del muro de piedra, atrás de la recién clausurada madera, quedaba mi infancia, y se volvía a presentar cada uno de los momentos que compusieron mi infancia.

—Tal vez estaba ahí.

—Lo sé, pero qué tal si no resultaba ser como lo recuerdo.

—Tu infancia no fue terrible.

–Ciertamente, creo. Pero tuve miedo que desde los ojos del adulto lo fuera. Me hubiera estremecido la sola posibilidad de que debiera nuevamente repetir algunos actos.

–Es hermoso eso que dices.

–No entiendes. Es como un anillo. Si me hubiera alzado sobre la barda y efectivamente hubiera estado ahí el primer instante de que tengo memoria, creo que hubiera tardado treinta y siete años en regresar donde estabas. Treinta y siete años para circunvolucionar el anillo.

–Es hermosísimo eso, Raúl.

–Si toda la vida fuera hermosa, lo acepto. Pero piensa la sola posibilidad de que, simultáneamente, de nuevo, las demás vidas se repitieran: volverías a encontrar asesinado a tu padre.

Calló al darse cuenta de la indigna crueldad del ejemplo. El rostro de Verónica no mostró ninguna alteración.

–Todo, piénsalo bien –dijo ella–, todo vale la pena con tal que te encuentre otra vez, tu mirada aguardándome, como aquel 28 de junio.

Raúl prefirió dejar las cosas como estaban. Bajó los ojos con lentitud. Recorrió con la mirada la piel levemente morena de la mujer, los labios carnosos, la barbilla delicada. El recuerdo del tacto de aquel rostro, de aquella piel, de la mirada que no se atrevía a enfrentar en ese momento, lo estremecieron. "Han pasado diez años y el estremecimiento es el mismo", apuntó para sí.

–La Universidad era un agradable refugio –explicó Verónica en voz alta–. Intimamente, comprendo que ha sido para mí todo un símbolo.

Y Raúl aceptó que ella hablara así de él. Se levantó del sillón. La oía sin escuchar; sin acabar de entender qué contenían aquellos recuerdos que ella enlistaba con tanta facilidad; preguntándose si ella lo amaba por la suma (inventariada) de los factores; pero no buscaba una respuesta. Veía la alfombra, impecablemente blanca, la chimenea coronada por un Rivera de la época más cubista. "Insoportable", murmuró para sí, hasta llegar al ventanal.

225

—¿Los señores desean tomar algo en especial? –preguntó un criado viejo, de facciones tristes–. El señor Secretario estará con ustedes en un momento.

Verónica pidió una conga y Raúl una cerveza oscura. Cuando salió el criado, el hombre se volvió hasta la ventana nuevamente, y descorrió con un cuidado digno de mejores causas la cortina que impedía la contemplación del mundo exterior (porque el mundo interior posee otros accesos). No pudo reprimir una exclamación. La mujer se sobresaltó.

—¡Raúl!, ¿pasa algo? –y se acercó hasta él.

Raúl no había escuchado ni visto nada fuera del espectáculo tras el cristal.

—Ojalá pudiéramos tener un jardín como éste –dijo cuando sintió el contacto de la mano de la mujer.

—A mí me bastaría con las flores que rozan el marco.

—¿No alcanzaste a ver la jirafa o el antílope? Quizá tienen un oído muy fino y se asustaron con mi grito.

—No pueden tener un oído tan fino, las paredes son gruesas, también el cristal –dijo ella extrañada.

—Sólo los antiguos creyeron que había cinco sentidos. Para ellos hasta el negro murciélago habría sido un ente inferior. Quizá las animalías de que hablo huyeron a esconderse en el bosquecillo.

—Quizá. Pero el Secretario comienza a tardarse más de lo debido.

—Estará ocupado, mujer.

—Un hombre así debe carecer de ocupaciones. Basta contemplar este salón para darse cuenta de que su verdadero y actual oficio no es la política. Además, carece de *savoir faire*: una habitación blanca en una casa blanca con muebles Chippendale, una vitrina art *nouveau* y cuadros de Rivera junto con acuarelas de Montmartre de 30 francos enmarcados por Lessing & Co. son un descaro. Aquí nada más hay capricho tras capricho. Un hombre así jamás será un buen político. Puedo jurar que no acabó ni la primaria.

—No voy a discutir; no defiendo al Secretario, la casa a mí no me parece fea.

–Raúl, piensa en tus hijos, no les vayas a heredar tu mal gusto –dijo Verónica en el tono más melodramático que pudo encontrar.

Ambos rieron. Callaron un momento. Verónica reemprendió la crítica con mejor ánimo:

–Hay que comprender que amueblados como éste son parte de los peligros que tiene la libertad.

–Te confesaré una cosa: fuera del cuadro horrendo ése, me gustó el lugar; aunque se necesita no estar muy bien de la cabeza para tener encarcelada a una jirafa como si fuera una gallina.

–O para invitarte a comer y que a la hora te tengan esperando desde el aperitivo hasta el anfitrión. No te vayas Raúl, voy a buscar un baño.

Verónica salió por el corredor. Se oyó el ruido de una puerta. Raúl permaneció mirando por la ventana. Tenía la esperanza de ver a la jirafa nuevamente. Escuchó un ruido de pasos extrañamente familiar; antes que pudiera volverse reconoció la voz:

–Y que llega mi marido con la sorpresa de que te habían dado el Premio de Ciencias. Inmediatamente le dije: "caray, hombre, invítalo a comer; este Raúl tiene tanto *charme* como don Mendo. Y a fin de cuentas es nuestro Einstein", ¿verdad, Raúl?

–No soy como Einstein, Lucía, ni sé quién sea don Mendo.

–Don Mendo es mi mascota favorita: un noble venido a menos que hospedamos en el último piso de la casa: no bebe, no fuma, apenas come y lleva cinco años mirando por la ventana. Día y noche. Día y noche.

–Tu casa es extraña, pero me agrada.

–¿Para qué trajiste a tu mujer? Es tan aburrida que dan ganas de golpearla.

–Lo único que tienes son celos, Lucía. Yo te pensé muerta, no hay más excusa.

–No te justifiques.

Raúl no había volteado hacia ella, la mujer más atractiva que iba a conocer a lo largo de toda su existencia (pero eso se ignora, porque el futuro no es propiedad de nuestra especie). Y

Lucía miraba a Raúl con la misma intensidad y cariño (cariño que Raúl nunca comprendió) con que lo había amado hacía doce años; dispuesta como lo señalaba su destino a hacer todo por él, porque quien conociera el rostro de los astros hubiera dicho: "Esta mujer, Lucía Adame, fruto del amor de Antonio y Guadalupe Adame Espinosa, tendrá los ojos verdes, la voz de un pájaro de la mitología, el Yalub, especie análoga a la del Fénix, pero capaz únicamente de dos resurrecciones; y su corazón, ardiente y duro como el color impenetrable del rubí, sólo será para un hombre, al que ella pertenecerá sobre la totalidad de los elementos, inclusive las Sombras y el Fuego". Sin embargo, solo un brujo invidente de Chalco, don Ventura, pudo explicar la desgracia que segaría la vida de Lucía Adame: "Neldán, el dios de la risa, y Josafat Díaz, el dios del amor, jugaron a los dados la felicidad y los dones de Lucía. Tres ases y dos reinas dieron a Neldán la supremacía sobre los dos reyes y los dos dieces de Josafat. De este modo, porque los dioses lo resolvieron por el azar, Lucía Adame amaría al hombre que iba a rechazarla y sería amada por el hombre que ella rechazaría". Esto explicó don Ventura, un brujo ciego, antes de caer víctima del sueño en un sucio establo de Chalco, por excesos en la ingestión de curaditos de apio. Unas cuantas vacas y un perro guardián sarnoso olvidaron con rapidez la explicación del brujo.

—Que Eduardo haya firmado la invitación no quiere decir nada. Era yo quien te invitaba, Raúl, porque necesitaba explicarte muchas cosas. Con los años, el peso del silencio y de los errores de juventud hacen agobiante el paso de la tarde y los insomnios.

—Simplemente pensé que te habías muerto en Europa. Te extrañé al principio y comprendí después que ése era el final perfecto de una relación enfermiza.

—Yo aprendí a amar en revistas de sirvienta, donde el amor lucha contra todo y al final triunfa. Ven conmigo. Huye conmigo.

—Lo que llamas nuestro amor habita en el Valle de las Sombras.

Lucía adoptó la expresión de los condenados de la Capilla Sixtina (cualquier hombre habríase estremecido, pero Raúl la miró compasivamente y la escuchó por mera educación o costumbre; y escuchó amenazante la voz de la, digamos, otrora doncella):

–Te espero entonces en el Valle de los Muertos –y nadie supo más de Lucía Adame.

En ese instante Raúl reaccionó como parte del respetable auditorio de la película de medianoche lo hubiera hecho: con un largo y silencioso escalofrío; mas no se inmutó con la intempestiva ausencia de la bella.

"Si pudiera ser el jardinero de este jardín, desaparecerían muchas de las angustias que acechan mi vida. Lástima que Lucía ronde por ellos. A la vez, es tan fácil e inaccesible la felicidad", se dijo Rechtman.

La estancia, como la casa, estaba en silencio. Verónica no había vuelto. Raúl sintió la curiosidad, casi infantil, de recorrer la casa, de penetrar los secretos de la mansión. Las palabras de Lucía acerca de don Mendo le habían intrigado. En aquel momento, sólo por la curiosidad de ver a un auténtico noble fijodalgo, etc., era capaz de sacrificar su prestigio de Premio de Ciencias, era capaz de arriesgarse a una discusión con Verónica, hasta se sintió dispuesto a decirle a Lucía que estaba bien, que hicieran las paces, que no estuviera chingando; en fin, lo que quisiera, pero que le dejara ver a don Mendo.

Salió del cuarto por la misma puerta por la que salieron Verónica y el criado. Por el corredor opuesto a la entrada llegó a una escalera amplísima de mármol. A través del cubo de la escalera caía ostentoso un estandarte de terciopelo rojo que lucía las armas (dedujo Raúl) del buen Mendo. Al menos nada tenían que ver con los escudos de la Patria o de la Secretaría del Secretario. Subió. Ignoró un primero y segundo piso. Se estrechó la escalera. El silencio de la mansión le hacía pensar en él de una campana al vacío con la que experimentaba doce años atrás. Y como Lucía había descrito; al final de la escalera encontró no el acceso a la azotea o al cuarto de los trabajadores domésticos, sino una puerta discreta y elegante, con el mismo escudo de armas (un hacha y una espada ensangrentadas cruzadas sobre un campo blanco) visto en la escalera. Tocó. Como lo imaginaba, no hubo respuesta. Giró el picaporte. Sin sonido alguno, se abrió la puerta con una muy leve presión.

El cuarto no era amplio. Contendría, apenas, 40 metros cúbicos. Todas sus superficies eran idénticas: espejos que tenían impreso en el azogue los caminos de la vía láctea y de la bóveda celeste trabajados con minuciosidad microscópica. La única excepción era el techo, donde una claraboya permitía observar –acostado– el volumen preciso de los cielos. Como una intuición dictada por la supervivencia, un temor inexplicable detuvo a Raúl, que no se atrevió a invadir aquella cámara de atmósfera –se dijo– perversa. Contempló, sí, la caricatura de ser humano y de esqueleto que tendido en el suelo, con las manos cruzadas sobre el pecho miraba sin emoción alguna, a través de la abertura, *este* fragmento de los cielos (porque en su huida, horrorizado, Raúl comprendió que aquella estancia diabólica no estaba proyectada por ser alguno de este mundo; y si el ser era de este mundo, era el *más* viejo); porque cada espejo, sí, reflejaba minuciosamente cada rincón de este universo. Sí. Con la particularidad de que estaba contemplado desde el otro extremo, a millones de años luz, al que ningún ser vivo sobre el planeta tenía acceso.

Y, en su descenso, un miedo aún más profundo lo invadió al recordar que conocía si no la sala donde había estado con Verónica (¿quién era ella?, ¿quién la recordaba?), cada uno de los objetos que la amueblaban: la vitrina de casa de la abuela Marta; aquel insoportable cuadro perdido en un incendio; las acuarelas regalo de bodas de un primo a su hermano... objetos, en fin, que conjugados en la blanca habitación no le habían dicho nada. Sin embargo, aislados en la cámara de torturas de la memoria gritaban con descaro la razón y calidad de su origen. Raúl se detuvo en su alocado descenso. Se hallaba en el primer piso. Decidido, se dirigió hacia una puerta que, pensó, creía reconocer. La abrió; no se había equivocado: volumen por volumen, estante por estante, se encontró en la biblioteca de su padre.

Ya sin temor, sólo para corroborar su idea, se decidió a descorrer la cortina. Ya sabía de qué jardín se trataba.

GUSTAVO SAINZ
(1940)

Nació en el D.F. y es, junto con José Agustín, cabeza de la Generación de la Onda. A los 25 años rompió los moldes de la narrativa tradicional con su sorprendente novela *Gazapo*, que dejó pensativos a los críticos. Sainz ha sido director de revistas culturales, profesor en la Universidad Autónoma de México y coordinador de talleres de narrativa en diversas universidades de los EE.UU. Otras novelas suyas son: *La princesa del Palacio de Hierro, Compadre Lobo* y *Paseo en Trapecio*. Aunque no conocemos del autor ningún libro de cuentos, escudriñando mucho (en el afán de incluirlo en esta colección), encontramos su minitexto "Río de los sueños" en la antología de cuentos breves *El libro de la imaginación*, del escritor y maestro Edmundo Valadés.

Río de los sueños

Yo, por ejemplo, misántropo, hosco, jorobado, pudrible, inocuo exhibicionista, inmodesto, siempre desabrido o descortés o gris o tímido según lo torpe de la metáfora, a veces erotómano, y por si fuera poco, mexicano, duermo poco y mal desde hace muchos meses, en posiciones fetales, bajo gruesas cobijas, sábanas blancas o listadas, una manta eléctrica o al aire libre, según el clima, pero eso sí, ferozmente abrazado a mi esposa, a flote sobre el río de los sueños.

GUILLERMO SAMPERIO
(1948)

Nació en Ciudad de México. Representa bien a la generación de cuentistas surgida a partir de los trágicos acontecimientos de 1968. Entre sus más destacados libros de
cuentos –género al que se ha dedicado por entero–
están *Fuera del ring, Cuando el tacto toma la palabra,
Miedo ambiente*, que obtuvo el Premio Casa de las Américas en 1977, *Lenin en el fútbol, Gente de la ciudad* y su
Antología personal. Fue también participante en el expe-
rimento de varios autores escribiendo una novela colec-
tiva, *El hombre equivocado*.

La Gertrudis

A Marco Antonio Campos

Esta noche, cuando llegué a mi cuartito, me puse a llorar y,
luego de calmarme, la tristeza no se ha ido. Me dieron
ganas de escribir esta carta para nadie, pues no creo que
alguien pueda interesarse en mi historia. Y esto lo digo no
porque esté viejo, flaco, me falten un par de dientes y siempre
haya sido medio feo, sino porque mis ocupaciones nunca fueron interesantes ni ha cambiado para nada mi situación en la
sociedad durante toda mi vida. Muy joven empecé como ven-
dedor ambulante ofreciendo huevos de caguama en el cruce de
Palma y Tacuba, en el Centro, y, a veces, durante las noches,
en algunas casas de citas; posteriormente vendí planchas de
pésima calidad por los rumbos de Clavería y Azcapotzalco.
Vendí huevos a domicilio, despensas *Del Fuerte*, ropa para
sirvientas. Y siempre pasé de traficar una cosa a traficar otra sin
fortuna, sin poder reunir nunca unos ahorritos. Estuve soltero hasta
los cuarenta y tres años; apenas podía sostenerme a mí mismo.

Algunos amoríos de zaguán y hotelito, pero nunca nada en firme. Cuando empezó a calarme muy duro la soledad, me encontré a la Gertrudis.

Hoy en día atiendo un pequeño puesto de periódicos en la Doctores, colonia que se ha puesto retefea; pero ahorita ya no tengo ganas de seguir con el negocio. Ya no me importa que sea de noche o de día, o que llegue tarde por los periódicos.

En Ciudad Nezahualcóyotl parece siempre de tarde y me da igual. Y para acabarla de amolar, el jueves pasado una camioneta chocó en la esquina donde está mi puesto y me lo dejó todo chueco. Hace rato venía pensando que nada más me faltaba que me cagara una paloma de la Catedral. Si antes del choque mis ventas habían bajado, ahora con el retorcimiento de fierros las gentes se van alejando y pasan de largo hacia Vértiz o, al contrario, hacia Cuauhtémoc, a los puestos grandes donde les cabe más variedad de revistas, libros y periódicos en sus casetas.

Debo reconocer que sí hubo un momento de mi vida en que mejoré mi situación económica. Había un señor, después supe que era licenciado, un muchacho joven él, hablador y que siempre tenía un chiste en la punta de la lengua, medio calvo y delgado como yo, que me compraba *La Prensa* y revistas de mujeres desnudas. Se veía que yo le caía bien o que le causaba lástima, pero lo importante era que me decía don Chucho y no Chucho, como me dicen en la Doctores. Bueno, este señor me dijo, mientras hojeaba una *Caballero*, que si no me gustaría irme a trabajar con él a su oficina, como mensajero. Paluego es pronto le contesté que sí; a los pocos días me llevé mi puesto a mi casa y le dije a mi vieja que iba a trabajar en una oficina. A ella le gustó la idea, pues yo iba a ganar buena lana, con la cual podríamos ir a Villa del Carbón o a Oaxtepec algunos fines de semana. Además, a la Gertrudis le agradaba arreglarse y ponerse guapetona.

Me junté con mi vieja ya en edad avanzada. La Gertrudis tenía como cinco años de haber enviudado y de andar del tingo al tango sin hombre seguro. Sus dos muchachos vivían en los Estados Unidos; al principio ellos le mandaban algunos dólares, pero luego les perdió la pista. Aseguraba que se los habían matado, pero yo digo que todavía han de andar por ahí, viviendo bien, sin importarles su madre. En fin, mi vieja y yo nos acompañábamos y nos ayudábamos; ella ponía una mesita afuera de la vecindad para vender botellitas de azúcar, borrachos, chocolates sueltos, chicles *Kanguro* y otras golosinas que los chiquillos del barrio le compraban. Cuando cobré mis primeras quincenas y vimos que nos sobraba dinero, ampliamos el negocio y ella empezó a vender chocolates *Larín*, palanquetas y cocadas, obleas de cajeta y cacahuates japoneses, hasta cigarros, perones piquín y máscaras de luchador. Con esto la Gertrudis empezó a juntar su guardadito de dinero y la vi muy contenta.

En la oficina, la verdad era que muy pocas veces la hacía yo de mensajero, además no iba de traje y sólo usaba unos pantalones y una chamarra decentita, siempre lo mismo, y al llegar a mi casa me desvestía y me enjaretaba mi viejo overol. Bueno, en la oficina, el licenciado que me recomendó, que era el licenciado De la Torre, tan parlanchín afuera como adentro, me presentó con el personal como mandadero o casi lo explicó así: don Chucho está para servirlos, si quieren cigarros, si un refresco o un café, si cualquier cosa, él se lo traerá. También me pusieron a sacudir los escritorios, a limpiar los basureros, a empaquetar revistas y a pegarles etiquetas con *Resistol* blanco.

El problema era que se trataba de etiquetar como dos mil quinientos sobres cada mes, aparte los mandados y la limpieza y mil favorcitos. Bueno, aunque ganaba más dinero, comencé a sentirme muy mal, pues de tener mi negocio propio a trabajar de mozo había mucha diferencia, yo que siempre había sido independiente y a mis años.

Poco a poco me fui enojando más y más y el coraje me agarraba cuando oía don Chucho, tráigame unos *Raleigh*, a mí unos *Marlboro*, que váyame a poner este telegrama, ya llegaron las revistas. Aunque a veces les ponía mala cara o me hacía el desentendido, me aguantaba porque veía que la Gertrudis estaba retefeliz y ella me decía no te preocupes, no les hagas caso. Luego, el licenciado De la Torre me dijo que cuando hubiera mucho trabajo me tenía que quedar hasta tarde y el problema fue que cada vez fue habiendo más trabajo. Yo llegaba a la vecindad a altas horas de la noche, sin haberle podido avisar a la Gertrudis; ella me recibía con jetas y malos modos. Una vez hasta tuve que pasar toda la noche en la oficina que porque tenían que entregar varios documentos muy importantes. Esto a mi vieja ya no le gustó, empezó a arremeter en mi contra, sin justificación; la encontraba enojada y me reclamaba, Jesús, no llegues tan de noche, Jesús, qué te estás creyendo, Jesús, me estás viendo la cara de pendeja. Y yo, mujer, no es culpa mía, mujer mira que nos conviene, mujer reclámale al licenciado De la Torre. Me encontraba entre la espada y la pared y mi enojo iba creciendo hasta la desesperación.

Llegó un momento en que la Gertrudis ya no me reclamó nada. La veía silenciosa y huidiza. En las noches la encontraba roncando como si yo le importara un comino. La verdad es que prefería sus protestas y sus regaños y no a una mujer callada, hosca, que me aventaba el plato de sopa, no me hacía mis frijoles refritos, que iba dejando el cerro de trastes en el fregadero. Con las ganancias del negocio se compró buena ropa, mientras yo nunca tuve un traje para ascender a mensajero. Pero me gustaba que tuviera sus buenos chales. Pronto empezó a pintarrajearse la jeta como payaso; a veces no la encontraba en la casa cuando yo llegaba temprano. Como en los años cuando la conocí, volvió a darle a la bebida; un día me armó un escándalo en el patio de la vecindad, completamente borracha y mentándole la madre al vecindario entero. Una noche ya no la vi más.

Las vecinas luego luego me dijeron que la Gertrudis había andado en tratos con el del carrito de los camotes, un viejo panzón y bigote estilo Pancho Villa; que cuando el hombre aquel pasaba con su humareda y su chiflido de locomotora, se detenía frente al puesto de los dulces cuando caía la tarde y se quedaba platicando con mi vieja sin importarle sus camotes. Y que después dejó de pasar, pero que en cambio mi mujer levantaba más temprano el negocio y se iba muy pintadita y toda la cosa, y que regresaba muy pizpireta y despeinada. Esto me lo contaron de un jalón y ya no quise escuchar más.

Ni siquiera hice el intento por buscar a la Gertrudis; se veía que aunque vieja le gustaba darle vuelo a la hilacha. Que con su pan se lo comiera. Después de este incidente, con más enojo que nunca, renuncié al trabajo de la oficina, sin darle las gracias a nadie; de la vecindad me cambié a un cuartucho en Ciudad Nezahualcóyotl y el puesto lo volví a poner en la colonia de los Doctores.

Hace rato, cuando venía en el camión, ya de noche, en una parada que hizo el chofer, escuché el silbido de locomotora que lanzan los carritos de los camoteros; me cayó de golpe toda la tristeza que nunca había tenido, o que se me había quedado guardada por ahí. Entré a mi cuarto y me puse a llorar muy fuerte; luego escribí estas hojas que a nadie van a interesar. Y como siento que la tristeza no se me quita y, más al contrario, va aumentando, creo que ya me voy a morir. No encuentro otra explicación.

GERARDO DE LA TORRE
(1938)

Nació en Oaxaca. Compañero de generación y aventuras literarias de José Agustín y René Avilés Fabila, publicó con ellos el volumen *De los tres ninguno*. Desde entonces su producción ha sido sólida y abundante. Entre sus conjuntos de cuentos señalamos *El vengador, El otro diluvio*, y entre sus novelas, *La línea dura* y *Ensayo general*.

Vanessa

A Gabriel y Ana María

Un ojo, enorme, creciendo y ¡zaz!, ya estaba fuera. Después el otro, y la cabellera rubia, que perfumó toda la sala. Venía de cabeza, como un niño (una niña) naciendo, como un clavadista, y toda la concurrencia se apartó, los asientos se vaciaron, hombres y mujeres corrían gritando ¡Horror! ¡Auxilio! ¡Sálvame mi Dios y Señor! y tropezaban y se empujaban y algunos reclamaban en la taquilla el importe de sus boletos: habían pagado para ver una película y les salían con ese acto monstruoso, no, no, a mí, mis ocho pesos o cierro el cine, para eso soy influyente. En fin, que todos salieron aullando y sólo yo quedé en mi asiento. Y cuando Vanessa pegó el gran salto desde la pantalla yo era el único espectador, así que me le acerqué. Ella estaba completamente desnuda, pues el salto se había producido en el momento de la danza en Boston, cuando sólo se cubría de la mitad del cuerpo para abajo con la túnica roja, pero en el momento en que me acerqué no tenía la túnica:

239

la había perdido al atravesar la pantalla. Me miró con sus dulces ojos azules y colocó el cuerpo de perfil. ¡Ah!, y se cubría los senos con los brazos. Me extrañó que la Vanessa que había escapado de la pantalla fuera tan grande, y ésta que estaba frente a mí tan pequeña, sí, porque lo menos la aventajaba yo con dos centímetros.

Bueno, pues fijé la vista en el suelo, para no molestarla, no cohibirla, y dije:

—Creí que eras más alta... Siempre te vi más alta.

—El efecto panorámico —repuso.

Reí, pero desganadamente. Después me quité el suéter y se lo di. Mientras se lo ponía corrí al escenario y arranqué un buen trozo de la cortina de terciopelo. Como pudo se lo enrolló en la cintura y ya tenía falda.

Salimos a la calle.

Faltaba poco para la medianoche y ya no había camiones para mi rumbo, la colonia de los Doctores, así que la tomé del brazo encendimos cigarros y echamos a andar por el paseo de la Reforma, con la esperanza de encontrar un taxi.

Caminamos un buen rato en silencio y nada de taxi. Por supuesto, no teníamos ninguna prisa, ni siquiera hacía frío, lo cual podría justificar sus reproches, pero en el momento en que llegamos a la estatua de Cuauhtémoc comenzó ella con lo de siempre. No me comprendes, ni siquiera tratas, eres un egoísta, sólo te ocupas de tus libros, eres un desatento, mira que traerme caminando, con lo cansada que estoy, con todo el quehacer y la comida y lavar la ropa.... y esa maldita indiferencia. Y de pronto nada, caminábamos por Insurgentes en silencio y en un momento creí percibir sollozos. La miré, fijó en mí sus ojos azules y no había llanto; si acaso, un poco de humedad. Bueno, tenía razón, debía estar pensando en sus pobres hijitos ahogados dentro de la limusina del señor Singer, y en eso me di cuenta de que estaba identificando a Vanessa con Isadora; adjudicaba a Vanessa los sentimientos de Isadora y por eso imaginaba los sollozos. ¡Qué tontería!

Bueno, pues llegamos al cine Insurgentes y todavía estaba en la cartelera Butch Cassidy y en ese momento terminaba la función y la gente salía comentando pobres, les echaron montón, así cuándo se salvaban, o si no lo rápido que era Redford con el revólver, lo inteligente que era Paul Newman o lo guapa que estaba Katherine Ross, como siempre, como en El graduado, ¿verdad? Pero a mí qué me importaba Katherine Ross si tenía a Vanessa, recién salida de la pantalla del Diana. Entonces ella propuso que comiéramos unos tacos allí a la vuelta y le dije no, mira, cerca de Alvaro Obregón venden unas tortas resabrosas, y ella empezó de nuevo eres un desconsiderado, siempre hemos de comer lo que se te da la gana, no te conformas con traerme a pie y por aquí ni modo de tomar un taxi, con toda la gente que está saliendo del cine y yo de pronto pensaba nuevamente en Isadora, la pobre, con toda aquella carga de sexualidad insatisfecha, con la terrible sed de amor que no hubiera calmado ni acostándose con todos los soldados del ejército rojo. Pero eso, después de todo, no tenía por qué preocuparme: era un problema de Isadora y no de Vanessa, y la Isadora real hacía muchos años que estaba muerta y sepultada; en cambio, Vanessa...

Bueno, pues Vanessa, con su falda de terciopelo de cortina y mi suéter negro de cuello redondo, caminaba descalza por Insurgentes y le daba gusto caminar porque no conocía México y no tenía nadita de hambre y no le importaba que nunca apareciera un taxi. Le pregunté por su padre y por su hermana Lynn y me dijo que estaban muy bien, en Londres: el papá trabajando en un teatro y Lynn filmando una película detectivesca. No quise preguntarle por su marido y por su hijo (hijos), porque la respuesta me hubiera puesto de algún modo celoso. No sé por qué, viéndola caminar tan aérea, tan ágil, me imaginé que Vanessa tenía ganas de marcar algunos pasos de danza. En eso llegamos a la tortería y ella casi me arrastra hacia adentro. Había bastante gente, pero quedaba una que otra mesa desocupada. Tomamos asiento y vino el mesero. Ella pidió dos de pierna (una para ella y la otra para mí) y una de chorizo y otra de jamón (éstas dos para ella). Después, cuando el mesero trajo las tortas, pidió un Sidral para ella y un café para mí. Rápidamente me acabé mi torta y entonces encendí un cigarro. Me puse a observarla: comía como una troglodita; arrancaba los trozos de torta con dentelladas caninas y después masticaba como si en vez de mandíbulas tuviese pistones, ¡ah!, y no apartaba la vista de una vitrina en la que tenían salchichas, pollos, huevos, salsas, cremas y variadas clases de comida y condimentos; de vez en vez se llevaba el Sidral a la boca y ayudaba a la deglución con un traguito de refresco. Era molestísimo, así que opté por mirar a la demás gente que se hallaba en la tortería. Era lo mismo: intercambiaban banalidades y masticaban a dos carrillos; nada como la sencillez, la elegancia y la mesura de Vanessa. Había tomado asiento frente a mí. Estaba con los codos apoyados en la mesa y las manos entrelazadas bajo la barbilla. Su cabeza caía hacia la izquierda y en su cuello se dibujaban con nitidez las venas azulosas. Me miraba, pero no me veía; quizá pensaba en las calles brumosas de Londres, en sus hijos paseando por aquel parque del asesinato que aparecía en Blow-up, en su marido viajando en uno de esos autobuses de dos pisos. Le solté una bocanada de humo en el rostro y por un momento sus ojos revivieron, llegaron de alguna parte y repararon en mi persona. Sonrió y apartó el humo a manotazos; después volvió a su estado anterior. Bueno, era mejor no molestarla, la pobre había viajado desde muy lejos, había atravesado toda una pantalla cinematográfica y sólo llevaba encima un suéter masculino y una improvisada falda de terciopelo; agréguenle a eso que se hallaba en un país extraño y con un conocido de apenas hacía unas horas y estarán de acuerdo en que era mejor no molestarla.

Después de sus tres tortas y su Sidral me dijo (casi me ordenó) que nos fuéramos, porque tenía mucho sueño, y para reforzar su afirmación emitió un largo y sonoro bostezo. Como quieras. Pedí la cuenta, pagué, sin olvidar el par de pesos de propina, y salimos. Me hubiera encantado seguir caminando, pero ella se empeñó en esperar el tranvía. Esperamos sentados en una banca de cemento. Ella, como siempre, quería que la abrazara, pero yo prefería estar con los brazos abiertos, apoyados en el respaldo de la banca. Comenzaron de nuevo los reproches, pero ahora no me quieres, no me mimas, una tiene derecho a sentir, a que la traten con ternura, no soy un animal y bla bla bla bla bla, ¡puf! Eché para atrás la cabeza. A través del ramaje de los árboles del camellón se veían las estrellas.

Hubiese podido quedarme viéndolas horas y horas, hasta que la luz del alba las borrara. Pero no. Vendría aquel armatoste amarillo, subiríamos en él y viajaríamos hasta el cine México mordiéndonos las uñas o leyendo los anuncios o mirando para lados opuestos. Por el momento, afortunadamente, el tranvía se hallaba muy lejos.

Despegué la vista del cielo y observé a Vanessa. Ella arrastraba sus pies descalzos en la arenisca amarilla del camellón. Imaginé que sentía unas agradables cosquillas, pero no se lo pregunté. Solamente la veía ir y venir, solamente la veía disfrutar de la sensación rasposa en las plantas de los pies. Entonces escuché el fragor del tranvía y me levanté malhumorado. Ella hizo la parada y el tranvía se detuvo frente a nosotros. Subimos, pagué y fui a acomodarme junto a ella. No bien me hube sentado comenzó con un párrafo acerca de lo tarde que era, de que el tranvía daba vuelta en la avenida Cuauhtémoc, tendríamos que caminar unas siete u ocho calles para llegar a Héroes y Olvera y después yo, con mi maldita costumbre de ponerme a leer, fuera la hora que fuera, con lo que no la dejaba dormir y la pobre tenía que levantarse muy temprano para prepararme el desayuno. Muy bien, le dije, si quieres no desayuno mañana. Cómo, eso sí que no, de ninguna manera me dejaría partir con la barriga vacía. En fin, necesitaba que yo desayunara para justificar su papel de abnegada, sufriente y esclavizada mujer de nuestros muy felices días. Entonces desayuno. ¡Ah!, pero lo cansada que estaba, si tan sólo esta noche no leyera, porque no le molestaba que leyera, sino que era la maldita luz la que no la dejaba dormir. Bueno, entonces, si quieres leo en la sala. No, no, no, eso sí que tampoco, por qué iba yo a dejar la comodidad de mi cama, tantas veces que le había dicho que no había lugar como la cama para leer. No, prefería que la molestara un poco la luz, pero de ningún modo iba a quitarme ese gusto. Bueno, entonces leo en la cama. Pero por poco tiempo, por favor, un ratito nada más. Total, no podía desayunar ni no hacerlo, no podía leer ni dejar de leer, y si no hubiese sido la lectura o el desayuno, algún pretexto habría encontrado ella para fastidiarme. En eso llegamos a la avenida Cuauhtémoc. Vanessa bajó de un salto y corriendo, elevando piernas y brazos en graciosos pasos de danza, cruzó la calle y alcanzó la esquina. Allí me esperó, riendo, y cuando llegué a su lado se fue de nuevo danzando hasta la próxima esquina. Corrí y esta vez no me detuve junto a ella. Entonces Vanessa echó a correr y me gritaba que me detuviera. Yo corría carcajeándome, de verdad muerto de risa, pero algo en el timbre de su voz, una señal de alarma, un toquecito de angustia, me hizo detenerme. Me volví. Pobre Vanessa, estaba parada en el centro de la banqueta, sosteniendo la falda de terciopelo que se le había desenrollado. Regresé y la ayudé a acomodarse el trozo de tela. Cuando estuvo lista comenzamos a reír los dos. En ese momento me dieron muchas ganas de besarla, muchísimas ganas. Me contuve. Me sucedía siempre: me daban muchas ganas de besarla, de acariciarla, de hacerle el amor, pero en cuanto recordaba la inacabable sarta de reproches me echaba para atrás, me reprimía. Esta vez, ella se dio muy bien cuenta de que deseaba besarla, y eso era precisamente lo que yo quería evitar. Ella, como todas las mujeres, en cuanto repara en lo mucho que se la necesita, se vuelve insoportable. Pues bien, se dio cuenta y se me quedó mirando invitándome a besarla. Su boca, sus ojos, su rostro entero sonreía. Comenzó a humedecerse los labios. Su lengua, maldita sea, era también muy bella. Hubiese sido una mujer perfecta de no ser por su quejumbrosa, lastimera y molesta costumbre de estarse haciendo siempre la mártir. Bueno, le dije, ya es muy tarde, apurémonos. Me volví y eché a andar con los pasos más largos que pude, y ahora estaba tomando muy en serio mi papel. De verdad que en ese momento no pensaba en otra cosa que en acostarme cuanto antes, porque al día siguiente tendría que levantarme a las seis y media, bañarme, desayunar y luego salir corriendo para la oficina. Nada más me preocupaba en ese momento, y puedo jurar que ya me había olvidado de los labios húmedos y carnosos.

El resto del trayecto lo hicimos en silencio. Llegamos al departamento, nos lavamos los dientes uno después del otro y nos acostamos. No leí una página, porque de verdad quería dormir, descansar, y ya iban a ser las dos de la mañana. Puse el despertador, recliné la cabeza en la almohada y cerré los ojos. Así estuve un rato muy largo, pero el sueño no me venía. Vi el reloj. Dos y media. Cerré los ojos de nuevo y comencé a reconstruir la película de Vanessa: muy bien bailando con aquella blanca túnica griega, un poco de celos cuando se enamora del escenógrafo, algo de rabia cuando baila en las variedades, felicidad cuando comienza a protegerla el fabricante de máquinas de coser, satisfacción cuando se enamora del repulsivo pianista, tristeza cuando se le ahogan los niños, emoción cuando baila para los soldados rojos, celos feroces cuando comienza el romance con Esenin, y qué angustia, qué dolor cuando la mascada se enreda en la rueda del auto y la estrangula. Estaba a punto de dormir cuando aconteció la muerte. Me incorporé a toda prisa. Ella dormía tranquila, respiraba con suavidad, pero en su rostro se apreciaban los rasgos duros y amargos con que siempre me repelía. Eran las tres y diez y me dije que si no leía no iba a poder dormir nunca. Me levanté y fui a la sala. Encendí la luz. Había olvidado en la habitación el libro de Cleaver que leía y no quise volver por él. Saqué de un estante las novelas escogidas de Dashiell Hammett y me acomodé en un sillón. Vanessa se acercó silenciosa y tomó asiento en el brazo del sillón. Principié a leer en voz alta (para Vanessa y para mí), pero no tan alta como para que pudiera escucharme aquella otra que dormía en el cuarto: "La mandíbula de Sam Spade era larga y huesuda y su barbilla una V que sobresalía bajo la V más flexible de su boca..."

JUAN VILLORO
(1956)

Nació en Ciudad de México y su vocación literaria se manifestó temprano. A los dieciocho años obtuvo premio en un concurso de cuentos organizado por la revista *Punto de Partida*. El autor de esta selección se complace por el hecho de haber sido miembro del jurado en esa oportunidad. Sus dos primeros libros de cuentos, *La noche navegable* y *Albercas* le dieron pase libre a la primera fila de los buenos. Una novela, *El disparo de Argón*, y dos libros de crónicas —*Tiempo transcurrido* y *Palmeras de la brisa rápida*— enriquecen la ficha iniciada con los cuentos.

Yambalalón y sus siete perros

A Pablo

Las cosas ocurrieron allá por 1962, una época en que la nana me peinaba con limón y una goma verde que venía en frascos de plástico con forma de gato. En la televisión pasaban "La Pandilla" y "El Gato Félix", y yo usaba botines con plantillas para pie plano.

Desfilé por muchos kindergartens porque nos cambiamos de casa como cinco veces, así es que no llegué a tener amigos en ese tiempo. Los cambios de casa y de escuela me convirtieron en un ermitaño con botas ortopédicas y copete engominado.

Por fin mi papá consiguió una casa donde también pudiera poner su consultorio y una tienda de aparatos ortopédicos. Decidieron que yo iba a entrar a una escuela enorme de muros grises que me pareció tan grande como el multifamiliar que estaba cerca de la casa. Lo que me gustó fue que afuera vendían paletas heladas y jícamas con chile piquín. Tuve que pasar por miles de trámites burocráticos y exámenes médicos hasta que alguien decidió que mis seis años y mis conocimientos eran lo suficientemente amplios para entrar a preprimaria.

Se puede decir que pasé la mayor parte de las vacaciones en el baño. Siempre he sido algo friolento y como no tenía nada que hacer decidí pasarme las tardes remojado en el agua caliente de la tina. Ahí inventé a mis cuates Víctor y Pablo. Le puse a mi pie izquierdo Víctor y al derecho Pablo. Mis héroes eran dos señores de doce años que combatían a un maléfico criminal llamado Yambalalón y se platicaban en la tina de baño todas sus aventuras, sin importarles mi desnuda presencia. Yambalalón era uno de los más peligrosos gangsters del mundo. Tenía perros amaestrados que lo ayudaban en sus fechorías. Bajo un ahuehuete de Chapultepec se encontraba un pasadizo que conducía al refugio de Yambalalón. En repetidas ocasiones Víctor y Pablo habían tratado de penetrar a la guarida pero nunca daban con el ahuehuete indicado. El terrible Yambalalón no soportaba la luz del día, así es que permanecía bajo tierra la mayor parte del tiempo. Una noche se iba a París o a Toluca (en realidad yo creía que estaban bastante cerca) y asaltaba el Banco Central, siempre el Banco Central, con ayuda de sus siete perros (producto de una mezcla de razas que sólo él había logrado). Me tardé cerca de un mes en imaginar todo esto, sentado en la tina, antes de que la nana me llegara a secar con una toalla gigante.

Faltaba poco para entrar al colegio de las jícamas y me pasé la última parte de las vacaciones refinando las aventuras de Víctor y Pablo (se las pensaba contar a mis nuevos compañeros, seguro de que me iban a regalar sus sándwiches, admirados con mi historia).

En un arranque de exotismo imaginé el bumerang australiano de Víctor y Pablo. La particularidad de esta arma (que tenía un aguijón de mantarraya capaz de matar al más gordo de los rinocerontes) era que no regresaba al sitio de donde había partido. Si lo aventaba Víctor, el bumerang iba a dar (después de matar un par de pájaros) a las manos de Pablo. Y si lo lanzaba Pablo, Víctor era el encargado de recibir el bumerang lleno de sangre y plumas de pájaro o de apache (también iban mis héroes al lejano Oeste).

Una vez oí que alguien tenía sangre azul. Me pareció imprescindible que Yambalalón tuviera tinta en las venas, y lo que es más, tinta venenosa. Víctor y Pablo soñaban con que algún día su mágico bumerang se vería teñido con la sangre azul del ladrón del Banco Central (claro que se pondrían los guantes de hule que la nana usaba para lavar los trastes, no fuera a ser que se envenenaran con la tinta).

El toque final fue inventar el himno de Yambalalón. Curiosamente quienes lo entonaban eran Víctor y Pablo. En la tina se oía todas las tardes el canto de "Yambalalón y sus siete perros".

Víctor y Pablo habían recibido muchos regalos del Ayuntamiento (en las caricaturas el Ayuntamiento se la pasaba premiando gente; yo ya no creía en Santa Claus, pero empecé a considerar al señor Ayuntamiento como un benévolo sustituto). Se me ocurrió contarle a mi papá lo de Víctor y Pablo (sin revelarle los secretos, por supuesto) con el fin de que él también quisiera premiar las hazañas de mis héroes.

—Quién te platicó todo eso —contestó mi papá, y tuve ganas de que Yambalalón y Víctor y Pablo se aliaran por una vez para matar al hombre de calvicie incipiente que leía el periódico, con su bata blanca, y no creía que yo fuera capaz de inventar algo.

Mi mamá siempre tenía dolores de cabeza. Unos años más tarde me iba a explicar que no eran simples dolores sino neuralgia. El caso es que la nana se ocupaba totalmente de mí, y el verdadero complejo de Edipo lo debo haber tenido con esa señora de cuarenta años y unos pies que seguramente calzaban del 38. Siempre que veo un pie descomunal siento un arranque de ternura. Definitivamente en esa época los pies fueron muy importantes para mí.

Llegó el día de entrar al nuevo colegio. Lloré cuando la nana me dejó en la puerta con el pelo más engominado que nunca y una cantimplora que tenía agua de limón demasiado agria.

Fui al colegio de las jícamas a inscribirme cuando casi no había gente. Al llegar el primer día de clases y ver tantos niños, después de mi encierro en la bañera, tuve la impresión de estar en medio de un campo de batalla.

Víctor y Pablo, envueltos por los zapatos recién lustrados, se negaban a moverse. Por fin una maestra me llevó a mi salón. Fui el último en entrar, todos ya estaban sentados, la mayoría llorando como yo. Bueno, no fui el último, porque detrás venía un cuate muy alto y orejón. La maestra le preguntó su nombre.

—Víctor —contestó una voz agresiva.

En realidad Víctor no tenía nada de agresivo. Pero ante todo el lloriqueo, su voz parecía demasiado segura. Por comparación era agresiva. Quedé admirado (sobre todo porque junto a Víctor no estuviera Pablo).

Pensé que entre los compañeros habría alguien llamado Pablo. Después de averiguar todos los nombres (algunos tan raros como Gilberto) tuve que conformarme con conocer sólo a Víctor.

Desde el primer día le regalé mi agua de limón.

—Está demasiado dulce —este comentario me dejó asombradísimo. A mí el agua me había parecido muy agria. Decididamente Víctor era muy valiente.

Es obvio que no le conté de mis héroes imaginarios ni que jugaba con mis pies. Víctor me parecía el más inteligente de la clase. La verdad es que sabía casi todo porque estaba repitiendo preprimaria. Me contó que lo habían "reprobado". Era la primera vez que oía esa palabra. Traté de imaginar qué clase de falta debía haber cometido para recibir un castigo de esa magnitud. Mi admiración por él seguía creciendo. Ahora me parecía víctima de una conflagración maligna.

Víctor tenía siete años, y todo mundo sabe que a esa edad un año de diferencia son 365 aventuras de ventaja. Víctor se convirtió en nuestro líder. Imitando a los héroes de "La Pandilla" planeaba trampas para los maestros. Nosotros ejecutábamos sus órdenes y recibíamos el castigo cuando nos atrapaban poniendo *Resistol* en el asiento de la profesora.

Además él sabía leer de corrido. Nos reuníamos en el baño de la preprimaria, rodeados de excusados enanos, para que nos leyera alguna historia impresionante. Ahora creo que Víctor inventaba todo lo que decía. Pero yo no perdía un solo detalle. Bastaba que hablara de los nuevos coches, de un Corvette que

250

puede ocultar los faros como quien cierra los ojos, para que esa misma tarde Víctor y Pablo abordaran un Corvette rojo.

Nunca pude averiguar la causa por la que reprobaron a Víctor a los seis años. Después entendí que la escuela de muros grises y puestos de jícama era insuperablemente retrógrada, pero sigo creyendo que Víctor realizó algo fuera de lo común.

Por las tardes, después de ver "El Gato Félix" y llenar varias páginas con AAAAA y BBBBB hermosamente delineadas, me iba a bañar. Las aventuras de Víctor y Pablo continuaban. Víctor adquiriría una parte cada vez más activa. Fue él quien descubrió el pasadizo para llegar al escondite de Yambalalón. Sólo que al entrar en el refugio, mis héroes vieron que estaba deshabitado y que había una nota para ellos (escrita con auténtica sangre de rata): "Ola amigos: fui a rovar el Banco Sentral", Yambalalón también debía estar en preprimaria, me dijo mi mamá, cuando le enseñé la nota (escrita con auténtico puré de tomate rojo).

También fue Víctor el que encontró en la guarida los lentes que Yambalalón usaba para protegerse del sol. Se los podían llevar y pedirle que se rindiera, o que al menos les regalara uno de sus perros.

Pablo fue ocupando un papel secundario. Se empezó a parecer a mí. En la escuela yo me había convertido en algo así como el secretario de Víctor. Cuando robábamos un sándwich el primer mordisco lo daba nuestro líder y el segundo yo, incapaz de tragar el bocado por la emoción.

Cuando me vomité en la clase, víctima de una sobredosis de sándwiches robados, Víctor pidió permiso para llevarme a la enfermería. Me sentí tan conmovido que se me olvidó pensar que ése era un truco que usaba Víctor para estar fuera de clase.

También gané el privilegio de sentarme a su lado y de soplarle en los exámenes de aritmética lo que él no sabía. Mi historia con Víctor y Pablo había llegado a un punto clave. Yambalalón aceptó ir solo, de noche, al Penthouse (yo creía que el Penthouse era un castillo) de Víctor y Pablo para que le dieran sus lentes (hay que aclarar que esos anteojos eran únicos; estaban fabricados con el caparazón de una tortuga negra que el propio Yambalalón capturó).

Para estas alturas Pablo era francamente el ayudante de Víctor. Cuando jugaba en la tina, mi pie derecho permanecía casí sumergido, mientras Víctor hablaba sin parar. Fui forzando la historia para que se enfrentaran Yambalalón y mis héroes. Estaba tan nervioso que cuando Yambalalón les dijo a sus perros que fueran a buscarlo si no regresaba en una hora, sumergí mis pies en el agua, incapaz de seguir escuchando sus hazañas. La nana llegó con su toalla gigante. Me dio un par de besos que ni sentí y debió decirme que me fuera a tomar el choco-milk.

Esa noche no dormí, pensando en cómo acabaría todo. Me persiguió permanentemente el estribillo de "Yambalalón y sus siete perros".

Al día siguiente era viernes y como siempre todos estaban contentos en el colegio. Me decidí a contarle a Víctor mi historia secreta. Yo creía que a los doce años sería un héroe, o más bien el compañero de un héroe, y le platiqué todo con la decidida intención de que se identificara con Víctor y pensara que yo era el Pablo ideal.

—¿Con los pies? —me preguntó después de que terminé entonando el himno de Yambalalón.

En general mi cuento le pareció bastante bobo, pero lo de los pies era definitivamente idiota.

Durante el recreo noté que Víctor me miraba los zapatos y no se decidía a incluirme en su equipo de futbolito. Finalmente lo hizo y yo me sentí perdonado. Traté de olvidar para siempre la historia que inventaron mis pies (ahora me parecía que yo casi no intervenía en el juego).

A la hora del baño puse punto final al cuento. Yambalalón llegó al Penthouse medieval de Víctor y Pablo. Era medianoche. Les dijo que iba a rendirse. Víctor, confiado, no pensó en ocultar el bumerang que estaba sobre una mesa, frente a la caja fuerte (nunca he sabido para qué usaban Víctor y Pablo la caja fuerte). Yambalalón les dijo que les daría todo el dinero que había robado en el Banco Central.

Víctor y Pablo estallaron en carcajadas (mi papá siempre decía que alguien *estallaba* en carcajadas) y ahí fue cuando Yambalalón se lanzó sobre la mesa.

El bumerang decapitó a Víctor y como luego iba a dar a Pablo, el secretario no pudo evitar el aguijón de mantarraya. Yambalalón encerró los cuerpos en la caja fuerte y se llevó las cabezas para dárselas de comer a sus perros.

Jamás me hubiera creído capaz de un final semejante. Toda la noche lloré la muerte de mis héroes.

El sábado y el domingo me bañé en completo silencio, sin verme los pies. La nana se extrañó de que yo no estuviera platicando solo como de costumbre.

El lunes llegué al colegio un poco tarde. Corrí hasta el salón, le pedí disculpas a la maestra y fui a mi asiento con ganas de decirle a Víctor que ya no existían Víctor y Pablo.

Casi no recordaba la historia, se había olvidado de detalles tan importantes como la sangre azul de Yambalalón. Ni siquiera me contestó. Cuando terminé me dijo que había descubierto una ventana para espiar el baño de las niñas. Víctor y Pablo se le habían olvidado como una multiplicación difícil de aritmética.

La nana fue por mí y me dijo que mi mamá se había pasado toda la mañana con dolor de cabeza. En la casa no quise comer ni ver "El Gato Félix". Tampoco quise bañarme. Entonces mi papá salió del consultorio a decirme que era el colmo, que me iba a desvestir inmediatamente. En la mano traía un aparato para poliomielítico. Creí que me lo iba a poner.

Me dijo que él me iba a bañar. Traté de no llorar cuando miraba el aparato de metal para el niño con una pierna flaca que debía estar esperando a mi papá en el consultorio.

Mi papá terminó quitándome los botines ortopédicos. Era la primera vez que lo hacía desde que me los había recetado. Tuve ganas de que me atravesara el bumerang de Víctor y Pablo, pero preferí no pensar en eso.

Sin decir palabra entré a la tina.

ERACLIO ZEPEDA
(1937)

Nació en Tuxtla Gutiérrez, capital del estado de Chiapas. Dice que es más "cuentero" que cuentista. Escucharlo narrar es una experiencia inolvidable. Pule sus historias contándolas en voz alta, primero a los amigos, luego por radio o televisión. Cuando ha contado una tantas veces como para considerarla ya acabada, la escribe. Entonces no vuelve a contarla. Se inició como poeta con el grupo "La espiga amotinada" y su primer libro de cuentos, *Benzulul*, despertó entusiasmo de crítica y lectores. Después vinieron *Asalto nocturno*, que obtuvo el Premio Nacional de Cuento en 1974, y *Andando el tiempo*.

Asalto nocturno

A Rodrigo Moya

No era del todo una sensación de temor la que subía hurgándole costillas y entrepiernas. Casi podría ser una risa de nervios desatados, o un regocijo sin fronteras, extenso, puesto a la vista como un territorio descubierto.

Pero aquel incontenible pestañeo en el ojo izquierdo, casi un relámpago cegado, clausura instantánea bailándole pestañas, ponía en su cara, después de todo, la máscara del miedo.

Juan Francisco de la Mora, abogado, responsable de negocios oficiales y asuntos testamentarios, permanecía oculto en el pequeño espacio que dejan libre los tinacos que guardan el agua para el baño de cadetes. Allí, en la azotea de su antigua escuela militar, el abogado temblaba como si le estuviera golpeando el duchazo diario y frío que, a pesar de los intentos de tenientes y capitanes, no llegó a templar su cuerpo en cuatro años de internado.

Desde su escondite había oído gritos poderosos de cabos y sargentos, silbatazos de oficiales y notas destempladas con las que el corneta de guardia quería configurar un toque apresurado de alarma, no logrado por tener los labios torpes aún, apretados al sueño del que había sido arrancado con violencia.

Conjurados por esta algarabía los cadetes se habían movilizado, saltando de la cama, en caos, al trote, muy pocos en uniforme completo, los más en pijamas alternadas tan sólo con las botas y el capote, la mayoría trazando movimientos asombrados y a todos ardiéndoles los ojos como si se negaran a ver la noche de improviso.

El abogado vio cómo la tropa se formaba en el patio, a carreras y empujones, armada ya con aquellos fusiles que él sabía descargados.

El corneta hacía retumbar las notas, ahora afinadas, de llamada de tropa, usando la contraseña para la primera compañía que no bajaba al patio y perdía el tiempo inexplicablemente en su cuadra-dormitorio, debajo del tinaco atalaya del abogado Juan Francisco de la Mora.

Juan Francisco de la Mora, matrícula cuatrocientos once, cadete de primera en la segunda escuadra del tercer pelotón de la primera compañía, con ocho años menos de los que ahora tenía ocultos en medio de tinacos, sin título de abogado todavía, marchaba bajando las escaleras, encuadrado en su unidad, con el arma embrazada, sin comprender qué sucedía y sin tiempo para amarrarse las botas.

Pasaron ocho años y Juan Francisco recordó siempre aquella noche en que el cuerpo de cadetes fue despertado a las dos de la mañana con toques de alarma y gritos anunciando zafarrancho, y cómo después, ya formados en el patio, el oficial de guardia les había comunicado en forma precisa: "Cadetes, la escuela ha sido ultrajada por exalumnos borrachos, que buscan mofarse de la dignidad militar, de la disciplina, de la patria y del honor. Es un grupito que ha salido huyendo a esconderse cobardemente para escapar a la ira que nos está quemando el ánimo. ¡Que no quede uno solo sin recibir el justo pago a su atrevimiento!"

Enardecidos, los oficiales habían trazado rápidamente un plan de acción y llevado a paso veloz las unidades de infantería a puntos estratégicos, ya desde antaño escogidos y sabidos para una bizarra defensa del plantel transformado de pronto en ciudadela, fortaleza, poderoso bastión de la honra y el prestigio.

En un movimiento envolvente, preciso, los cadetes de infantería rodearon todo el territorio del colegio, mientras los de caballería hacían patrullas galopando en un círculo externo, por el valle y las barracas, con el sable listo agitándolo encima de sus cabezas y las trompetas lanzando los aires de ataque.

Las luces de la escuela en todas sus dependencias estaban encendidas y los reflectores barrían la enorme extensión de la barda y la alambrada. Por los pasillos, el patio y los salones de clase resonaban las botas de los destacamentos que recorrían y revisaban, a la caza de exalumnos.

Y de pronto, muy cerca del puesto que le tocara cubrir al cadete de primera Juan Francisco de la Mora, surgió un enorme grito:

—¡Aquí está uno!

Y un grupo de cadetes corriendo hacia el lugar del hallazgo con las armas listas, dispuestas a golpear, con las culatas dirigidas al sitio del escondite, y luego la sucesión de injurias, y el restallar de bofetadas, y los sonidos secos de las costillas y las piernas, y Juan Francisco horrorizado viendo cómo un sargento sacaba arrastrando del seto el cuerpo ensangrentado de un hombre que lloraba y gritaba y decía que lo soltaran, que todo había sido una broma, que ellos al igual que los cadetes de ahora también habían soportado los arrestos y los malos tratos y los castigos de esos mismos oficiales que los cadetes de ahora soportaban, y que por eso habían venido esta noche, después de una fiesta, para meterse a la escuela y voltear las camas de algunos tenientes y hacer un poco de relajo que estaban seguros iba a alegrar a los muchachos.

Todo esto dicho entre gritos y llantos mientras el cabo Ornelas seguía golpeando con la culata las piernas del detenido.

El cadete de primera Juan Francisco de la Mora permanecía con el arma levantada, sin atreverse a descargar el culatazo. Otros cadetes fueron acercándose en silencio en los momentos en que llegaba, con su paso rígido y seguro, con sus movimientos aquellos tan conocidos de todos, el capitán De la Fuente en camiseta y pantalones de montar, pero sin botas. El capitán cogió al detenido de la corbata y con la mano izquierda lo levantó de un tirón hacia la altura de su pecho para descargarle de inmediato una bofetada.

—Así lo quería agarrar, papacito, mírelo, mírelo, y ahora llora —gritaba el capitán haciéndose corear con los puñetazos y patadas que hacía restallar encima del exalumno, llevándolo a empujones al interior de la escuela.

Juan Francisco con la vista fija, contempló el largo camino desde el seto hasta la entrada del plantel, por donde el capitán De la Fuente llevaba al exalumno entre gritos obscenos y golpes. Se apoyó en su fusil y comentó con Santaella:

—Ya ni la hace Fuentecitas...

—El que viene se friega —cortó Santaella mientras se disponía a orinar encima del seto.

—¡A ver ese tercer pelotón! ¡A reunirse inmediatamente! —gritó el sargento, y Juan Francisco se apresuró al lugar donde se le citaba. Santaella venía detrás, abrochándose mientras corría.

—Formación de diamante —ordenó el sargento—. Vamos a peinar ese zacatal.

Hasta ellos llegaron voces anunciando que otro de los exalumnos había sido descubierto.

—Es la segunda compañía la que lo halló —comentó Santaella.

—Parece que es por el rumbo de la cocina —admitió el cabo Ornelas.

—¿Con que sí, papacito?... —llegó la voz del capitán De la Fuente corriendo rumbo a la cocina.

Al atravesar la carretera el pelotón de Juan Francisco vio avanzar un grupo de caballería.

—¿Eres tú, Raúl? —preguntó el sargento.

—Agarramos a uno —contestó el cabo de dragones Raúl García.

En medio de dos caballos venía un hombre, sin saco, con la camisa rota, ensangrentado, sujetas las manos por detrás de la cintura con su misma corbata.

El cabo García le golpeó las nalgas con su sable, inclinándose un poco por el lado de montar.

—Camine, camine...

—¡Pero si es Iriarte! —exclamó el sargento al verlo.

Al oír su nombre el prisionero quiso detenerse, pero García volvió a descargar su sable.

—La regaste feo, Iriarte —comentó el sargento mientras los cuatro jinetes avanzaban hacia la escuela.

—¡En marcha! —ordenó finalmente dirigiendo sus hombres hacia el rumbo escogido.

Toda la noche continuó la búsqueda. El pelotón de Juan Francisco después de peinar el bosquecito de abetos que se encuentra adelante del zacatal, se dirigió a la barranca.

Al amanecer, el pelotón estaba al fondo de la cañada revisando las cuevas y las viejas minas de arena. Juan Francisco, cansado, sentía los ojos como si de la mina abandonada viniera un polvo a ensuciárselos.

Sentado en una piedra pensaba en aquella persecución sin sentido en la que habían invertido toda la noche, cargando de un odio falso sus pensamientos, sus pasos y sus acciones. Después de todo no era más que una broma, una punta de borrachos, el resultado de quién sabe cuántos años de encierro en la escuela.

Escuchó una tos contenida, como si escapara de la boca de alguien que luchara tenazmente por impedirlo. Juan Francisco observó el interior de la mina, y descubrió un hombre sentado, vestido con un smoking ahora destrozado, oculto detrás de unas cajas abandonadas. Juan Francisco se levantó de golpe con el arma lista. Observó al hombre un momento, bajó el fusil y lentamente se alejó rumbo al amanecer.

Pocos metros después oyó la voz de Santaella:

—¡Aquí hay uno, mi sargento! —Se volvió con odio hacia su compañero y vio que el sargento corría ya hacia la cueva seguido por tres cadetes, mientras que le llegaba la palabra del cabo ordenándole acudir hacia el sitio del hallazgo.

Ya tenían sujeto al hombre del smoking. Al parecer nadie le había pegado. El sargento le amarró las manos exactamente como había visto hacer con el prisionero que llevaban los de caballería; como la corbata de moño no servía para esos menesteres le había ordenado que se quitara el cinturón.

El pelotón inició el regreso a la escuela.

—Creo que sólo tú faltabas —le aclaró el sargento.

El detenido no contestó.

—A Iriarte lo agarraron los de caballería —insistió el sargento.

—¿Conoces a Iriarte? —preguntó con interés el exalumno.

—Sí —respondió el sargento—. Era cabo de la banda cuando yo ingresé a la escuela hace tres años.

—Ah... por eso no me conociste a mí, yo salí hace cinco años —dijo lentamente el exalumno.

—¿Pero seguiste viéndote con Iriarte?

—Claro. Y luego él también entró a la Facultad.

—¿Qué estudias? —preguntó el cabo.

—Ya terminé. Hago la tesis para Contador.

—Lo soltamos, mi sargento —pidió Juan Francisco.

—A callar, De la Mora —contestó el sargento—. Si vuelve a hablar le hago una boleta de arresto.

Cuando llegaron a la escuela encontraron que ya estaba formado el cuadro, con todas las unidades. Un pelotón de guardia vigilaba detrás del astabandera a los tres exalumnos que conservaban sólo su ropa interior.

El capitán De la Fuente al ver subir el pelotón de Juan Francisco, lanzó un grito gutural y se acercó corriendo hacia el detenido. El capitán estaba ya correctamente uniformado, calzando botas altas con las que pateó al prisionero.

—Te conozco, palomita, te conozco —aullaba el capitán descargando aquellos golpes secos que le habían hecho famoso en todos los cuarteles donde había prestado servicios. Juan Francisco cerró los ojos.

—¡Andele ese pelotón! ¡Aprisa a encuadrarse en su unidad! —ordenó el comandante de la primera compañía.

Formado en cuadro, el cuerpo de cadetes atestiguó cómo el capitán De la Fuente cortaba el pelo a los cuatro exalumnos con un cuchillo de campaña. Grotescamente firmes, los exalumnos, ante la presencia de aquella máquina de golpes, recobraban dolorosamente una disciplina ya olvidada, mientras De la Fuente les tomaba la cabeza con una mano, jalándoles los mechones de pelo hacia arriba y, simultáneamente, con la otra accionaba el cuchillo, rapándolos. Los cadetes guardaban silencio.

Juan Francisco temblaba de rabia. "No se puede hacer esto con ellos. Son personas mayores. Ya son gente", pensaba, temblando.

Temblando, el abogado Juan Francisco de la Mora, oculto en medio de los tinacos, oyó ahora, ocho años después, que dos de sus compañeros habían sido descubiertos. Hasta él llegaron las voces del capitán de la Fuente.

—¡Así los quería agarrar, papacitos! —Y luego el ruido sordo de los golpes.

No se atrevió a sacar la cabeza de su escondite para saber quiénes eran los encontrados. Podría ser Agustín, o Acevedo, o Sotelo. Ahora, el miedo lo habitaba totalmente. Sabía que tarde o temprano lo descubrirían y le aterraba pensar en el capitán De la Fuente, en sus puños, en sus botas.

Era incomprensible su situación. Absurda. Grotesca. El, un abogado joven y ya próspero, con cargos responsables, se había dejado llevar por el impulso, repetir el intento de aquellos exalumnos a los que él vio vejar y golpear. Y ahora, después de la fiesta en casa de los Avendaño, en una ruta de cantinas y recuerdos había venido a parar a este escondite en medio de tinacos.

El encuentro había sido sorpresivo. ¿Cómo imaginar que en esta reunión, exactamente igual a decenas de reuniones anteriores en casa de los Avendaño, iba a encontrarse con estos antiguos compañeros? "¡Ah, muchachos! No lo creerán pero en muchas ocasiones he pensado en reunirme con ustedes. ¿Cuántos años hace que no nos encontrábamos?"

Este Sotelo estaba igual, sin cambiarle nada, sin una cana, sin una sola arruga, con los músculos tensos de siempre, sus movimientos felinos y su actitud de reto eterno. Jamás olvidará que fue campeón welter tres años consecutivos en la escuela. ¿Y tú, Acevedo? ¡El mejor promedio en la clase! Es una lástima que hubieras dejado de estudiar. Un título es un título. Sí, claro, se te ve próspero. ¿La Gerencia en la fábrica de tu papá? Viejo Agustín, pero mira nada más cómo te han puesto las mujeres: estás golpeado, corneta. ¿Eras corneta, verdad? ¿O tambor? No, ahora recuerdo perfectamente, seguro que eras corneta. Vida sabrosa se ve que llevas, pero cada cana es una cana, compañero. Ah, no, eso sí es verdad, ¿quién te quita lo bailado?

Realmente era suerte y sólo suerte venirse a encontrar con aquel trío, con aquel fabuloso trío. ¡Los años en la escuela militar! Ahora podía recordarlos con nostalgia, con sonrisas, y los golpes y la dignidad tantas veces herida estaban apenas a la vista, cubiertos con una pátina agradable de años idos, de fuerza que se escapa de la mano.

Y de verdad era agradable aquel volverse nuevamente adolescentes, niños en uniforme militar, para quien lo único válido y viril era la fuerza, y el aguante, el gran aguante. El resto de los invitados ya no contó para ellos. Era una noche espléndida de antiguos compañeros, que ninguno deseaba compartir con alguien no iniciado. Al fin y al cabo, ¿quién podía disfrutar de aquel lenguaje hecho a golpes dispares de recuerdos?

De la fiesta pasaron a un bar, y luego a otro, y a los mariachis de Garibaldi, y a una cantina, empezando a horrorizarse al advertir que fuera de los recuerdos no tenían nada en común y absolutamente ningún tema en qué ponerse de acuerdo. Fue entonces, después de un silencio largo en el que sólo había palmadas en los hombres y sonrisas de motivos ocultos, cuando a alguien se le ocurrió recordar la noche aquella de los exalumnos, y la animación se prendió de nueva cuenta y empezaron a proponer que fueran a la escuela a voltear la cama de algunos oficiales, y echar agua a los muchachos dormidos y tocar en la corneta las notas de silencio para que todos se volvieran a dormir después del gran escándalo.

Al principio todo había sido fácil. Sabían el camino exacto del velador, así que esperaron a que pasara y cuando dio la vuelta en la esquina saltaron la barda. Agazapados, corrieron atravesando el patio hasta detenerse en el nacimiento de la escalera que lleva a las cuadras-dormitorios. Un ataque de risa estuvo a punto de poner en peligro prematuramente la aventura. Acevedo, con el rostro incendiado y las venas del cuello tensas, tuvo que meterse en la boca su pañuelo mientras Sotelo le amenazaba con el puño.

Empezaban a subir la escalera cuando a Sotelo se le ocurrió imitar al capitán De la Fuente, caminando en círculos muy cortos, echando rápidamente hacia adelante sus piernas mientras movía los brazos con presteza como si tuviera que caminar apoyándose en las manos. Acevedo se dejó caer rebotando en los escalones y deteniéndose en la pared, a duras penas acallando carcajadas.

Reemprendieron el ascenso al segundo piso.

Y ahora, en la azotea, el abogado Juan Francisco de la Mora escuchaba de nuevo el grito.

—Aquí está uno.

—Está trepado arriba de los excusados.

—A ver, papacito, a ver, déjenmelo solo. Véngase, papacito.

—Agárreme si puede, viejo jijo de la...

El abogado reconoció a Sotelo. Después fueron ruidos, carreras, insultos y al final los golpes.

—¿Conque sí, conque muy machito, que ya no se acordaba quién es su padre, Sotelo?

Luego silencio.

La noche pasó repleta de sonidos diversos provenientes de la búsqueda que llegaba rebotando hasta el escondite de Juan Francisco. Ruido de carreras, voces de mando, toques de corneta, relinchos de caballo. Y sobre todo el miedo.

Como un mundo lejano y añorado ya, las luces de la ciudad allá abajo estaban, como siempre, a lo lejos.

Al amanecer casi no podía seguir con los ojos abiertos. Un sueño pesado lo cegaba. La pierna izquierda acalambrada.

Fue entonces que la puerta de hierro de la azotea se abrió. Allí estaban los pasos de una persona, dos, tres y el ruido de correajes y fusiles.

Supo que de un momento a otro sería descubierto. El parpadeo del ojo izquierdo cesó de pronto, permaneciendo sólo una opresión en el pecho. Levantó la cara y se encontró con un muchacho frente a él. Era un cadete delgado, recio, mirándole de frente, con el arma apuntándole. Sorpresivamente bajó el fusil y con la boca dibujó una señal de silencio para continuar después su camino.

Permanecía aún sin entender cabalmente cuando detrás de él escuchó una voz aguda:

—¿Pero está usted ciego, Moya? ¿Que no ve que aquí hay uno?

Se volteó para encontrarse con el teniente Bustamante que tenía el brazo levantado y empuñando un fuete. Con lentitud desesperante siguió la caída del golpe desde lo alto de la mano hasta estrellársele en una mejilla. Después fue la sucesión de bofetadas. Cuando lo sacaron arrastrando de su escondite corría hacia él el capitán De la Fuente. Alcanzó a escuchar al joven Moya que dirigiéndose al capitán pedía:

—Ya déjelo, capitán, es un hombre acabado.

Fue lo último, antes de sentir la bota del capitán De la Fuente hundiéndose en su estómago.

BIBLIOGRAFIA

FERNANDO BURGOS: *Antología del cuento hispanoamericano*. Editorial Porrúa S.A., México, 1991.

GUSTAVO SAINZ: *Jaula de palabras* (una antología de la nueva narrativa mexicana). Grijalbo, México, 1980.

GUSTAVO SAINZ: *Los mejores cuentos mexicanos*, Océano, España.

MARIA DEL CARMEN MILLAN: *Antología de cuentos mexicanos,* Editorial Nueva Imagen, México, 1977.

MARIO MUÑOZ: *Memoria de la palabra*. Difusión Cultural UNAM, México, 1994.

JUAN ARMANDO EPPLE: *Antología del micro-cuento hispanoamericano,* Mosquito, Chile, 1990.

JOSE AGUSTIN, RENE AVILES FABILA, GERARDO DE LA TORRE: *De los tres ninguno,* Federación Editorial Mexicana, México, 1974.

MARCO AURELIO CARBALLO: *Los amores de Maluja,* Puntofino, México, 1994.

GONZALO CELORIO: *El viaje sedentario,* Tusquets Editores, México, 1994.

RICARDO CHAVEZ: *La guerra enana del jardín,* Joaquín Mortiz, México, 1994.

JOSEFINA ESTRADA: *Malagato,* Plaza y Valdés Editores, México, 1990.

JUAN GARCIA PONCE: *Cuentos,* antología personal, Liberta-Sumaria, México, 1980.

JORGE IBARGUENGOITIA: *La ley de Herodes,* Joaquín Mortiz, México, 1967.

HERNAN LARA ZAVALA: *De Zitilchén,* Joaquín Mortiz, México, 1981.

HECTOR MANJARREZ: *No todos los hombres son románticos,* Ediciones Era, México, 1983.

ANGELES MASTRETTA: *Mujeres de ojos grandes,* Planeta, Argentina, 1992.

LEO MENDOZA: *Relevos australianos,* Joaquín Mortiz, México, 1992.

JORGE ARTURO OJEDA: *Personas fatales,* Ediciones Mester, 1975.

MARIA LUISA PUGA: *Accidentes,* Martín Casillas Editores, 1981.

RAFAEL RAMIREZ HEREDIA: *Cuentos,* antología personal, Grupo Editorial 7, México, 1991.

GUILLERMO SAMPERIO: *Gente de la ciudad,* México, 1986.

GERARDO DE LA TORRE: *El vengador,* Joaquín Mortiz, México, 1973.

ERACLIO ZEPEDA: *Asalto nocturno,* Joaquín Mortiz, México, 1975.

INDICE

POLI DELANO
Prólogo 7

HECTOR AGUILAR CAMIN
Los prados solos 11

JOSE AGUSTIN
Yautepec 23

RENE AVILES FABILA
La antesala de la muerte 39

IGNACIO BETANCOURT
La memorable gran carrera o la tragedia del estadio 43

DAVID MARTIN DEL CAMPO
El sentadito 53

MARCO AURELIO CARBALLO
Los amores de Maluja 59

SALVADOR CASTAÑEDA
Si el viejo no aparece... 67

GONZALO CELORIO
Escrito sobre el escritorio 81

JOAQUIN ARMANDO CHACON
Los extranjeros 87

RICARDO CHAVEZ CASTAÑEDA
El diario del perro muerto 101

267

SALVADOR ELIZONDO
  En la playa 109

JOSEFINA ESTRADA
  No vendrá nadie a verte 121

JUAN GARCIA PONCE
  La plaza 127

JESUS GARDEA
  Los viernes de Lautaro 133

JORGE IBARGUENGOITIA
  La ley de Herodes 137

BARBARA JACOBS
  El séptimo día 141

ETHEL KRAUZE
  Hasta que la muerte nos separe 147

HERNAN LARA ZAVALA
  A la caza de iguanas 153

HECTOR MANJARREZ
  Noche 159

ANGELES MASTRETTA
  De *Mujeres de ojos grandes* 167

LEO EDUARDO MENDOZA
  Náufragos 173

DAMASO MURUA
  El misterio del cuarto 729 179

JORGE ARTURO OJEDA
  Lorenzo 187

JOSE EMILIO PACHECO
  La zarpa 193

SERGIO PITOL
  Victorio Ferri cuenta un cuento 199

ELENA PONIATOWSKA
   Esperanza número equivocado   205

MARIA LUISA PUGA
   El viaje   209

RAFAEL RAMIREZ HEREDIA
   La media vuelta   215

BERNARDO RUIZ
   Regreso   223

GUSTAVO SAINZ
   Río de los sueños   231

GUILLERMO SAMPERIO
   La Gertrudis   233

GERARDO DE LA TORRE
   Vanessa   239

JUAN VILLORO
   Yambalalón y sus siete perros   247

ERACLIO ZEPEDA
   Asalto nocturno   255

Bibliografía   265

....